Titre original de l'édition allemande :

HANNELORE KOHL : KULINARISCHE REISE DURCH DEUTSCHE LANDE·

© 1996 by Verlag Zabert Sandmann GmbH, München

Directeur de projet	Jutta Vogel
Choix de recettes	Centrale Marketinggesellschaft
	der deutschen Agarwirtschaft, Bonn
Rédaction	Christina Kempe
	Monika Kellermann
	Gertrud Köhn
Maquette intérieure	Berndt Fischbeck, Reinbeck
Conception de la couverture	Zero, Munich
Directeur technique	Peter Karg-Cordes
Iconographie	inteca Media Service GmbH, Rosenheim
Impression et reliure	Mohndruck, Gütersloh

Pour les pages 220-234, « La Route des Vins allemands » :

Maquette	Georg Feigl
Rédaction	Edelgard Prinz-Korte
Directeur technique	Peter Karg-Cordes
Iconographie	inteca Media Service Gmbh, Rosenheim

Traduction française © 1996 Éditions de Fallois, 22, rue La Boétie, 75008 Paris

N° d'édition : 270. Dépôt légal : octobre 1996.

ISBN 2-87706-285-6

Sélectionné par

Hannelore Kohl

UN VOYAGE GOURMAND À TRAVERS L'ALLEMAGNE

avec des textes de Helmut Kohl

Traduit de l'allemand
par Joseph Rovan et Danielle Cassard
avec l'aide de Létitia Planchette
et la collaboration de Danièle de Yparraguirre

Éditions de Fallois

PARIS

Chère lectrice, cher lecteur,

Quel plaisir d'imaginer que vous êtes en train de feuilleter mon livre de cuisine ! Je souhaite que votre appétit soit aiguisé en admirant ses belles photos et que vous retrouviez, en vous mettant aux fourneaux, le goût des mets traditionnels provenant de toutes les régions de l'Allemagne.

Ce livre de cuisine ne vous propose pas seulement des recettes délicieuses et de savoureux conseils. Celui qui l'achète pour lui-même ou pour l'offrir en cadeau fait en même temps un geste de solidarité. En effet, les droits d'auteur de chaque ouvrage vendu iront à la Fondation Hannelore Kohl que j'ai créée.

Cette Fondation a pour but de réunir l'argent nécessaire pour soutenir la science et la recherche au service de la réadaptation des traumatisés crâniens. C'est un domaine où il reste beaucoup à faire, tant pour les problèmes de la régénération du système nerveux que pour les possibilités de transplantation et les méthodes psychologiques pour améliorer chez les malades la qualité de la vie — pour ne mentionner que quelques domaines parmi bien d'autres.

La CMA (la Société centrale de Marketing de l'Économie agraire allemande), garante de la qualité et de l'excellence de nos produits alimentaires, a suivi ce projet avec toute sa compétence.

Le maître queux Alfons Schuhbeck m'a accordé toute son aide. Mon mari a apporté aussi sa contribution, à partir de son expérience personnelle, en rédigeant les introductions pour chaque région. Au cours de ses nombreux voyages à travers l'Allemagne il a pu découvrir — nous avons pu découvrir ensemble — des mets traditionnels et les régions vinicoles dans leur multiplicité et leurs spécificités. Et nous avons pris conscience qu'ils font pleinement partie

de la culture, de la qualité de la vie et de la joie de vivre.

Je souhaite que vous aussi puissiez jouir de la détente que procure un repas en buvant un verre de bon vin où l'on se sent bien dans le cercle de la famille et des amis. Pour de telles occasions vous trouverez dans ce livre de nombreuses suggestions grâce à des recettes dont beaucoup font partie de notre patrimoine culinaire.

Je vous souhaite beaucoup de plaisir pendant leur préparation, le meilleur succès dans leur réalisation, et bien entendu un excellent appétit !

Sur les bords de la mer du Nord

Par Helmut Kohl

É tablies sur la mer du Nord et sur la Baltique, les villes hanséatiques riches en tradition, ont été et sont encore aujourd'hui des portes de l'Allemagne grandes ouvertes sur le monde. Lubeck, Rostock, Hambourg ou Brême rappellent l'importance de la Hanse avec ses maisons bourgeoises, ses villes d'entrepôts et la légitime fierté de leurs citoyens devant l'autonomie de leurs communautés et leur succès économique. Thomas Mann les a souvent décrites avec un grand amour teinté d'ironie.

▶

Sur les bords de la mer du Nord

À Hambourg et à Brême, des foules d'émigrés allemands attendaient un passage pour l'Amérique du Nord. Qui se rappelle encore aujourd'hui que, dans les années 1870 et 1880, 120 000 hommes et femmes — l'équivalent d'une grande ville — émigraient chaque année vers les États-Unis ? Ces gens-là apportaient avec eux, dans le Nouveau Monde, leur façon de vivre, et tout particulièrement leur art culinaire.

Quand je me trouve à Hambourg je me rends quelquefois au cimetière d'Ohlsdorf sur la tombe de l'ancien maire Weichmann qui a été pour moi, alors que j'étais un jeune Ministre-Président de Rhénanie-Palatinat, un véritable mentor au sein du Bundesrat [1], et aussi sur celle de l'écrivain que j'estime beaucoup, Wolfgang Borchert. Sa pièce de théâtre « Devant la porte » [2] avait suscité tant d'émotion après la guerre chez les jeunes gens que nous étions alors !

Ici dans le Nord, nature et culture trouvent toutes deux leur plénitude, et leur rencontre produit de charmants contrastes. À peine quittées les grandes villes, on trouve des maisons couvertes de chaume qui ont l'air d'être venues se cacher de la tempête à l'abri des dunes, des buissons de genêts ébouriffés par les vents et des plages revêtues de brume. C'est ainsi qu'on imagine le temps où Theodor Storm écri-

vait son « Schimmelreiter », son « Cavalier à la monture blanche ». En des jours pareils j'aimerais être assis devant une cheminée, dégustant un plat de jambon de ferme, de saucisses fumées et un verre d'Aquavit, ou me régaler en mangeant des gaufres frisonnes à l'heure du thé.

En été, le même paysage invite à une promenade sur les sables découverts par la marée. L'air marin donne faim, il éveille l'appétit pour des crevettes fraîchement ramassées, ou encore un plat de « Rote Grütze », gelée de fruits

rouges accompagnée de sauce à la vanille. Au cours de mes voyages sur les côtes de la mer du Nord j'ai visité entre autres Sankt Peter-Ording, Nebel sur l'île d'Amrum, Wyk et Förland sur l'île de Föhr, Westerland et List sur celle de Sylt. J'ai toujours été impressionné par ces paysages grandioses.

Bien que les moyens de transport et les possibilités modernes de congélation et de conservation permettent aujourd'hui de manger partout et en toute saison n'importe quel plat, nous revenons heu-

reusement aux traditions régionales et aux spécialités locales. Dans le pays frison, presque toutes les fermes ont une meule à grains : une crêpe de sarrasin est un mets typique de la région qui mérite d'être goûté. Je n'imagine guère une visite à Hambourg sans m'offrir le plaisir d'un repas typique de « Labskaus » [3].

Aujourd'hui nous comprenons mieux que les plaisirs de la table doivent rester en harmonie avec les saisons : c'est le cas du chou vert accompagné de « Pinkel », comme on appelle dans le Nord ces saucisses fumées au gruau. Les amateurs de ce plat traditionnel attendent avec impatience les premiers gels de l'automne qui donnent aux choux leur véritable goût. Le chou est traditionnel dans le nord de l'Allemagne. Les sols enrichis par le limon de la région de Dithmarschen (« Marsch » désigne les terres inondées dont la mer se retire après chaque marée) constituent la plus grande région productrice de choux de toute l'Allemagne. Tous les ans, une jeune fille est élue « régente des choux » au cours d'une grande fête. Le proverbe populaire dit : « Le chou gonfle les ventres, mais il nourrit son homme. » C'est une phrase qui me plaît bien.

Un phare digne d'un livre d'images. Il se trouve à Westerhever entre Husum et Sankt Peter-Ording. Il est flanqué de deux pimpantes maisonnettes de gardien de phare. Tout en haut de la digue, il se reflète dans l'eau des prairies inondées. Les mouettes décrivent des cercles autour de sa tour élancée, puis piquent sur les vagues.

1. Le Sénat de la République fédérale composé de représentants des gouverneurs des Länder.
2. « Draußen vor der Tür » (Préf. Heinrich Böll, trad. J.-B. Oppel, Buchet-Chastel, 1962).
3. Voir la recette, p. 23.

Tête de chou farcie [1]

Ingrédients *(pour 4 personnes)*

1 gros chou frisé ou 1 chou blanc

sel

700 g de lard fumé haché

1 feuille de laurier

5 grains d'épices

1 oignon (pelé et coupé en deux)

60 g de beurre clarifié [2]

50 g de farine

poivre, noix de muscade

1 pincée de sucre

200 g de crème fraîche aigre

(ou crème fraîche + jus de citron)

Préparation

1. Couper le pied du chou. Mettre à bouillir une grande quantité d'eau salée, y plonger le chou pendant 10 mn, le retirer et le laisser égoutter.
2. Couper le chou en deux, retirer les feuilles autour du cœur. Farcir la cavité avec le lard fumé. Refermer les deux moitiés et les lier ensemble avec du fil.

3. Mettre à cuire le chou dans l'eau, avec les épices, l'oignon et les feuilles provenant du cœur. Faire cuire à feu doux 1 h 30 à 2 h.
4. Faire fondre le beurre clarifié dans un autre récipient, y mettre la farine et la faire revenir. Remuer constamment avec le fouet et arroser avec le bouillon du chou jusqu'à obtention d'une sauce veloutée.

Assaisonner avec du sel, du poivre, de la muscade et du sucre, laisser cuire à feu doux pendant encore 10 mn. Incorporer la crème au dernier moment.
5. Egoutter le chou, enlever les fils et le disposer sur un plat. Arroser avec la sauce. Servir avec des pommes de terre cuites à l'eau salée et les feuilles du cœur.

1. Cette recette contient un jeu de mots ; chou se disant Kohl, le mets s'appelle pour un Allemand « tête de Kohl farcie ».
2. Le beurre « clarifié » ou beurre fondu est du beurre qui a été chauffé à feu très doux de façon à le débarrasser de ses parties caséeuses qui s'accumulent en dépôt blanchâtre au fond du récipient. Le beurre ainsi « clarifié » peut supporter sans noircir une température plus élevée.

11

Rôti de porc
à la jardinière

Ingrédients

(pour 4 personnes)

4 cuill. à soupe d'huile

1/8 l de vinaigre à l'estragon

1/8 l de vin blanc sec

sel

poivre

sucre

1 oignon (haché menu)

1/4 de cuill. à café d'estragon séché

un bouquet de persil, d'aneth et de ciboulette (hachés menu)

750 g de rôti de porc dans l'épaule

4 cuil. à soupe de beurre clarifié

4 poireaux

1 cuil. à soupe de farine

125 g de crème fraîche aigre

Préparation

1. Faire une marinade en mélangeant l'huile, le vinaigre, le vin, le sel, le poivre et le sucre. Ajouter l'oignon et les herbes.

2. Disposer la viande dans un plat creux, l'arroser avec la marinade et laisser macérer pendant environ 12 h.

3. Retirer la viande de la marinade et l'éponger avec du papier absorbant. Mettre à chauffer le beurre clarifié et faire revenir la viande sur tous les côtés.

4. Arroser le rôti avec un peu de marinade. Laisser mijoter pendant environ 1 h 15 tout en arrosant de temps en temps le rôti avec la marinade.

5. Bien nettoyer les poireaux et les couper en anneaux. Les ajouter 20 mn avant la fin de la cuisson.

6. Sortir la viande de la cocotte et la maintenir au chaud. Mélanger la farine à la crème fraîche et incorporer à la sauce pour la lier.

Filets de porc
à la marjolaine

Ingrédients

(pour 4 personnes)

600 g de filet de porc

poivre

sel

un peu de moutarde

1 gros oignon

1 grosse pomme

3 cuil. à soupe de beurre clarifié

2 cuil. à soupe de beurre

1 cuil. à soupe de marjolaine émiettée

Préparation

1. Couper le filet de porc en tranches d'environ 3 cm d'épaisseur. Aplatir légèrement les morceaux avec la paume de la main, poivrer, saler et les enduire de moutarde.

2. Peler l'oignon et le couper en anneaux. Peler la pomme, la couper en quatre, l'épépiner et la couper en huit. Faire chauffer le beurre clarifié dans une poêle. Y faire ramollir l'oignon et la pomme. Quand le tout est tendre, le retirer du feu et le maintenir au chaud.

3. Mettre le beurre à fondre dans la poêle. Faire revenir légèrement les tranches de filet des deux côtés. Baisser le feu, couvrir. Saupoudrer abondamment de marjolaine 3 mn plus tard.

4. Ajouter les tranches d'oignon et de pomme et laisser le tout dans la poêle couverte pendant environ 2 mn. Disposer sur un plat de service. Accompagner de pommes de terre cuites dans de l'eau salée et de salade suivant la saison.

Rôti de porc aux pruneaux *(photo ci-dessous)*

Ingrédients

(pour 4 personnes)

500 g de rôti de porc
(dans du carré désossé)

6 pruneaux (dénoyautés, mis à tremper dans de l'eau-de-vie)

1 cuil. à café de coriandre (poudre)

sel, poivre

quelques gouttes d'Angostura

4 cuil. à soupe de beurre clarifié

1/8 l de vin blanc sec

1/8 l de bouillon de viande

2 cuil. à soupe de pain d'épice ou de Pumpernickel [1] écrasé

Préparation

1. Pratiquer une entaille profonde dans le morceau de porc, sans toutefois l'ouvrir complètement. Farcir la viande avec les pruneaux égouttés. Faire une roulade avec la viande en la liant avec du fil de cuisine. Frotter avec la coriandre, du sel, du poivre et l'Angostura.
2. Chauffer le beurre clarifié dans une cocotte. Y faire revenir le rôti de tous côtés à feu vif. Réduire le feu. Arroser lentement avec le vin et le bouillon. Laisser mijoter le rôti couvert, à feu moyen, pendant environ 1 h.
3. Retirer le rôti de la cocotte et enlever les fils. Incorporer au fond de cuisson le pain d'épice ou le « Pumpernickel ». Remuer sur feu vif pour réduire le jus de cuisson et obtenir une sauce homogène, rectifier l'assaisonnement. Servir avec des quartiers de pommes cuits à l'étuvée dans du vin blanc et des pommes de terre cuites à l'eau salée.

---

1. Pain noir complet. Il tiendrait son nom de la jument de Napoléon, Nickel. L'empereur aurait trouvé que ce pain était juste « bon pour Nickel ».

Kasseler [1] aux poires à la frisonne [2]

Ingrédients

(pour 4 personnes)

800 g de « Kasseler »
(filet de porc fumé)

150 g de lard maigre

3 oignons

400 g de carottes nouvelles

400 g de pommes de terre

300 g de poires

30 g de beurre clarifié

5 grains de poivre blanc

1 feuille de laurier

1/2 l de bouillon de viande

Préparation

1. Couper le filet en tranches, et le lard en dés. Laver et peler tous les fruits et les légumes. Détailler les oignons en quatre, les carottes et les pommes de terre en rondelles. Couper les poires en quatre, retirer les pépins et recouper chaque quartier en deux.
2. Faire chauffer le beurre clarifié dans une cocotte. Y faire dorer les oignons et le lard. Disposer les carottes, les pommes de terre et les poires en couches successives. Ajouter les grains de poivre et la feuille de laurier, verser le bouillon.
3. Y poser le filet, couvrir le plat et laisser mijoter pendant environ 45 mn dans un four préalablement préchauffé à 200°.

---

1. Originaire de la ville de Kassel, en Hesse, cette façon de préparer le porc n'est pas courante en France, le remplacer si nécessaire par du filet de porc fumé. Le résultat est tout de même parfait !
2. La Frise est la région qui longe les côtes de la mer du Nord.

Rosbif
à la sauce aux herbes

Ingrédients
(pour 4 personnes)

600 g de rosbif dans le faux-filet
poivre
sel
20 g de beurre clarifié
1 bouquet garni (persil, ciboulette, basilic)
1/2 cornichon russe (ou Molossol)
300 g de yaourt nature
1 pincée de paprika doux en poudre

Préparation

1. Frotter le rosbif avec le poivre et le sel et le faire revenir dans le beurre clarifié chaud. Mettre à cuire pendant environ 30 mn dans un four préchauffé à 220°, maintenir au chaud.
2. Laver les herbes, les sécher avec du papier absorbant et les hacher menu. Peler le cornichon et le couper en tout petits dés. Mélanger le yaourt, les herbes et les dés de cornichon. Relever la sauce avec le sel, le poivre et le paprika.
3. Couper le rosbif en tranches, les servir avec la sauce. Accompagner de pommes de terre en robe des champs farcies au chou ou plus simplement de pommes de terre sautées.

Filet de bœuf aux
betteraves rouges *(photo page de droite)*

Ingrédients
(pour 4 personnes)

800 g de filet de bœuf
poivre
sel
2 oignons
1 carotte
1 tige de ciboule
2 cuil. à soupe de baies de genièvre
100 g de lard maigre
1/8 l de bouillon de bœuf
2 cuil. à soupe de gelée de groseille
4 cuil. à soupe de crème fraîche

Pour les betteraves rouges :
3 pommes (par exemple des Boskoop)
3 betteraves rouges
6 cuil. à soupe de jus de betterave rouge
un peu de fécule
30 g de gelée de groseille
1 cuil. à café de sucre
1 cuil. à café d'amandes émondées et coupées en bâtonnets

Préparation

1. Assaisonner le filet de bœuf avec le poivre et le sel. Peler les oignons et les hacher menu, peler la ciboule et la carotte et les couper en fines rondelles. Réduire le genièvre en poudre dans un mortier.
2. Détailler le lard en dés, les faire fondre dans la poêle et y faire revenir la viande. Ajouter les oignons, mouiller avec le bouillon de bœuf.
3. Ajouter au fond de sauce le genièvre, la carotte et la ciboule. Faire cuire le tout à feu moyen 20 à 25 mn. Arroser régulièrement la viande avec son jus de cuisson.
4. Pendant ce temps, peler les pommes et les betteraves et les couper en tranches. Les faire cuire ensemble à feu moyen 7 à 8 mn dans le jus des betteraves. Délayer la fécule dans un peu d'eau froide et la verser sur les légumes. Lier la sauce et ajouter la gelée de groseille et le sucre, garnir avec les amandes.
5. Retirer la viande du jus de cuisson, le passer au chinois. Assaisonner et lier avec la crème fraîche jusqu'à obtention d'une sauce veloutée. Couper la viande en tranches. Servir avec la sauce et les betteraves rouges. Accompagner de croquettes de pommes de terre.

Hannelore Kohl

« Chez nous, on peut acheter des betteraves rouges toute l'année. En mai, des betteraves provenant de la nouvelle récolte remplacent la récolte d'hiver. De nos jours, on trouve sur nos marchés le légume avec sa verdure riche en matières nutritives qui peut être préparée comme des épinards. »

Soupe de poisson aux crevettes

Ingrédients
(pour 4 personnes)

350 g de filet de flétan

le jus de 1 citron

sel

1 oignon

1 noisette de beurre

2 poireaux

200 g de carottes

3/8 l de vin blanc sec

poivre

100 g de crevettes

Préparation

1. Couper le filet de poisson en cubes et l'arroser du jus de citron. Saler, couvrir et réserver au frais.

2. Peler l'oignon et le hacher menu. Faire fondre le beurre dans un récipient et y faire revenir l'oignon.

3. Nettoyer les poireaux, les laver et les couper en fins anneaux. Peler les carottes et les couper en julienne (fins bâtonnets).

4. Ajouter les légumes à l'oignon et les faire revenir rapidement. Arroser avec le vin et 1/2 l d'eau. Assaisonner avec le sel et le poivre. Laisser cuire à petits bouillons pendant environ 20 mn à feu très doux.

5. Ajouter alors les cubes de poisson et les crevettes, laisser mijoter à feu très doux pendant 10 mn.

Sole grillée aux lardons

Ingrédients
(pour 4 personnes)

4 soles (prêtes à cuire)

farine

150 g de lard

1 noisette de beurre

sel

poivre

1 cuil. à soupe de jus de citron

Préparation

1. Passer les soles sous l'eau froide, les éponger et les rouler dans la farine. Découper le lard en dés.

2. Faire fondre le beurre dans une poêle. Y ajouter le lard jusqu'à ce qu'il devienne translucide, déposer les soles et faire rissoler le lard jusqu'à obtention d'une belle croûte brune ; retourner les soles.

3. Retirer les soles, saler, poivrer et les disposer sur des assiettes. Arroser d'un filet de jus de citron, répartir le lard sur les assiettes.

Hannelore Kohl

« Ajoutez dans la poêle, en fin de cuisson, un zeste d'orange non traitée ciselé en julienne. Dans ce cas, remplacez, pour arroser les soles, le jus de citron par le jus de l'orange. »

Lard aux poires et aux haricots verts *(photo ci-dessus)*

Ingrédients
(pour 4 personnes)

500 g de lard maigre

1/2 l d'eau

750 g de haricots verts

de la sarriette

500 g de petites poires juteuses mais

fermes

sel

poivre

2 cuil. à soupe de persil haché

Préparation

1. Faire cuire le lard dans l'eau, le couvrir et laisser frémir à feu doux environ 50 mn.
2. Pendant ce temps, laver les haricots et, si nécessaire, retirer les fils. Les couper en deux. Après 20 mn de cuisson du lard, y ajouter les haricots et la sarriette, et laisser frémir 30 mn.
3. Laver les poires, les couper en deux, retirer les pépins. Environ 20 mn avant la fin de la cuisson, les ajouter aux haricots et laisser cuire le tout.
4. Retirer le lard, l'égoutter et le couper en tranches. Assaisonner les haricots avec le sel et le poivre, saupoudrer de persil et servir avec les poires et le lard.

Boulettes de bœuf

Ingrédients
(pour 4 personnes)

250 g de bifteck haché

125 g de tartare (faux-filet haché)

125 g de chair à saucisse

2 petits pains trempés dans du lait [1]

1 oignon

1 œuf

1 cuil. à soupe de persil finement

ciselé

sel, poivre

2 cuil. à soupe de beurre clarifié

1 tomate

---

1. Peuvent être remplacés par la mie de 2 morceaux de baguette ou encore 2 petits pains au lait.

Préparation

1. Malaxer ensemble la viande de bœuf hachée, le tartare et la chair à saucisse avec les petits pains bien essorés.
2. Peler l'oignon et le hacher menu. Incorporer l'œuf, l'oignon et le persil à la viande, relever avec le sel et le poivre.
3. Avec les mains humides, façonner ce hachis de viande en 8 à 10 boulettes de même taille, les aplatir légèrement avec la main. Faire rissoler lentement les boulettes à feu moyen dans le beurre fondu très chaud jusqu'à ce qu'elles deviennent croustillantes.
4. Couper la tomate en rondelles, les ajouter dans la poêle 2 mn avant de servir et les laisser légèrement étuver.

Faux-filet de bœuf de Brême

Ingrédients
(pour 4 personnes)

1 kg de faux-filet de bœuf

poivre

sel

3 cuil. à soupe de beurre clarifié

1 carotte

1/2 céleri-rave

1 oignon

1 poireau

1/8 l de vin blanc sec

1/2 l de bouillon de viande

2 feuilles de laurier

3 à 4 clous de girofle

5 baies de genièvre

Préparation

1. Frotter la viande de sel et de poivre. La faire revenir sur toutes ses faces dans le beurre clarifié très chaud.
2. Nettoyer la carotte, le céleri, l'oignon et le poireau et les couper grossièrement. Les ajouter et les laisser brunir pendant 2 mn.
3. Déglacer avec le vin et verser le bouillon, ajouter les épices. Couvrir le rôti et le laisser cuire pendant environ 1 h 30 à feu très doux dans un four préchauffé à 250°.
4. Retirer le rôti, l'envelopper dans une feuille d'aluminium, et réserver au chaud. Passer le jus et les légumes dans une passoire. Porter la sauce à ébullition, rectifier l'assaisonnement avec du sel et du poivre et la servir avec le rôti et les légumes en accompagnement.

Bœuf à l'aigre

Ingrédients
(pour 6 personnes)

1,5 kg de macreuse (ou de gîte) de bœuf

2 cuil. à café de sel

1 cuil. à café de poivre

1 cuil. à café d'oignon en poudre

(ou 1 oignon haché menu)

1/2 cuil. à café de noix de muscade

1/4 l de vinaigre

1 feuille de laurier

3 baies de genièvre

1 cuil. à café de poivre noir en grains

un peu de beurre clarifié

10 g de beurre

Préparation

1. Frotter la viande avec le sel, le poivre, et la poudre d'oignon. Lier la viande en une roulade avec du fil de cuisine.
2. Mettre de l'eau à bouillir dans une terrine pas trop grande. Y placer la viande, couvrir et laisser cuire pendant 2 h 30 à feu doux.
3. Verser le bouillon de cuisson dans une casserole, et le faire réduire à petite ébullition à 1/4 de litre. Ajouter le vinaigre, la feuille de laurier, le genièvre pilé et les grains de poivre, reporter à ébullition. Recouvrir la viande dans la terrine avec ce bouillon. Couvrir et laisser mariner au frais pendant 8 jours au maximum.
4. Couper ensuite la viande en tranches de 2 cm d'épaisseur et les faire dorer des deux côtés dans du beurre clarifié très chaud. En fin de cuisson, faire fondre le beurre, le verser sur la viande. Accompagner de pommes de terre à la sauce béchamel et de betteraves rouges.

Gigot d'agneau au romarin

Ingrédients

(pour 4 personnes)

2 gousses d'ail

2 tomates

2 carottes

1/4 de céleri-rave

1 brin de romarin

1 gigot d'agneau de 3 kg environ

poivre, sel

40 g de beurre clarifié

1/8 l de vin rouge

1/4 l de bouillon de viande

30 g de beurre très froid

30 g de fines herbes hachées

(cerfeuil, basilic, persil)

Préparation

1. Peler les gousses d'ail et les couper en quatre. Couper également les tomates en quatre. Éplucher les carottes et le céleri et les couper grossièrement en dés. Émietter le romarin.

2. Frotter le gigot d'agneau avec le sel, le poivre et le romarin. Faire chauffer le beurre clarifié dans un plat de cuisson et y faire revenir la viande de tous côtés. Y ajouter l'ail, les tomates, les carottes et le céleri et poursuivre la cuisson pendant quelques minutes.

3. Mettre à cuire le gigot dans un four préchauffé à 200° pendant environ 2 h, le retourner plusieurs fois. Le sortir à la fin du temps de cuisson et le maintenir au chaud.

4. Passer le jus de cuisson au tamis, déglacer le fond du plat avec le vin rouge, verser le bouillon, porter à ébullition et laisser réduire. Retirer du feu. Incorporer le beurre au fouet. Assaisonner avec les fines herbes. Servir avec des haricots verts et des tomates cuites à l'étouffée et parsemées d'ail.

Selle d'agneau de Lüneburg [1] à la crème fraîche

Ingrédients
(pour 4 personnes)

1 kg de selle d'agneau

sel

100 g de beurre

quelques brins de romarin et de thym

1 feuille de laurier

1 clou de girofle

quelques baies de genièvre

1/2 l de bouillon de viande

1/8 l de vin rouge

2 cuil. à soupe de crème double ou de crème fraîche

1 pincée de sucre

Préparation

1. Enlever le grds de la selle d'agneau, frotter la viande avec le sel. Faire chauffer le beurre dans un plat de cuisson et y faire revenir la viande sur tous ses côtés.
2. Ajouter le thym et le romarin émiettés à la viande avec le clou de girofle, la feuille de laurier et les baies de genièvre. Arroser du bouillon de viande. Cuire pendant 1 h dans le four préchauffé à 225-250°. Arroser souvent le rôti avec son jus de cuisson.
3. Retirer la viande et la réserver sur un plat pré-chauffé. Pour la sauce : déglacer le fond de cuisson avec le vin rouge, passer au chinois, lier avec la crème fraîche et la pincée de sucre. Servir la sauce séparément. Accompagner le gigot de chou rouge ou de boulettes de pommes de terre.

Gigot d'agneau de Lüneburg [1] au romarin

Ingrédients
(pour 6 personnes)

4 gousses d'ail

quelques brins de romarin

le jus de 1 citron

poivre

2,3 kg de gigot d'agneau

1 oignon

1 rondelle de céleri-rave

1 petite carotte

1 cuil. à soupe d'huile

2 bouquets de persil

sel

125 g de panure

Préparation

1. La veille, peler les gousses d'ail ; émietter le romarin. Passer une gousse d'ail dans le presse-ail et mélanger avec le jus de citron, le romarin et le poivre. Piquer le gigot avec les autres gousses d'ail cou-pées en deux, et l'arroser de marinade. Laisser mariner toute la nuit.
2. Retirer le gigot de la marinade. Peler l'oignon, le céleri et la carotte et les cou-per en dés. Mettre à chauffer dans un plat de cuisson la marinade et l'huile, y ajouter le gigot et les légumes, et laisser cuire de 1 h 15 à 1 h 30 au four préchauffé à 200°. Arroser fréquemment avec le jus de cuisson.
3. Hacher finement le persil, mélanger avec le sel, la panure et le romarin. Sau-poudrer le gigot avec ce mélange et laisser rôtir encore 5 mn. Servir avec des haricots et des pommes de terre cuites dans du bouillon de viande.

---

1. Lüneburg, ville de Basse-Saxe au sud de Hambourg dans le voisinage de vaste landes où les agneaux sont réputés pour la saveur de leur viande.

Jarrets d'agneau de Lüneburg farcis

Ingrédients

(pour 4 personnes)

4 jarrets d'agneau (environ 1,2 kg)

sel, poivre, 1 gousse d'ail

4 cuil. à soupe d'huile

1 carotte

1/4 de céleri-rave

2 oignons

1/2 poireau

40 g de concentré de tomate

1 l de fond d'agneau (ou de veau)

2,5 dl de vin rouge

8 à 10 baies de genièvre

1 cuil. à café de thym

1 feuille de laurier

1 clou de girofle

quelques grains de poivre

1 chou frisé

1 crépinette

50 g de jambon cuit

200 g de chair à saucisse

1 bouquet garni

un peu de cerfeuil et de ciboulette

Préparation

1. Assaisonner les jarrets d'agneau avec le sel et le poivre. Peler l'ail, l'écraser et en frotter les jarrets.
2. Faire revenir les jarrets dans une cocotte dans de l'huile très chaude. Mettre au four préchauffé à 180-200°.
3. Nettoyer la carotte, le céleri, les oignons et les éplucher. Les couper en gros morceaux et ajouter les légumes aux jarrets.
4. Ajouter le concentré de tomate et l'arroser du fond d'agneau (ou de veau) et du vin rouge. Y ajouter les épices et laisser cuire à feu très doux pendant 1 h.
5. Préparer le chou : détacher les feuilles de couleur vert tendre. Laver 12 à 16 feuilles de chou et en retirer les grosses côtes. Blanchir les feuilles à l'eau bouillante pendant environ 1 mn, les plonger dans de l'eau glacée, les essorer.

6. Laver la crépinette. Après 1 h de cuisson des jarrets, les retirer du four et laisser refroidir. Passer la sauce au chinois. Raccourcir les os des jarrets et les tirer délicatement vers vous pour les détacher.
7. Couper le jambon en dés et mélanger avec la chair à saucisse et les herbes. Enduire les feuilles de chou avec un peu de cette préparation et farcir les jarrets avec le reste ; leur redonner leur forme d'origine. Envelopper les jarrets dans les feuilles de chou. Égoutter la crépinette, la découper en 4 parts égales. Rouler les jarrets dans la crépinette.
8. Replacer les os raccourcis dans les jarrets, les envelopper dans une feuille d'aluminium. Remettre les jarrets dans le plat de cuisson, et les laisser rôtir à four très chaud pendant environ 20 à 25 mn. Arroser de temps à autre avec la sauce au vin rouge.

9. Retirer les jarrets du four. Enlever la feuille d'aluminium. Servir les jarrets farcis avec la sauce, des courgettes braisées, des carottes, des échalotes et des petits navets ou encore avec de la purée de pommes de terre.

Potée de la Weser [1] *(photo ci-dessous)*

Ingrédients
(pour 4 à 6 personnes)

600 g de viande de porc (collier)
600 g de viande de bœuf (jumeau)
200 g de lard fumé maigre
1 à 2 pieds de cochon (les faire couper en morceaux par votre boucher)
40 g de saindoux
1 bouquet de persil (haché)
un peu de farine
un peu d'eau

Pour la marinade :
1/2 céleri-rave
2 gousses d'ail
2 oignons
2 feuilles de laurier
4 branches de thym
sel, poivre, muscade
7,5 dl de vin blanc sec

Pour les légumes :
300 g d'oignons
400 g de poireaux
200 g de carottes
800 g de pommes de terre
sel, poivre

Préparation

1. La veille : couper la viande en gros cubes et le lard en petits dés. Mettre dans un plat avec les pieds de porc. Nettoyer et couper en petits morceaux les légumes destinés à la marinade. Les ajouter avec les aromates et le vin à la viande. Couvrir et laisser mariner toute une nuit.
2. Le lendemain : nettoyer les légumes et les couper en tranches ou en anneaux. Graisser un Römertopf [2]. Retirer la viande de la marinade, l'égoutter et former des couches successives de viandes et de légumes dans le moule. Assaisonner chaque couche avec du sel, du poivre et saupoudrer de persil.
3. Verser la marinade jusqu'à recouvrir le tout. Fermer avec le couvercle. Pétrir la farine et l'eau et la rouler en un fine bande. Fermer hermétiquement avec cette pâte. Laisser cuire doucement la potée pendant environ 2 h 30 au four préchauffé à 180°. Servir dans son moule de cuisson.

Pudding au chou
(« Kohlpudding » = Pudding de Kohl !)

Ingrédients
(pour 4 personnes)

1 chou frisé ou un chou blanc
sel
2 petits pains
1 oignon
250 g de bœuf haché
250 g de porc haché
250 g de bifteck haché
2 œufs
poivre
paprika doux
10 g de beurre

Préparation

1. Nettoyer le chou, en détacher les feuilles et les blanchir dans de l'eau bouillante salée pendant 2 à 3 mn. Retirer les grosses côtes.
2. Faire tremper les petits pains dans de l'eau, puis bien les essorer. Peler l'oignon et le couper en dés. Malaxer toutes les viandes, les petits pains, les œufs et les dés d'oignon en une pâte homogène. Assaisonner de sel, de poivre et de paprika.
3. Disposer dans un moule à flan beurré en couches successives bien tassées, les feuilles de chou en les alternant des couches de viande. Couvrir le moule et faire cuire au bain-marie pendant environ 1 h 30.

---

1. Région de collines sur la moyenne Weser en Basse-Saxe.
2. Römertopf : cocottte en terre poreuse plongée dans de l'eau avant l'utilisation. Cf. note p. 134.

Labskaus [1]

Ingrédients

500 à 600 g de viande de bœuf
macérée au sel
1 clou de girofle
1/2 petite feuille de laurier
3 grains de poivre
50 à 100 g de betteraves rouges
(conservées dans un bocal en verre)
1 filet de hareng-matjes [2]
400 g d'oignons
1 à 2 cornichons au vinaigre
75 g de saindoux
750 g de pommes de terre cuites
(écrasées alors qu'elles sont encore
chaudes)
sel
5 à 10 cuil. à soupe de bouillon de
viande
1/2 gousse d'ail hachée fine

Préparation

1. Mettre la viande et les
épices dans 1/2 l d'eau
bouillante, attendre la
reprise de l'ébullition et
laisser poursuivre la cuisson
à feu doux.
2. Retirer la viande de son
liquide de cuisson et la
passer au moulin avec la
betterave rouge égouttée, le
filet de hareng, les oignons
épluchés et le cornichon au
vinaigre.
3. Faire fondre le saindoux
et y mettre la préparation à
revenir doucement pendant
5 mn. Ajouter un peu de
bouillon de viande et laisser
cuire le tout bien à point,
y incorporer les pommes de
terre cuites. Saler et ajouter
le reste du bouillon, et l'ail.
4. Accompagner le Labskaus
selon les goûts avec des
œufs sur le plat, de la betterave rouge, des cornichons
au vinaigre ou des rollmops.

1. Plat de marins composé de viande
hachée, de poisson et de concombre.
2. Matjeshering : très jeune hareng qui
peut se manger cru.

Canard au chou

Ingrédients

(pour 4 personnes)

1 chou frisé de 1 kg environ

1 oignon

2 cuil. à soupe de beurre clarifié

2 dl de bouillon de viande

1 dl de vin blanc

2 cuisses de canard

2 filets de canard

sel

poivre

Préparation

1. Nettoyer le chou, le laver, le couper en quatre, enlever les parties dures et couper les quarts en lanières.
2. Peler l'oignon, le couper en dés et les faire braiser dans 1 cuil. à soupe de beurre clarifié très chaud. Ajouter le chou, arroser du bouillon et du vin, couvrir et faire cuire doucement pendant 30 mn.
3. Mettre à chauffer le reste du beurre clarifié dans une poêle et y faire rôtir les cuisses et les filets de canard sur tous les côtés. Assaisonner avec du sel et du poivre, couvrir et laisser braiser à feu doux (20 mn pour les filets, 30 pour les cuisses).
4. Ajouter au chou les morceaux de canard et faire cuire le tout pendant 5 mn supplémentaires. Disposer la viande de canard sur le chou. Servir avec des pommes de terre cuites en robe des champs.

Anguilles de mer de Plön [1]

Ingrédients

(pour 4 personnes)

1,2 kg d'anguilles (morceaux du milieu, prêts à l'emploi)

1 oignon

1/2 l d'eau

1 dl de vin blanc

2 feuilles de laurier

sel

2 bouquets d'aneth

100 g de beurre

1 à 2 cuil. à soupe de farine

2 dl de crème liquide

2 jaunes d'œufs

sel, poivre

Préparation

1. Laver l'anguille après l'avoir dépouillée de sa peau, la couper en morceaux. Peler l'oignon, le couper en quatre. Porter le tout à ébullition avec l'eau, le vin blanc, les feuilles de laurier, le sel et l'aneth (réserver quelques brins) ; faire cuire à feu doux pendant 25 mn.
2. Retirer l'anguille, l'égoutter, la couvrir et la garder au chaud. Passer le bouillon au chinois.
3. Faire fondre environ 50 g de beurre. Faire un roux avec la farine. Verser le bouillon en remuant continuellement, faire épaissir jusqu'à obtention d'une consistance veloutée.
4. Affiner la sauce obtenue avec la crème fraîche et les jaunes d'œufs, assaisonner de sel et de poivre. Faire fondre le beurre restant, l'y verser, couper menu le reste d'aneth et saupoudrer la sauce. Servir avec l'anguille. Accompagner d'une salade de concombre et de pommes de terre saupoudrées de persil finement ciselé.

---

1. Centre historique et balnéaire au bord de la Baltique dans le Holstein, célèbre aussi par son lac et les belles forêts qui l'entourent.

Jambon de Noël *(photo ci-dessous)*

Ingrédients
(pour 8 à 10 personnes)

3 kg de jambon (cuisse de porc sans gras ni couenne ; commandé préalablement chez votre boucher)

2 feuilles de laurier

15 grains de poivre blanc

1 blanc d'œuf

2 cuil. à soupe de moutarde

1 cuil. à soupe de sucre

4 à 6 cuil. à soupe de chapelure

En accompagnement :

quelques pommes au four

des pruneaux dénoyautés pochés au vin rouge

Préparation

1. Placer le jambon dans un récipient profond et le recouvrir juste d'eau. Ajouter les feuilles de laurier et les grains de poivre, laisser cuire environ 2 h 30 à feu doux.
2. Retirer le jambon du bouillon, laisser égoutter. Mélanger le blanc d'œuf, la moutarde et le sucre et en badigeonner le jambon. Le rouler dans la chapelure.
3. Mettre le jambon au four préchauffé à 180-200° et le faire cuire pendant environ 30 mn jusqu'à obtention d'une croûte brun doré.
4. Disposer le jambon sur un plat avec les pommes au four et les pruneaux cuits. Servir avec des pommes de terre en salade, de la salade verte bien croquante et du céleri en rémoulade.

Potée au chou

Ingrédients
(pour 4 personnes)

2,5 kg de chou vert

sel

2 oignons

80 g de saindoux

2 feuilles de laurier

5 grains de piment

1 cuil. à soupe de sucre candi blanc

150 g de poitrine fumée maigre

450 g de carré de porc fumé non désossé

5 dl à 7,5 dl de bouillon

4 cuil. à soupe de farine

1 cuil. à soupe de moutarde

4 saucisses à cuire (de 80 g ; chipolatas par exemple)

4 saucisses épicées (de 80 g) appelées « Pinkel » en patois

poivre

Préparation

1. Nettoyer le chou (le chou vert frais doit avoir été exposé au gel nocturne; sinon, il deviendrait amer à la cuisson), laver et retirer les grosses côtes.
2. Blanchir les feuilles pendant environ 2 mn à l'eau bouillante salée et les passer sous l'eau froide, les couper en petits morceaux. Peler les oignons et les couper en anneaux. Faire chauffer le saindoux et y faire braiser les oignons, les feuilles de laurier, le piment et le sucre candi.
3. Ajouter le chou vert, la poitrine fumée et le carré de porc, recouvrir de bouillon et laisser cuire 45 mn à petit feu.
4. Ajouter la farine, la moutarde, les saucisses à cuire et les « Pinkel ». Couvrir et laisser cuire 20 mn à l'étouffée. Saler, poivrer. Servir avec des petites pommes de terre cuites au four.

Haricots verts séchés

Ingrédients
(pour 4 personnes)

500 g de haricots verts (tendres)
750 g de lard maigre séché
1 oignon, poivre
500 g de pommes de terre
2 petits cervelas

Préparation

1. Enfiler les haricots sur un fil mince avec une aiguille à coudre. Les suspendre dans un endroit frais et les laisser sécher. Conserver les haricots séchés dans des petits sachets en tissu.

2. Bien laver les haricots séchés, les casser en morceaux et les faire tremper une nuit dans de l'eau.
3. Jeter l'eau du trempage, mettre les haricots dans de l'eau froide et les laisser cuire doucement environ 30 mn à feu moyen. Vider à nouveau l'eau de cuisson.
4. Couper le lard en tranches, peler l'oignon et le hacher menu. Laisser cuire à petit feu les haricots avec le lard et l'oignon dans 1/2 l d'eau pendant environ 1 h 30. Poivrer, saler.
5. Éplucher les pommes de terre et les couper en dés. Ajouter les cervelas et les pommes de terre pendant la dernière demi-heure de cuisson.

Salade de pommes de terre du Harz[1]

Ingrédients
(pour 4 personnes)

1 kg de pommes de terre
250 g de mayonnaise (de yaourt)
1 cuil. à café de moutarde
sel, poivre
2 cuil. à soupe de lait
2 cuil. à soupe de jus de concombre
4 œufs durs, 2 oignons
4 cornichons russes (Molossol)
300 g de saucisson fumé ou à l'ail
1 cuil. à soupe de persil haché

---

1. Région montagneuse. Point culminant à 1 142 m : le Broken, célèbre pour ses saucissons et, selon la légende, pour ses sorcières.

Préparation

1. Faire cuire les pommes de terre, les passer à l'eau froide, les peler et laisser refroidir.
2. Mélanger la mayonnaise avec la moutarde, le sel, le poivre, le lait et le jus de concombre.
3. Écaler les œufs et les couper en quartiers ou en rondelles ainsi que les pommes de terre. Peler les oignons et les couper en dés, ainsi que les cornichons. Couper le saucisson en lanières.
4. Mélanger à la mayonnaise, verser 2 cuil. à soupe d'eau chaude, poudrer de persil.

Cake de Brême *(photo ci-dessous)*

Ingrédients
(pour 1 moule à cake)

700 g de raisins de Smyrne

80 g de confit de citron (coupé en petits dés) ou de pâte de fruits

40 g de confit d'orange (coupé en petits dés) ou de pâte de fruits

60 g d'amandes hachées

3 cl de rhum

3 dl de lait tiède

80 g de levure

80 g de sucre en poudre

1 kg de farine

400 g de beurre ramolli

1/2 cuil. à café de sel

Un jus de citron non traité et son zeste.

1/2 cuil. à café de cardamome (moulue)

Pour le moule :

30 g de beurre

80 g de sucre en poudre

Préparation

1. Laver les raisins de Smyrne et les laisser égoutter. Mélanger dans un grand saladier les raisins secs, les confits de citron et d'orange, les amandes, arroser de rhum, couvrir et laisser macérer toute une nuit.
2. Mélanger le lait, la levure, 1 cuil. à soupe de sucre et environ 250 g de farine. Former un levain. Laisser reposer dans un endroit chaud pendant environ 30 mn.
3. Pétrir en une pâte homogène le levain obtenu avec le reste de sucre et de farine, le beurre, le sel, le jus de citron, le zeste de citron et la cardamome. Incorporer à la pâte les fruits trempés dans le rhum. Mélanger intimement le tout.
4. Remplir un moule à cake beurré et saupoudré de sucre avec cette préparation. Couvrir et laisser lever dans un endroit chaud pendant 1 h.
5. Placer au four préchauffé à 180° et laisser cuire pendant environ 1 h. Saupoudrer le cake de Brême avec le reste du sucre en poudre.

Butterkuchen *(Tarte au beurre)*

Ingrédients
(pour 1 lèchefrite)

Pour la pâte :

50 g de farine de froment

40 g de levure

60 g de sucre en poudre

1/4 l de lait tiède

100 g de beurre

1/2 cuil. à café de sel

1 œuf

le zeste de 1 citron non traité

100 g de raisins secs

Pour la garniture :

200 g de beurre

60 g d'amande effilées

180 g de sucre

1 cuil. à café de cannelle en poudre

Et aussi :

du beurre pour la lèchefrite

Préparation

1. Tamiser la farine au-dessus d'un grand saladier et y creuser un puits. Émietter la levure, la dissoudre avec un peu de sucre dans 1/8 l de lait et la verser dans le puits. Mélanger avec un peu de farine. Couvrir et laisser reposer au chaud.
2. Faire fondre le beurre dans le reste du lait, laisser tiédir légèrement. Mélanger avec le sel, l'œuf, le zeste de citron, le reste de sucre et les raisins secs et former un levain. Pétrir le tout en une pâte à lever bien lisse. Laisser reposer au chaud.
3. Etaler la pâte sur un peu de farine, l'étendre sur une lèchefrite beurrée et façonner un bord. Du bout des doigts, imprimer des petites crénelures dans la pâte.
4. Pour la garniture, répartir le beurre en petits flocons sur la surface de la pâte, puis les amandes effilées et y verser en abondance un mélange de sucre et de cannelle. Faire dorer au four préchauffé à 200° pendant 20 à 30 mn.

« Grand Jean » <small>(photo ci-dessous)</small>

Ingrédients
(pour 4 personnes)

125 g de beurre

6 jaunes d'œufs

3,75 dl de lait

600 g de farine

1 cuil. à café de levure en poudre

le zeste râpé de 1 citron non traité

6 blancs d'œufs

100 g de pruneaux cuits

100 g de raisins secs

80 g de beurre ramolli

75 g de sucre en poudre

Préparation

1. Battre ensemble au fouet le beurre, les jaunes d'œufs et le lait. Mélanger la farine avec la levure, le zeste de citron râpé et les ajouter dans le lait aux œufs pour former une pâte homogène.
2. Battre les blancs d'œufs en neige bien ferme et les incorporer à la préparation. Étaler une serviette humide sur la table. Détailler les pruneaux en petits dés et les disposer avec les raisins secs sur la serviette. Étaler la pâte au-dessus, rassembler les 4 côtés de la serviette et la nouer sur la pâte.
3. Mettre de l'eau à bouillir dans une grande marmite à bords hauts. À l'aide d'une écumoire, plonger à demi la serviette nouée dans l'eau. Laisser cuire la boule ainsi obtenue environ 2 h dans l'eau bouillante.
4. Retirer la boule et laisser refroidir. Couper en tranches avec un fil à couper le beurre. Accommoder chaque tranche avec du beurre et du sucre. Servir avec une compote aux pommes ou aux fruits variés.

Beignets aux pommes

Ingrédients

Pour les beignets :

500 g de farine

30 g de levure

100 g de sucre

1/4 l de lait tiède

80 g de beurre ramolli

1 pincée de sel

le zeste râpé de 1 citron non traité

beurre clarifié pour achever la cuisson

un peu de sucre glace ou semoule

Pour les tranches de pommes :

1 kg de pommes (Cox, Reinettes, Boskoop)

1/4 l d'eau

1/4 l de vin blanc sec

150 g de sucre

1 bâton de cannelle

le zeste de 1/2 citron non traité

Préparation

1. Tamiser la farine dans un grand saladier et former un puits. Émietter la levure et dissoudre 2 cuil. à café de sucre dans 2 cuil. à café de lait tiède. Verser dans le puits, mélanger avec un peu de farine, couvrir et laisser lever au chaud.
2. Dès que la pâte ainsi obtenue a doublé de volume, y ajouter le beurre, le reste de sucre, le sel, le zeste de citron. Pétrir avec le reste du lait et former une pâte bien lisse.
3. Façonner avec cette pâte des petites boulettes, les aplatir et les laisser lever sur une planche farinée.
4. Chauffer le beurre clarifié dans une friteuse jusqu'à ce que des petites bulles se forment le long du manche d'une louche plongée dans le liquide. Y plonger les boulettes les unes après les autres jusqu'à obtention d'un brun doré. Les poser ensuite sur du papier absorbant et les saupoudrer immédiatement et abondamment de sucre glace ou semoule.
5. Éplucher les pommes, retirer les pépins, les couper en tranches. Les faire cuire quelques minutes dans l'eau, avec le vin, le sucre, la cannelle et le zeste de citron. Les pommes doivent être cuites mais ne pas s'effriter. Les servir tièdes avec les beignets très chauds.

Welfenpudding [1] *(Flan guelfe)*

Ingrédients

(pour 4 à 6 portions)

1/2 l de lait
120 g de sucre
1 cuil. à soupe de sucre vanillé
sel
50 g de fécule
4 blancs d'œufs
4 jaunes d'œufs
1 cuil. à soupe de jus de citron
1/4 l de vin blanc

Préparation

1. Réserver 2 à 3 cuil. à soupe de lait, porter le reste à ébullition avec environ 40 g de sucre, le sucre vanillé et le sel.
2. Diluer environ 40 g de fécule dans le reste du lait et l'ajouter au lait bouillant. Porter à ébullition en remuant sans cesse, retirer du feu. Monter les blancs d'œufs en neige et les incorporer délicatement. Verser le flan dans des moules et laisser refroidir.
3. Pour obtenir un sabayon, bien mélanger dans un saladier les jaunes d'œufs, le reste du sucre, le jus de citron, le vin et le reste de fécule diluée dans de l'eau froide.
4. Faire chauffer cette sauce au bain-marie en battant sans cesse jusqu'à ce qu'elle « monte » en doublant de volume et en formant une masse mousseuse. Retirer le récipient du feu et continuer de battre cette sauce encore 3 à 4 mn jusqu'à ce qu'elle refroidisse.
5. Répartir le sabayon à la louche sur les flans froids. Servir immédiatement.

1. La dynastie des « Welfen », les Guelfes, a joué un rôle important en Allemagne depuis le XIIe siècle. En était issue la dynastie de Hanovre qui régna sur l'Angleterre de 1713 à 1904.

Gelée aux baies rouges

Ingrédients

(pour 4 personnes)

2 dl de jus d'oranges fraîchement pressées
250 g de mûres, autant de framboises, de groseilles et de griottes (équeutées et dénoyautées)
150 g de sucre
2 cuil. à soupe de fécule

Préparation

1. Mettre dans une casserole le jus d'orange et les deux tiers des fruits avec le sucre et faire cuire à petit feu.
2. Étaler une serviette humide sur une passoire et verser les fruits à l'intérieur. Presser et récupérer le jus obtenu dans un récipient à travers le linge.
3. Diluer la fécule dans un peu d'eau froide, mélanger au jus et porter à ébullition. Ajouter le reste des fruits et laisser cuire quelques minutes le tout, mettre à refroidir. Servir avec du lait, de la crème légèrement battue ou de la crème anglaise.

Petits pains chauds

Ingrédients

500 g de farine
30 g de levure
le zeste râpé de 1 citron non traité
150 g de sucre
1 pincée de sel
200 g de beurre ramolli
3 œufs
150 g de raisins secs
du beurre pour la lèchefrite
1 jaune d'œuf

Pour l'accompagnement :
100 g de beurre
1 pincée de cannelle ou de
clous de girofle en poudre
1/2 l de lait

Préparation

1. Tamiser la farine dans un grand saladier et creuser un puits. Diluer la levure avec un peu d'eau chaude et la verser dans le puits. Ajouter le zeste de citron, le sucre, le sel, le beurre et les œufs ; pétrir en une pâte lisse. Laisser lever la pâte jusqu'à ce qu'elle double de volume.
2. Laver les raisins secs et les incorporer à la pâte. Former un rouleau et découper cette pâte en morceaux de taille égale. Avec ces morceaux, façonner des petites boules rondes. Les disposer sur une lèchefrite graissée et les placer dans un endroit chaud ; les laisser lever des deux tiers de leur volume.

3. Mélanger le jaune d'œuf avec 1 cuil. à café d'eau et en badigeonner la surface supérieure des petits pains. Mettre à cuire pendant 15 mn au four préchauffé à 200° jusqu'à ce qu'ils soient bien dorés.
4. Servir les petits pains dans une assiette creuse. Prélever le chapeau, poser un morceau de beurre à l'intérieur, saupoudrer de cannelle ou de girofle et remettre le chapeau en place. Arroser de lait très chaud.

Les boulangers allemands : champions du monde en qualité et en diversité

Hannelore Kohl :

Mon mari et moi-même sommes des passionnés de la randonnée pédestre. N'est-il pas évident que la marche et la pause du « casse-croûte » ont un point commun ?

Alfons Schuhbeck :

Certes, après avoir dépensé ses forces dans une randonnée, le corps a besoin avant tout de l'apport des hydrates de carbone. Et c'est le pain qui lui en fournit le plus. Si, au cours de votre expédition, vous étiez tentés de vous arrêter pour manger un plantureux repas à base de porc, vous perdriez l'envie de continuer votre promenade et n'aspireriez qu'à faire une bonne sieste. En effet, un repas trop riche en matières grasses provoque d'abord une sensation de fatigue ; en revanche, le pain remet en forme. Ajoutez-y, si possible, quelques carottes crues ou un morceau de radis noir.

Hannelore Kohl :

Je sais que beaucoup de membres des ambassades allemandes à l'étranger demandent à leurs visiteurs de leur apporter du pain allemand. N'est-ce pas le meilleur compliment pour nos boulangers ?

Alfons Schuhbeck :

En effet, aucun autre pays n'a un plus grand assortiment de pains – plus de 300 sortes, auxquelles il faut ajouter 1 200 sortes de petite pâtisserie. L'Allemagne est dans ce domaine championne du monde et les consommateurs apprécient cette offre : statistiquement, la consommation annuelle

Petits pains ou grosses miches : les maîtres-boulangers Klaus-Peter Dung (à gauche) et Joachim Becker sont des virtuoses en la matière.

de pain et de petits pains est de 81,3 kilos environ par habitant.

Hannelore Kohl :

En visitant un four, j'ai appris qu'il y a en Allemagne un service de contrôleurs en panification – et un service-conseil que les boulangeries peuvent consulter pour un auto-contrôle volontaire. Ces maîtres-boulangers expérimentés étudient entre autres la croûte et la mie, le goût, l'odeur et le taux d'acidité d'échantillon de pains dont ils ignorent l'origine.

Alfons Schuhbeck :

Le contrôle TÜV [1] de la boulangerie est sévère, mais il récompense les bons produits par des médailles d'or et d'argent. Ces médailles, que le boulanger suspend avec une légitime fierté dans son magasin, sont pour les clients la preuve irréfutable d'une qualité de pointe bien contrôlée.

Hannelore Kohl :

Je suis très souvent en déplacement, ce qui m'oblige à conserver un pain quelquefois plusieurs jours. L'expérience m'a montré qu'un pain complet

contenant du seigle, avec une croûte bien épaisse, reste plus longtemps frais qu'un pain de froment trop tendre. Il m'arrive parfois de couper la moitié d'une miche en tranches et de les mettre au congélateur. Elles décongèlent immédiatement dans le grille-pain.

---

1. Service de surveillance technique : organisme indépendant chargé des différents contrôles de conformité.

Entre la Baltique et la rivière Spree

Par Helmut Kohl

P eu de villes de notre pays reflètent autant que Berlin les événements heureux et malheureux qui ont marqué l'Allemagne, au long de son histoire. Après la révocation de l'Édit de Nantes, en 1685, l'Électeur de Brandebourg offrit un refuge aux protestants français qui cherchaient à fuir la conversion forcée. Au début du XVIIIe siècle, près de 40 % de la population berlinoise était d'origine française. Sur la place, dite « le marché des gendarmes » (« Gendarmenmarkt »), l'Électeur du roi de Prusse fit construire deux cathédrales : l'une pour la population allemande (« Deutscher Dom »), l'autre pour les émigrés français (« Französischer Dom »). Combien de fois, me trouvant au Reichstag, ai-je regardé le Mur au-delà de la partie orientale de la ville où la cathédrale française est un rappel de tolérance et d'ouverture d'esprit ! L'un des plus importants architectes allemands, Karl Friedrich Schinkel, orna la ville de chefs-d'œuvre qui font la fierté des Berlinois : la « Neue Garde » (le nouveau poste de garde), la Maison du Théâtre et le Musée ancien.

▶

Entre la Baltique et la rivière Spree

Beaucoup de recettes de la région berlinoise rappellent que le roi Frédéric II — ou plutôt comme on l'appelle aujourd'hui avec tendresse « le vieux Fritz » — avait ouvert ici le « chemin victorieux » de la pomme de terre : les soupes de pommes de terre, les croquettes de pommes de terre et la salade de pommes de terre avec les boulettes de viande appartiennent encore aujourd'hui à la traditionnelle cuisine berlinoise, de même que la saucisse au curry qui a ici un goût particulièrement plaisant et qu'on a intérêt à consommer devant l'un de nos curieux « kiosques » à saucisses. Même si les boulettes de viande, sous le nom de « fricadelles » ou d'autres désignations locales, sont aujourd'hui prisées dans toute l'Allemagne, il paraît que c'est dans un bistrot berlinois qu'elles auraient été servies pour la première fois en 1903.

Le grand romancier Theodor Fontane, né à Neuruppen dans la Marche de Brandebourg, et lui-même amateur de bonne chère, a décrit l'animation qui régnait sur les marchés du Brandebourg, le bruissement des voix et la profusion de fruits et légumes sur les étals. Les grosses poires odorantes de couleur jaune d'or qui poussent sur l'arbre du Seigneur de Ribbeck font venir l'eau à la bouche depuis des générations aux élèves des lycées pendant les cours de littérature [1].

Pour l'abondance des fruits et légumes, le pays de la Havel n'a rien perdu de son importance et de son attrait. Le « foie à la berlinoise » peut ainsi s'agrémenter de ses compléments classiques : les rondelles d'oignons et les tranches de pommes. Les cultivateurs connaissent leur dépendance envers la nature, les bonnes récoltes alternant avec les mauvaises. Les paysans des rives de la Spree ont démontré très tôt comment on peut s'en tirer avec de l'ingéniosité. Dès le XVIIe siècle, ils ont mis leurs gros cornichons dans de la saumure, les conservant ainsi pour l'hiver. Jusqu'à ce jour les cornichons de la forêt de la Spree [2] sont une spécialité appréciée. On les trouve sur les marchés publics locaux comme une « délicatesse » qu'on mange sur place à la main.

Le Mecklembourg-Poméranie antérieur est le moins peuplé parmi les Länder fédéraux. Celui qui vient ici passer les vacances à la ferme peut encore découvrir les bâtiments de ferme d'ancien style qui se trouvent isolés au milieu des champs. C'est un pays d'innombrables lacs, de vrais bijoux. La nature vierge offre de l'espace pour des paradis d'oiseaux et l'ampleur du paysage fascine celui qui le contemple.

Sur la côte de la mer Baltique, les amateurs de poisson peuvent s'en donner à cœur joie : merluches, harengs, maquereaux, soles, anguilles de mer et turbots doivent être achetés à l'arrivée des barques de pêcheurs. On peut aussi se les faire servir, fraîchement pêchés, dans des auberges juchées sur la côte. Les poissons fumés — et en particulier l'anguille fumée — sont une spécialité du Mecklembourg ainsi que la baliste, une étrange variété qui se distingue par la couleur verte de ses arêtes.

1. Dans un poème célèbre, Fontane raconte que le Seigneur de Ribbeck laissait les enfants du village cueillir les poires de son jardin. En mourant, « se méfiant de son fils », il demande qu'on place une poire dans sa tombe. Le fils interdit aux enfants de prendre les poires, mais au bout de quelques années un poirier pousse au cimetière et les enfants entendent la voix du maître défunt dire d'une voix sépulcrale : « Viens cueillir une poire. »
2. La forêt de la Spree, à une centaine de kilomètres de Berlin, est parcourue par d'innombrables bras de la rivière. Les touristes aiment parcourir cette région sur des bateaux plats que les habitants dirigent à la rame.

Il y a encore aujourd'hui dans la forêt de la Spree beaucoup de champs et de fermes qui ne sont accessibles qu'en barque.

Goulasch de porc à la bière et aux concombres

Ingrédients

(pour 4 personnes)

1 kg de porc dans l'échine
2 cuil. à soupe de saindoux de porc
500 g d'oignons
1/4 l de bière
1/8 l d'eau
2 cuil. à soupe de paprika doux
en poudre
800 g de tomates
250 g de petits concombres de jardin
1/8 l de crème fraîche
sel, poivre

Préparation

1. Couper la viande en cubes. La faire revenir rapidement dans le saindoux très chaud. Peler les oignons, les couper en huit, les ajouter à la viande et faire revenir le tout.

2. Saler et mouiller avec la bière et l'eau. Ajouter la poudre de paprika. Laisser mijoter pendant environ 1 h 10.

3. Ébouillanter les tomates et en retirer la peau. Les couper en quartiers, les épépiner et les ajouter à la viande, laisser cuire à petits bouillons pendant encore quelques minutes.

4. Couper les concombres en rondelles et les ajouter à la préparation. Lier le goulasch avec la crème fraîche, rectifier l'assaisonnement. Servir avec des nouilles.

Poitrine de porc farcie

Ingrédients

(pour 4 personnes)

*1 kg de poitrine de porc désossée
(faire pratiquer une entaille par votre
boucher)
sel, poivre
1 petit pain rassis
150 g de bœuf haché
150 g de porc haché
1 bouquet de persil (haché)
1 œuf, de la marjolaine
1 gousse d'ail (hachée menu)
1 oignon (haché menu)
50 g de beurre clarifié
1 racine de persil (à défaut 1 morceau de céleri-rave)
1 carotte
1 oignon, coupé en dés grossiers
1/4 l de bouillon de viande*

Préparation

1. Frotter la viande à l'intérieur et à l'extérieur avec du sel et du poivre.

2. Faire tremper le petit pain dans de l'eau tiède. Mélanger les viandes hachées avec le persil, l'œuf, le poivre, le sel, la marjolaine, l'ail et l'oignon haché. Essorer le petit pain et l'incorporer en le malaxant à la préparation. Farcir la poitrine de porc avec ce mélange et refermer l'ouverture avec du fil de cuisine.

3. Faire revenir dans du beurre clarifié très chaud et cuire au four préchauffé à 180° pendant environ 1 h 10. Arroser souvent le rôti avec son jus de cuisson.

4. Peler la racine de persil et la carotte, les couper en morceaux et les ajouter avec l'oignon coupé en dés 40 mn après le début de la cuisson.

5. Sortir le rôti du four, le réserver au chaud. Déglacer le fond avec le bouillon, porter à ébullition, passer au chinois et rectifier l'assaisonnement. Accompagner de tomates grillées et de purée de pommes de terre.

Côtes de porc, sauce aux câpres

Ingrédients

(pour 4 personnes)

*4 côtes désossées dans le filet
(de 150 g chacune)
sel, poivre
30 g de beurre clarifié
1 cuil. à soupe d'oignons coupés en dés
un peu de vin blanc
1 cuil. à soupe de concentré de tomate
30 g de câpres
1 cuil. à soupe de cornichons hachés
1 cuil. à soupe de persil séché
quelques tranches de citron
4 petits brins de persil*

Préparation

1. Assaisonner les côtes avec du sel et du poivre. Les faire revenir dans le beurre clarifié très chaud, retirer du feu et les maintenir au chaud.

2. Faire revenir les oignons 1 à 2 mn dans le jus de cuisson des côtes. Ajouter le vin, la sauce tomate, les câpres, le cornichon, le persil et une pincée de sel. Laisser cuire la sauce à petit feu pendant 20 mn, rectifier l'assaisonnement si nécessaire.

3. Verser la sauce sur les côtes, garnir avec les brins de persil et les tranches de citron.

Hannelore Kohl

« Pour donner à ce mets une note méditerranéenne, il suffit d'utiliser de l'huile d'olive à la place du beurre clarifié. Vous devez alors assaisonner la sauce avec du jus de citron. »

Épaule de porc au cumin (photo ci-dessus)

Ingrédients
(pour 4 personnes)

*1 kg d'épaule de porc
(à défaut, de palette)*

du cumin (entier ou moulu)

sel

1 cuil. à soupe de saindoux

2 oignons

150 g de bouillon de viande

150 g de petits champignons de Paris

1/2 bouquet de persil

100 g de lard fumé

1 gousse d'ail

un peu de crème fraîche épaisse

poivre

Préparation

1. Frotter la viande avec le sel et le cumin. Mettre à chauffer le saindoux dans une marmite et faire revenir la viande sur tous ses côtés.

2. Peler les oignons, les couper en quatre et les ajouter dans la marmite. Arroser l'épaule avec un peu de bouillon pour l'empêcher de brunir trop vite.
3. Nettoyer les champignons, hacher le persil, couper le lard en dés, éplucher l'ail et l'écraser au presse-ail. Mettre le tout dans la marmite 30 mn après le début de la cuisson. Arroser le rôti avec le reste du bouillon. Couvrir et laisser cuire encore 30 mn.
4. Retirer la viande de la marmite. Lier le fond de cuisson avec la crème fraîche, laisser reprendre l'ébullition et rectifier l'assaisonnement. Servir avec des boulettes de pommes de terre et une salade de chou blanc.

Carré de porc fumé à la purée de pois

Ingrédients
(pour 4 personnes)

Pour la purée de pois :

400 g de pois secs verts ou jaunes

1 l d'eau

1 bouquet garni, 1 oignon

30 g de beurre, sel, poivre

Pour le carré de porc :

*1 kg de carré de porc fumé
(Kasseler) en un seul morceau
désossé*

1 oignon

1 dl de vin rouge

sel, poivre

Préparation

1. Pour la purée, laisser tremper les pois dans l'eau pendant toute une nuit.
2. Le lendemain, préchauffer le four à 175°. Placer le

carré sur la grille à rôtir et juste en dessous poser une poêle pour recueillir la graisse, laisser rôtir pendant environ 45 mn.
3. Dès que le rôti brunit, verser un peu d'eau bouillante au-dessus et déglacer le fond de la poêle. Arroser la viande avec ce jus.
4. Peler l'oignon, le couper en quatre et l'ajouter dans la poêle 25 mn avant la fin de la cuisson.
5. Mettre à cuire les pois dans leur eau de trempage. Peler l'oignon et le couper en dés, les ajouter aux pois avec le bouquet garni. Laisser cuire à petit feu jusqu'à ce que les pois soient tendres.
6. Passer au moulin-légumes, ajouter le beurre, rectifier l'assaisonnement avec le poivre et le sel.
7. Sortir le rôti du four. Déglacer le fond de la poêle en y faisant bouillir un peu d'eau chaude, faire réduire en ajoutant le vin rouge.

Échine de porc au concombre

Ingrédients

(pour 4 personnes)

800 g de porc dans l'échine
(désossé)
poivre, sel, 4 oignons
60 g de beurre clarifié
1/2 l de bouillon de viande
1 cuil. à soupe de fécule
2 cuil. à soupe d'eau
800 g de concombres
75 g de lard fumé
1 cuil. à soupe de farine
1 cuil. à soupe de sucre
1/4 l de bouillon de viande
1 cuil. à soupe de concentré de
tomate
1 cuil. à soupe de vinaigre

Préparation

1. Poivrer la viande et la saler. Peler 2 oignons et les couper en quatre. Mettre à chauffer 30 g de beurre clarifié dans un plat allant au four et y faire revenir la viande de tous côtés.
2. Préchauffer le four à 180°. Placer les oignons dans le plat allant au four et faire revenir le tout brièvement. Porter le bouillon à ébullition et le verser sur le rôti, laisser mijoter au four pendant environ 1 h.
3. Sortir le rôti du four et le maintenir au chaud. Diluer la fécule dans l'eau et lier la sauce de cuisson.
4. Peler les concombres, les couper en morceaux, les saler légèrement et les laisser dégorger pendant environ 10 mn. Peler le reste des oignons et les couper en dés ainsi que le lard.
5. Faire chauffer le reste de beurre clarifié dans une marmite. Y faire fondre le lard et les oignons. Ajouter les morceaux de concombre et saupoudrer de farine. Recouvrir de sucre et faire caraméliser.
6. Mélanger le bouillon de viande à la sauce tomate, l'ajouter aux concombres et laisser mijoter encore 15 mn. Aromatiser avec le vinaigre.
7. Découper la viande en tranches, servir avec les concombres et la sauce d'accompagnement.

Carré de porc de Kassel aux prunes *(photo ci-dessous)*

Ingrédients

(pour 4 personnes)

500 g de prunes
4 côtes de porc fumées (Kasseler) de
180 g chacune
poivre
2 cuil. à soupe de beurre clarifié
1/4 l de vin rouge demi-sec
sel

Préparation

1. Laver les prunes, les dénoyauter et les couper en quatre. Poivrer les côtes de porc.
2. Mettre à chauffer le beurre clarifié dans une poêle. Faire revenir les côtes sur leurs deux faces environ 1 à 2 mn. Retirer les côtes de la poêle, les envelopper dans une feuille d'aluminium et les maintenir au chaud.
3. Déglacer le fond avec le vin rouge et laisser réduire le contenu de la poêle des deux tiers. Mettre les prunes dans la sauce, laisser reprendre brièvement l'ébullition, poivrer, saler et servir sur les côtes du Kasseler.

Poêlée de viande de porc aux concombres

Ingrédients

(pour 4 personnes)

750 g de viande de porc (pris dans
la noix)
30 g de beurre clarifié
1/4 l de bouillon de légumes
sel, poivre
500 g de concombre
100 g d'oignons
175 g de crème aigre
*(à défaut : crème fraîche + jus de
citron)*
1 bouquet d'aneth finement haché

Préparation

1. Découper la viande en lanières. Chauffer le beurre clarifié dans une poêle et y faire revenir rapidement tous les morceaux de viande.
2. Arroser lentement avec le bouillon de légumes et continuer la cuisson 40 mn environ. Assaisonner de poivre et de sel.
3. Peler le concombre, le couper en deux, retirer les graines et la partie molle avec une cuiller et le couper en tranches. Peler les oignons et les couper en anneaux.
4. Ajouter les légumes à la viande 10 mn avant la fin de la cuisson et la laisser se poursuivre. Lier la sauce avec la crème, assaisonner avec l'aneth, le sel et le poivre. Servir avec des pommes de terre en robe des champs.

Poitrine de porc aux pommes

Ingrédients

(pour 4 personnes)

1 kg de poitrine de porc avec sa couenne

sel

4 pommes (environ 400 g)

250 g de pruneaux cuits

un peu de sucre

1 cuil. à soupe de panure

2 jaunes d'œufs

80 g de beurre clarifié

750 g de chou rouge

1 oignon

1 clou de girofle

1 cuil. à soupe de vinaigre

un petit morceau de bouillon en cube

1 à 2 cuil. à soupe de gelée de groseille

Préparation

1. Faire pratiquer par le boucher une entaille dans la poitrine de porc. Avec la pointe d'un couteau bien aiguisé, entailler la couenne en forme de losange, saler légèrement l'intérieur de la viande.
2. Éplucher les pommes, les couper en quatre et les épépiner. Couper 3 pommes en tranches, en râper 1.
3. Dénoyauter les pruneaux et les saupoudrer de sucre, mélanger avec la panure et les jaunes d'œufs. Farcir la poche de la viande avec cette préparation et recoudre l'ouverture avec du fil de cuisine.
4. Préchauffer le four à 185°. Faire revenir la poitrine de porc dans du beurre clarifié très chaud. Laisser rôtir au four, couenne en dessous, pendant environ 30 minutes.
5. Retourner le rôti, badigeonner au pinceau de l'eau froide sur la couenne. Laisser cuire encore 1/2 h à 1 h.
6. Nettoyer le chou rouge et le couper en lanières. Peler les oignons et les couper en dés. Faire étuver le tout dans une casserole avec le clou de girofle, la pomme râpée, 1 cuil. à soupe de sucre, le vinaigre ainsi que le reste de beurre clarifié.
7. Verser dans la casserole un peu d'eau et faire ramollir le chou rouge pendant 15 mn. Ajouter le bouillon et la gelée de groseille. Laisser mijoter encore 15 mn. Servir avec la poitrine de porc. Accompagner de pommes de terre.

Hannelore Kohl

« Bien entendu, vous pouvez servir la poitrine de porc avec une autre farce. Essayez, par exemple, un mélange d'échalotes, de fines herbes fraîches et d'ail ou de tomates, de fromage de chèvre et de basilic. »

Rôti de porc au cumin

Ingrédients

(pour 4 personnes)

1,2 kg de rôti de porc avec sa couenne (dans la cuisse)

sel

poivre blanc

marjolaine séchée

40 g de beurre clarifié

1/2 l d'eau

8 oignons moyens

1 gousse d'ail pelée

1 cuil. à café de cumin

1/2 feuille de laurier

Préparation

1. Entailler la couenne du rôti de porc en forme de losange. Frotter la viande avec du sel, du poivre et de la marjolaine et laisser reposer pendant environ 1 h.
2. Faire chauffer le beurre clarifié dans une cocotte. Y faire revenir la viande sur toutes ses faces. La placer ensuite dans un plat de cuisson, couenne tournée vers le bas. Arroser avec 1/4 l d'eau bouillante.
3. Peler les oignons et les couper en anneaux. Ajouter au rôti un quart des oignons. Mettre au four préchauffé à 200° pendant environ 40 minutes.
4. Retourner le rôti. Ajouter le reste des oignons, la gousse d'ail, le cumin, la feuille de laurier et le poivre. Faire cuire le rôti pendant encore 40 mn.
5. Sortir le rôti du four. Retirer la feuille de laurier. Déglacer le fond de cuisson avec de l'eau et laisser réduire de moitié. Reporter à ébullition le jus de cuisson. Rectifier l'assaisonnement si nécessaire.
6. Découper la viande en tranches et la recouvrir de la sauce d'accompagnement. Servir avec de la choucroute, des champignons braisés et des croquettes de pommes de terre.

Hannelore Kohl

« Le cumin, originaire d'Asie, est cultivé en Europe depuis le Moyen Âge. On attribue à cette épice des vertus curatives. Il facilite l'assimilation des aliments et aide par exemple à lutter contre les troubles de la digestion. »

Médaillons de porc aux carottes

Ingrédients
(pour 4 personnes)

600 g de filet de porc
1/2 cuil. à café de thym émietté
250 g de carottes
1 oignon
25 g de beurre clarifié
1/8 l de vin blanc
1/8 l de bouillon de viande
2 cuil. à soupe de crème fraîche
1 cuil. à soupe de jus de citron
poivre de Cayenne, sel, persil

Préparation

1. Découper le filet en médaillons de 2 cm d'épaisseur, les aplatir légèrement et les frotter de thym. Peler les carottes et les couper en fine julienne. Peler l'oignon et le hacher menu.
2. Préchauffer le four à 250°. Faire revenir les médaillons dans le beurre clarifié très chaud sur leurs deux côtés pendant 4 à 5 mn. Saler. Maintenir au chaud dans le four.
3. Faire revenir l'oignon et les carottes dans une poêle, arroser de vin blanc et de bouillon de viande et laisser légèrement reprendre l'ébullition. Laisser réduire et incorporer la crème fraîche et le jus de citron. Mélanger le tout.
4 Assaisonner les légumes avec le poivre de Cayenne et le sel. Mélanger le persil. Servir les carottes avec les médaillons.

Jarrets de porc à la choucroute

Ingrédients
(pour 4 personnes)

3 l d'eau

4 jarrets de porc légèrement fumés
(de 400 g chacun)

4 oignons

5 feuilles de laurier

12 grains de poivre blanc

5 baies de genièvre

1 cuil. 1/2 à café de sucre semoule

800 g de choucroute

2 clous de girofle

Préparation

1. Dans un grand récipient, porter l'eau à ébullition. Plonger les jarrets dans l'eau bouillante.
2. Peler les oignons et les couper en huit. Ajouter 2 oignons, 3 feuilles de laurier, les grains de poivre, le genièvre et 1/2 cuil. à café de sucre. Faire cuire le tout, à feu doux, dans le récipient couvert pendant 1 h 30 mn.
3. Retirer les jarrets du récipient et les maintenir au chaud. Passer le bouillon au chinois et le réserver. Remettre les jarrets dans le récipient et verser 1/2 l de bouillon.
4. Ajouter la choucroute, les clous de girofle, les oignons, le laurier et le sucre ; laisser cuire pendant 40 mn supplémentaires.

Rôti de porc en robe de pain noir

Ingrédients
(pour 4 à 6 personnes)

environ 1,2 kg d'épaule de porc
sel, poivre

1/8 l d'eau bouillante

1/8 l de bouillon de viande

1/4 l de vin rouge

8 cuil. à soupe de pain noir râpé
(soit du Pumpernickel, soit du pain d'épice)

5 cuil. à soupe d'airelles (ou de myrtilles)

1 pincée de clous de girofle en poudre

250 g d'échalotes

un peu de beurre

1/2 cuil. à café de sucre en poudre

100 g de girolles en boîte, égouttées

4 cuil. à soupe de crème aigre
(ou crème fraîche + jus de citron)

Préparation

1. Frotter la viande avec le sel et le poivre. La placer dans un plat allant au four et y verser l'eau. Mettre le rôti dans le four préchauffé à 180° et laisser rôtir pendant 1 h 15 mn. Arroser de temps à autre d'un peu de bouillon et de vin rouge.
2. Mélanger le pain noir râpé, 4 cuil. à soupe d'airelles et la poudre de girofle. Enduire cette pâte sur la viande 15 mn avant la fin de la cuisson.
3. Lorsque cette pâte devient une croûte, retirer la viande et la maintenir au chaud. Déglacer le fond de cuisson avec le reste de vin rouge et le reste de bouillon.
4. Peler les échalotes ; les faire glacer dans le beurre et le sucre. Les ajouter à la sauce ainsi que les girolles. Lier avec la crème et répartir le reste des airelles.

Rôti de bœuf de la Marche

Ingrédients
(pour 4 personnes)

1 kg de bœuf (pris dans la tranche ou dans le rumsteck)
3 cuil. à soupe de beurre clarifié
sel, poivre
1 bouquet garni
4 grains de piment
1/2 l de bouillon ou d'eau

Préparation

1. Dans le beurre clarifié très chaud, faire revenir, à feu vif, la viande sur tous ses côtés dans un plat allant au four ; saler, poivrer.
2. Ajouter le bouquet garni ainsi que les grains de piment à la viande.
3. Arroser avec le bouillon ou l'eau bien chaude. Faire braiser, à feu doux, la viande couverte pendant 1 h 30 à 2 h jusqu'à la cuisson désirée. Servir avec des boulettes de pommes de terre et du chou rouge.

Bœuf en sauce à la bière

Ingrédients
(pour 4 personnes)

1 kg de viande de bœuf
(pris dans le jarret désossé)
poivre

Pour la farce :

2 cuil. à soupe de moutarde
1 cuil. à soupe de persil, d'aneth, de ciboulette finement hachés
1 cuil. à soupe de chapelure
sel, poivre

De plus :

3 tranches fines de lard maigre
(environ 50 g)
20 g de beurre
sel
1/2 l de bière brune
1 poireau (d'environ 250 g)
3 carottes
1 céleri-rave (environ 300 g)
250 g d'oignons
250 g de champignons de Paris
2 cuil. à soupe de crème fraîche

Préparation

1. Pratiquer dans la viande trois entailles dans le sens de la longueur jusqu'en son milieu, poivrer. Mélanger tous les ingrédients composant la farce et en remplir les entailles, recouvrir chaque entaille avec un morceau de lard et fermer solidement avec du fil de cuisine.
2. Faire chauffer le beurre et y faire revenir la viande sur tous ses côtés à feu vif, saler. Mouiller avec 1/4 l de bière et laisser braiser dans la marmite couverte à feu moyen pendant environ 1 h 30. Arroser progressivement avec le reste de bière.
3. Pendant ce temps, nettoyer et laver les légumes. Les détailler en petits morceaux ; les ajouter à la viande (sauf les champignons). Laisser braiser à nouveau environ 30 mn. Ajouter les champignons pendant les dernières 15 mn.
4. Passer le fond de sauce et un peu de légumes au tamis. Ajouter la crème fraîche et bien mélanger.'

Culotte de veau, sauce morilles à la crème *(photo ci-contre)*

Ingrédients

(pour 4 à 6 personnes)

Pour la culotte de veau :
1 kg de culotte de veau
(jarret ou quasi)
poivre, sel
2 cuil. à soupe de beurre clarifié
50 g de morilles séchées
1 oignon
1/4 l de crème fraîche aigre
un peu de cerfeuil

Pour les gnocchis :
1 l de lait, sel
250 g de semoule de blé dur
2 jaunes d'œufs
60 g de fromage râpé
un peu de beurre clarifié

Préparation

1. Assaisonner la viande avec le sel et le poivre. Faire chauffer le beurre clarifié dans un plat de cuisson et y faire revenir la culotte de veau. Faire cuire pendant environ 1 h dans un four préchauffé à 180° tout en arrosant le rôti en permanence avec son jus.

2. Mettre à tremper les morilles dans un peu d'eau tiède. Peler les oignons et les couper en dés. Peu avant la fin de la cuisson de la viande, ajouter les oignons dans le plat de cuisson. Ajouter l'eau des morilles et laisser reprendre l'ébullition.

3. Délayer la crème fraîche dans le jus de cuisson et passer la sauce ainsi obtenue au tamis. Couper les morilles en morceaux et les ajouter à la sauce. Laisser reprendre à lente ébullition. Rectifier l'assaisonnement en sel et en poivre.

4. Pour les gnocchis : porter le lait légèrement salé à ébullition dans une casserole. Délayer la semoule, laisser cuire brièvement et laisser refroidir.

5. Incorporer le jaune d'œuf et le fromage râpé à la semoule. Etaler cette pâte sur 2 cm d'épaisseur. Découper à l'emporte-pièce des gnocchis ovales et les faire dorer dans du beurre clarifié sur leurs deux côtés.

6. Découper la viande en tranches et les napper de sauce. Décorer avec du cerfeuil. Servir les gnocchis séparément.

Escalopes du Holstein [1]

Ingrédients

(pour 4 personnes)

4 escalopes de veau (de 150 g)
sel, poivre
50 g de beurre clarifié
2 tomates
4 tranches de gruyère ou de gouda
1 cuil. à soupe de beurre
4 œufs
1 cuil. à soupe de ciboulette hachée

Préparation

1. Frotter les escalopes de sel et de poivre. Faire cuire des deux côtés 3 mn dans du beurre clarifié très chaud.

2. Couper les tomates en tranches, le fromage en fines lamelles. En recouvrir les escalopes, faire cuire dans une poêle 4 œufs sur le plat, les déposer sur les escalopes.

3. Parsemer les escalopes avec la ciboulette et servir. Accompagner de croquettes de pommes de terre et de salade verte.

---

1. Province méridionale du Schleswig-Holstein.

Sauté de veau aux raisins secs et aux câpres

Foie de veau à la berlinoise

Ingrédients

(pour 4 personnes)

1 bouquet garni

60 g de beurre clarifié

sel, poivre

1 1/4 d'eau

600 g de veau (pris dans le flanchet
sur le tendron)

120 g de raisins secs

3 cuil. à soupe de chapelure

1/2 l de bouillon de veau

2 dl de vin blanc sec

Le jus de 1/2 citron

2 cuil. à café de sucre

32 câpres

Préparation

1. Faire chauffer 40 g de
beurre clarifié dans une
grande cocotte et y faire
revenir le bouquet garni.

2. Assaisonner de sel et
de poivre. Mouiller avec un
litre d'eau et porter à ébullition. Ajouter la viande de
veau et laisser cuire à petits
bouillons pendant environ
1 h 30.
3. Retirer la viande et la
couper en lanières, les garder au chaud. Faire chauffer
le reste d'eau dans une casserole, ajouter les raisins
secs et les y laisser gonfler.
4. Chauffer le reste de
beurre clarifié dans une
grande poêle et y faire brunir la chapelure. Déglacer
avec le bouillon de veau.
5. Ajouter les raisins égouttés et la viande de veau
dans la poêle. Faire
reprendre l'ébullition et arroser de vin blanc. Rectifier
l'assaisonnement avec le jus
de citron et le sucre. Ajouter
les câpres juste avant de
servir. Accompagner de
pommes de terre cuites
en robe des champs et de
salade verte.

Ingrédients

(pour 4 personnes)

4 tranches de foie de veau

(de 150 g chacune)

un peu de farine

40 g de beurre clarifié

sel

poivre

4 petits oignons

2 pommes

40 g de beurre

Préparation

1. Sécher le foie dans du
papier absorbant. Le rouler
dans la farine. Chauffer le
beurre clarifié dans une
poêle. Faire revenir le foie
environ 3 à 4 mn sur ses
deux faces. Saler, poivrer,
maintenir au chaud.
2. Peler les oignons et les
couper en anneaux. Éplucher
les pommes, les couper en
quatre, les épépiner et les
couper en fines lamelles.
Faire fondre le beurre dans
une poêle, y faire étuver les
pommes et les oignons pendant 5 mn.
3. Disposer le foie sur un
grand plat de service avec
les tranches de pommes et
les anneaux d'oignons.
Accompagner d'une purée
de pommes de terre.

Rôti de veau à la berlinoise

Ingrédients

(pour 8 à 10 personnes)

2,5 à 3 kg de viande de veau
(dans la noix)
4 clous de girofle
sel
poivre
125 g de lard maigre coupé en
tranches
environ 3/8 l de bouillon
1 feuille de laurier
500 g de petits oignons
250 g de petites pommes
1/8 l de vin blanc
100 g de crème fraîche aigre
(ou crème fraîche + jus de citron)

Préparation

1. Piquer les clous de girofle dans la viande, la frotter de sel et de poivre. Poser la moitié du lard en formant un rectangle sur une lèchefrite.
2. Poser la viande sur le lard et la recouvrir avec le reste du lard. Faire rôtir pendant environ 2 h dans le four préchauffé à 200°. Mouiller de temps à autre avec le bouillon, ajouter la feuille de laurier.
3. Peler les oignons et les ajouter environ 20 mn avant la fin de la cuisson. Éplucher les pommes, les couper en quatre et les épépiner, les couper en tranches et les ajouter 10 mn avant la fin du temps de cuisson.
4. Sortir le rôti du four et le disposer sur un plat de service. Déglacer le fond de sauce avec le vin. La faire réduire (on obtient ainsi un bon 1/2 l) et lier avec la crème, rectifier l'assaisonnement et verser la sauce dans une saucière préchauffée.
5. Présenter le rôti et servir la sauce à part. Accompagner de pommes de terre cuites à l'eau salée et de carottes glacées.

Sauté d'agneau à la brandebourgeoise *(photo page de droite)*

Ingrédients

(pour 4 personnes)

800 g de viande d'agneau
2 oignons
un peu de beurre clarifié
1/8 l de vin rouge
poivre
sel
1/2 l de bouillon
500 g de haricots verts
400 g de pommes de terre
de la sarriette

Préparation

1. Sécher la viande sur du papier absorbant et la couper en dés.
2. Peler les oignons et les couper menu. Faire chauffer le beurre clarifié dans une cocotte et y faire revenir les dés de viande.
3. Mouiller avec le vin rouge. Ajouter les oignons, assaisonner avec le sel et le poivre. Arroser avec le bouillon et couvrir la cocotte. Laisser cuire à feu moyen pendant environ 1 h.
4. Nettoyer les haricots et les couper en gros morceaux. Éplucher les pommes de terre et les couper en petits dés. Ajouter les haricots et les pommes de terre à la viande 20 mn avant la fin de la cuisson. Présenter la viande et les légumes sur un plat de service. Émietter la sarriette au-dessus du plat.

Hannelore Kohl

« Pour les carottes glacées, choisissez de préférence des petites carottes nouvelles avec leurs fanes : éplucher les carottes, en laissant un peu de fanes. Faites braiser dans du beurre fondu, saupoudrez d'un peu de sucre glace et laissez caraméliser. À la place du sucre glace, vous pouvez aussi utiliser du miel. »

Hannelore Kohl

« L'arôme de la sarriette est persistant, même si celle-ci a été séchée. Son parfum poivré et épicé s'apparente à celui du thym ou de la marjolaine. Si on la récolte en été, les feuilles sont bien tendres, tandis que celles de la sarriette d'hiver sont dures et croquantes. »

Côtelettes d'agneau aux haricots verts *(photo ci-dessous)*

Ingrédients

(pour 4 personnes)

12 côtelettes d'agneau d'environ
80 g chacune
5 cuil. à soupe de vinaigre de vin
quelques branches d'estragon
poivre
500 g de haricots verts « princesse »
sel
30 g de beurre clarifié
1/8 l de crème fraîche
1 cuil. à café de grains de poivre vert
1 petite gousse d'ail
40 g de beurre
1 branche de sarriette fraîche

Préparation

1. Faire mariner les côtelettes avec le vinaigre, l'estragon et le poivre.
2. Effiler les haricots, les laver et les faire cuire dans de l'eau salée pendant environ 8 mn. Egoutter et réserver au chaud.
3. Faire revenir les côtelettes dans du beurre clarifié très chaud sur leurs deux faces pendant environ 5 mn, les réserver au chaud. Déglacer le fond de sauce avec la marinade et la crème fraîche. Ajouter les grains de poivre, porter à ébullition.
4. Peler l'ail, l'écraser et le faire ramollir dans le beurre fondu. Faire revenir les haricots dans cette préparation, y mêler la sarriette fraîche émiettée. Servir le tout.

Hannelore Kohl

« À la place du vinaigre, vous pouvez faire la marinade avec du jus de citron ou du jus de citron vert. Dans les deux cas, utilisez également la marinade pour la préparation de la sauce. »

Côtelettes d'agneau aux poires

Ingrédients

(pour 4 personnes)

8 côtelettes d'agneau (de 2 à 3 cm
d'épaisseur environ) avec leur gras
1 gousse d'ail
sel
2 graines de piment
8 grains de poivre blanc
1 cuil. à soupe de sauce au soja
4 poires moyennes
1/4 l de vin blanc sec
1 cuil. à soupe de sucre
4 cuil. à soupe de beurre clarifié
4 cuil. à soupe de compote d'airelles

Préparation

1. Pratiquer une entaille tous les 2 cm dans la couche de graisse de la côtelette.

2. Peler l'ail et l'écraser finement au mortier avec 1 cuil. à café de sel, les graines de piment et le poivre. Verser la sauce au soja et bien mélanger le tout. En badigeonner les côtelettes. Envelopper dans une feuille d'aluminium, laisser macérer au réfrigérateur pendant 2 h.
3. Éplucher les poires, les couper en deux, les épépiner précautionneusement. Porter le vin blanc à ébullition avec le sucre. Y faire pocher les moitiés de poires pendant environ 5 à 10 mn.
4. Égoutter les côtelettes. Faire fondre le beurre dans une poêle. Y faire revenir les côtelettes sur leurs deux faces, puis laisser la cuisson se poursuivre encore 5 mn de chaque côté.
5 Disposer les côtelettes avec les moitiés de poires sur un grand plat de service. Fourrer les poires avec la compote d'airelles tiédie. Accompagner de haricots verts « princesse » sautés au beurre et de purée de pommes de terre à la ciboulette.

Jambon rôti

Ingrédients

(pour 4 personnes)

1,2 kg de jambon (sans couenne
mais avec sa graisse)
quelques clous de girofle
150 g de croûte de pain frais
(ou de chapelure)
1 cuil. à café de poudre de girofle
1 à 2 cuil. à soupe de sucre

Préparation

1. Entailler dans la couche de graisse du jambon des losanges de 1 cm. Piquer un clou de girofle dans chaque entame. Saler la viande.

2. Remplir une tôle creuse d'environ 2 cm d'eau et y déposer le jambon. Préchauffer le four à environ 150°. Y placer le jambon, remonter le thermostat à 200° et faire rôtir le jambon pendant environ 2 h en ajoutant continuellement de l'eau bouillante. Il doit toujours y avoir suffisamment de liquide dans la tôle.
3. Râper la croûte du pain, la mélanger à la poudre de girofle et au sucre. Sortir la viande du four, ôter les clous de girofle de leur cavité. Saupoudrer le mélange précédent sur la couche de graisse du jambon.
4. Remettre le jambon sur la tôle. Enfourner et laisser cuire jusqu'à ce que l'enveloppe de pain devienne croustillante.
5. Servir le jambon découpé en tranches, l'accompagner de carottes glacées, d'oignons grillés et de pommes de terre gratinées.

Rognons, sauce piquante

Ingrédients

(pour 4 personnes)

500 g de rognons de bœuf ou mieux
de veau
1/2 l de petit-lait
4 cuil. à soupe de beurre clarifié
1 petite boîte de tomates entières
1 oignon
1 petit verre de cornichons russes au
vinaigre
sel
poivre
1 pincée de paprika doux en poudre
4 cuil. à soupe de crème fraîche
1 bouquet de persil

Préparation

1. Couper les rognons dans le sens de la longueur. Retirer la graisse, les tendons et les artères. Faire tremper les rognons environ 1 h dans le petit-lait.

2. Sortir les rognons du petit-lait, les égoutter, les essuyer et les couper en lanières. Les faire revenir dans du beurre clarifié très chaud, les retirer et les réserver au chaud.
3. Égoutter les tomates dans une passoire, en recueillir le jus. Peler l'oignon et le couper en petits dés de même que les cornichons bien égouttés.
4. Faire ramollir l'oignon et les cornichons dans la graisse de cuisson, verser le jus des tomates. Assaisonner de sel, de poivre et de paprika et laisser étuver 10 mn.
5. Couper grossièrement les tomates et les ajouter avec la crème fraîche dans la préparation. Ajouter les lanières de rognon, saupoudrer de persil haché, mélanger bien le tout et le disposer sur un grand plat de service. Présenter avec des pommes de terre au persil.

Bœuf braisé

Ingrédients
(pour 4 personnes)

100 g de pruneaux séchés
1/2 l de vin rouge
150 g de lard maigre
800 g de bœuf dans l'épaule
sel, poivre, 100 g d'oignons
2 bouquets garnis
4 grains de poivre
1 clou de girofle
6 baies de genièvre
1/4 l de bouillon de viande
3 cl de whisky
50 g de noisettes râpées
2 à 3 cuil. à soupe de compote
de pommes

Préparation

1. la veille, dénoyauter les pruneaux et les laisser ramollir dans 1/4 l de vin rouge.
2. Couper le lard en dés, les faire fondre sur feu doux dans une cocotte. Frotter la viande de sel et de poivre et la faire rôtir dans la cocotte sur tous ses côtés, à feu vif.
3. Peler les oignons et les couper en dés. Ajouter à la viande les ingrédients ainsi préparés avec les épices et les bouquets garnis, verser le reste de vin et le bouillon de viande. Laisser cuire à feu doux pendant environ 1 h 30 à 2 h.
4. Juste avant la fin du temps de cuisson, mettre à chauffer les pruneaux avec leur vin de marinade dans un poêlon. Verser le whisky, faire flamber et répandre avec les noisettes sur l'épaule braisée.
5. Sortir la viande de la cocotte et la disposer sur un plat de service. Le tenir au chaud. Faire réduire un peu la sauce de cuisson, la passer au tamis. Rectifier le goût avec de la compote de pommes. Servir avec les pruneaux et la sauce d'accompagnement.

Potée au chou-rave

Ingrédients
(pour 4 personnes)

2 oignons
750 g de viande de bœuf
(basses-côtes ou poitrine)
1 feuille de laurier
1,5 l d'eau
1,2 kg de chou-rave avec les fanes
500 g de pommes de terre
sel, noix de muscade
1 filet de jus de citron
un peu de persil haché

Préparation

1. Peler les oignons, les couper en quatre et les placer avec la viande de bœuf, la feuille de laurier et l'eau dans une marmite, porter à ébullition. Couvrir et laisser cuire pendant 1 h à feu moyen.
2. Couper les feuilles du chou-rave, en réserver les feuilles tendres. Éplucher le chou-rave et le couper en fines tranches. Éplucher les pommes de terre et les couper en dés.
3. Sortir la viande de son bouillon et la maintenir au chaud. Mettre le chou-rave et les pommes de terre dans le bouillon de cuisson de la viande et laisser cuire 20 mn. Hacher grossièrement les fanes et les feuilles mises en réserve et les ajouter dans la potée environ 10 mn avant la fin de la cuisson. Rectifier l'assaisonnement avec du sel, de la muscade et du jus de citron, saupoudrer de persil. Présenter la viande découpée en tranches sur un grand plat de service et l'entourer de sa potée au chou-rave et aux pommes de terre.

Roulades au chou

Ingrédients
(pour 4 personnes)

1 gros chou blanc
2 tranches de pain bis rassis
1 cuil. à soupe de sel
10 tranches de lard
environ 1/2 l d'eau
1 cube de bouillon de viande
250 g de tomates pelées
1 cuil. à soupe de farine
1/4 l de crème fraîche
sel, poivre, 2 cuil. à soupe de poudre
de paprika doux, 6 cuil. à soupe de
persil haché

<u>Pour la farce :</u>
250 g de viande de bœuf haché
125 g de chair à saucisse
2 tranches de pain blanc bien frais
2 cuil. à café de sel, 2 cuil. à café de
poivre, 4 cuil. à soupe de lardons

Préparation

1. Couper le tronc du chou blanc au ras de sa tige. Le faire cuire, tige vers le bas, 30 mn dans l'eau salée avec le pain bis.
2. Mélanger tous les ingrédients composant la farce. Détacher délicatement les feuilles de la tête du chou. Former un lit avec 3 ou 4 feuilles, y poser un peu de viande, enrouler les feuilles et attacher les roulades avec du fil de cuisine.
3. Faire fondre les tranches de lard, y déposer les roulades et laisser revenir à feu doux. Ajouter 1/4 l d'eau et le cube de bouillon de viande, couvrir et laisser braiser à feu très doux pendant 30 mn.
4. Couper grossièrement les tomates. Délayer la farine dans le reste d'eau froide. L'ajouter aux roulades 20 mn plus tard avec la crème fraîche et les tomates. Rectifier l'assaisonnement avec le sel, le poivre et le paprika. Saupoudrer de persil. Servir avec des pommes de terre en robe des champs.

Potée au potiron

Ingrédients
(pour 4 personnes)

300 g de carré de porc fumé de
Kassel (désossé)
300 g de poitrine de bœuf
50 g de beurre
1/4 l de cidre
1/4 l de bouillon de viande
sel, poivre
750 g de potiron
1 oignon blanc de 200 g
200 g de pommes
250 g de céleri en branches
4 feuilles de sauge
poivre moulu grossièrement

Préparation

1. Découper en cubes le carré et la poitrine de bœuf. Les faire revenir grossièrement dans le beurre fondu. Verser le cidre et le bouillon. Assaisonner avec le sel et le poivre, couvrir et laisser mijoter pendant 1 h environ.
2. Éplucher le potiron, retirer les pépins et couper la pulpe en cubes. Peler l'oignon et le couper en dés. Éplucher les pommes, les couper en quatre, les épépiner et recouper en tranches. Nettoyer le céleri, le laver et le détailler en petits tronçons.
3. Ajouter les légumes 20 mn avant la fin de la cuisson et laisser cuire le tout. Rectifier l'assaisonnement avec la sauge finement ciselée, du sel et du poivre. Selon les goûts, saupoudrer de poivre grossièrement moulu. Égoutter l'ensemble et présenter la potée sur un plat de service.

Petits pains de Berlin à la coriandre et au lard

Ingrédients

Pour la pâte :

40 g de levure
1/2 cuil. à café de sucre
1/8 l de lait
500 g de farine de froment complète
100 g de farine
175 g de beurre
1/2 cuil. à café de sel
2 œufs

Pour le badigeon et le saupoudrage :

un peu de beurre pour la lèchefrite
2 jaunes d'œufs
100 g de lard maigre,
découpé en petits lardons
1 cuil. à café de grains de coriandre
fraîchement pilés
1 cuil. à café de gros sel marin

Préparation

1. Émietter la levure et la délayer dans le lait avec le sucre. Former avec les autres ingrédients une pâte à lever bien lisse. Façonner des boulettes de pâte, les poser dans un plat, les saupoudrer d'un peu de farine, couvrir et laisser lever dans un endroit tiède jusqu'à ce qu'elles doublent de volume (cela dure environ 30 à 60 mn).

2. Pétrir à nouveau vigoureusement cette pâte à la main. Découper la pâte en parts égales, les façonner en forme de petits pains et les disposer sur une plaque beurrée (lèchefrite).

3. Badigeonner les petits pains de jaune d'œuf, y piquer les petits lardons, saupoudrer de coriandre et d'un peu de gros sel de mer. Couvrir et laisser lever dans un endroit chaud pendant 20 mn.

4. Préchauffer le four à 200°. Faire dorer les petits pains sur la grille du milieu du four pendant environ 30 mn.

Carpe au chou rouge *(photo ci-dessous)*

Ingrédients

(pour 2 personnes)

300 g de chou rouge en conserve

1 cuil. à soupe de jus de citron

5 cuil. à soupe d'huile

sel, sucre

1 carpe de 1 à 1,5 kg, prête à cuire

Préparation

1. Mélanger le chou rouge, le jus de citron, 1 cuil. à soupe d'huile, le sel et le sucre et rectifier l'assaisonnement.
2. Farcir la carpe avec ce mélange, fermer l'ouverture avec des cure-dents. Badigeonner la carpe avec le reste d'huile, la disposer sur une feuille d'aluminium huilée elle aussi et l'envelopper très soigneusement.
3. Faire cuire la carpe dans un four préchauffé à 200° ou au grill pendant environ 50 mn. Servir avec des pommes de terre cuites à l'eau salée, du beurre fondu et des quartiers de citron.

Mohnpielen

(Gâteau au pavot du Spreewald [1])

Ingrédients

(pour 4 à 6 personnes)

150 g de raisins secs

3 cl de liqueur d'orange

400 g de graines de pavot

200 g de sucre en poudre

1 l de lait

500 g de pain blanc rassis

50 g d'amandes effilées

Préparation

1. Faire ramollir les raisins secs dans la liqueur d'orange. Porter à ébullition dans une casserole le pavot, les raisins secs, 100 g de sucre et 1/2 l de lait. Retirer la casserole du feu et laisser gonfler le mélange.

2. Mettre dans un plat le pain coupé en petits morceaux et le saupoudrer avec le reste de sucre. Faire chauffer le reste de lait et le verser sur le pain. Mélanger les amandes dans la pâte au pavot.
3. Étaler dans un moule à manqué des couches de pain blanc et de pâte au pavot en les alternant jusqu'à la fin des ingrédients. Laisser refroidir toute la nuit au réfrigérateur. Servir avec des fruits ou du sabayon.

1. Spree : rivière d'Allemagne orientale traversant des zones marécageuses portant le nom de « Spreewald ».

Pudding au pain et au sabayon

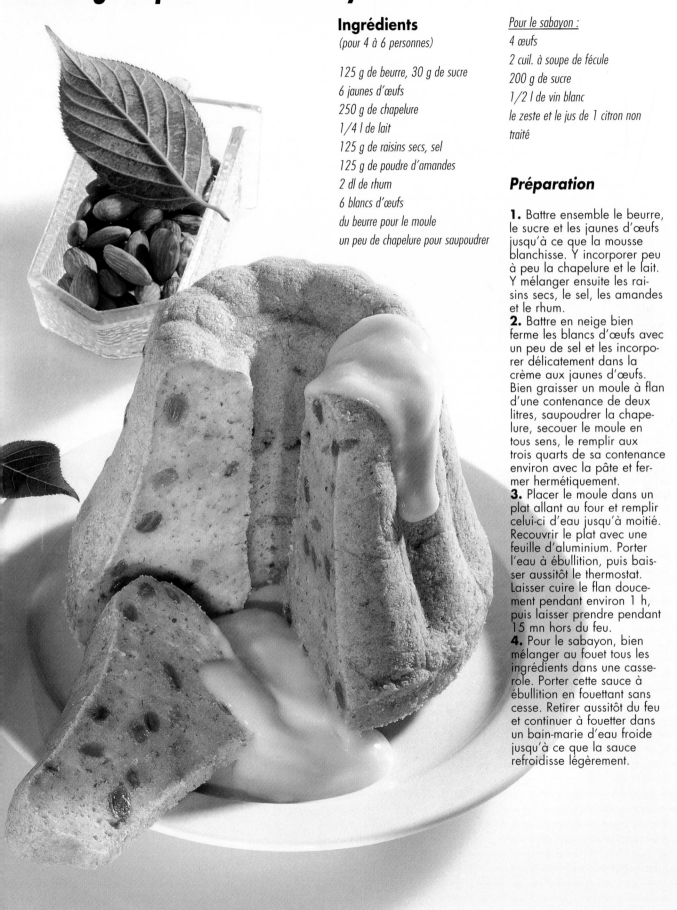

Ingrédients

(pour 4 à 6 personnes)

125 g de beurre, 30 g de sucre
6 jaunes d'œufs
250 g de chapelure
1/4 l de lait
125 g de raisins secs, sel
125 g de poudre d'amandes
2 dl de rhum
6 blancs d'œufs
du beurre pour le moule
un peu de chapelure pour saupoudrer

Pour le sabayon :
4 œufs
2 cuil. à soupe de fécule
200 g de sucre
1/2 l de vin blanc
le zeste et le jus de 1 citron non
traité

Préparation

1. Battre ensemble le beurre, le sucre et les jaunes d'œufs jusqu'à ce que la mousse blanchisse. Y incorporer peu à peu la chapelure et le lait. Y mélanger ensuite les raisins secs, le sel, les amandes et le rhum.
2. Battre en neige bien ferme les blancs d'œufs avec un peu de sel et les incorporer délicatement dans la crème aux jaunes d'œufs. Bien graisser un moule à flan d'une contenance de deux litres, saupoudrer la chapelure, secouer le moule en tous sens, le remplir aux trois quarts de sa contenance environ avec la pâte et fermer hermétiquement.
3. Placer le moule dans un plat allant au four et remplir celui-ci d'eau jusqu'à moitié. Recouvrir le plat avec une feuille d'aluminium. Porter l'eau à ébullition, puis baisser aussitôt le thermostat. Laisser cuire le flan doucement pendant environ 1 h, puis laisser prendre pendant 15 mn hors du feu.
4. Pour le sabayon, bien mélanger au fouet tous les ingrédients dans une casserole. Porter cette sauce à ébullition en fouettant sans cesse. Retirer aussitôt du feu et continuer à fouetter dans un bain-marie d'eau froide jusqu'à ce que la sauce refroidisse légèrement.

Soupe au lait et aux poires

Ingrédients
(pour 4 personnes)

500 g de poires
150 g de sucre
le jus et le zeste râpé de 1/2 citron
non traité
1 l de lait
25 g de fécule
1 sachet de sucre vanillé
1 clou de girofle
1 pincée de sel
1 cuil. à café de cannelle en poudre
2 jaunes d'œufs
40 g de beurre

Préparation

1. Éplucher les poires, les couper en quatre et les épépiner. Mettre les poires dans une casserole et les recouvrir d'eau. Ajouter 50 g de sucre et le jus de citron. Faire pocher les poires dans ce sirop : elles doivent rester fermes.
2. Prélever un peu de lait et y délayer la fécule. Porter à ébullition le reste de lait, le sucre vanillé et les épices.
3. Ajouter la fécule dissoute dans le lait bouillant tout en battant sans cesse au fouet. Incorporer les jaunes d'œufs, retirer la casserole du feu.
4. Faire fondre dans cette soupe des copeaux de beurre. Ajouter au lait les quartiers de poires avec 1/8 l de leur sirop de cuisson. Servir la soupe bien chaude.

Soupe aux quenelles d'avoine

Ingrédients
(pour 4 personnes)

Pour la soupe :
20 g de beurre clarifié
1 oignon coupé en dés
1 carotte coupée en rondelles
1 poireau coupé en anneaux
1/4 l de lait
1 cube de bouillon de légume
2 bottes de cresson
sel, poivre
1/8 l de crème liquide

Pour les quenelles d'avoine :
50 g de beurre
1 cube de bouillon de légumes
100 g de gruaux d'avoine
1 bouquet de persil, 1 œuf
sel, poivre, noix de muscade

Préparation

1. Faire chauffer le beurre clarifié et y faire revenir les légumes pendant 2 mn. Verser le lait et 1/4 l d'eau, ajouter le cube de bouillon et laisser cuire le tout pendant 15 mn.
2. Réserver quelques branches de cresson. Ajouter les autres au bouillon, écrasées au presse-purée ou au moulin à légumes et assaisonner avec le sel et le poivre. Y incorporer la crème fraîche battue en une neige pas trop ferme.
3. Pour les quenelles, porter à ébullition 2 dl d'eau avec le beurre et le bouillon-cube. Y mélanger les gruaux d'avoine et laisser cuire 1 mn. Ajouter le persil haché et l'œuf. Rectifier l'assaisonnement avec le sel, le poivre et la muscade.
4. Façonner des quenelles avec cette pâte et les faire cuire dans de l'eau salée. Ajouter les quenelles à la soupe et saupoudrer avec le reste de cresson.

Régalons-nous de légumes nouveaux

Hannelore Kohl :

La controverse autour des légumes bio trouble beaucoup de ménagères. Quel est votre point de vue de cuisinier professionnel ?

Alfons Schuhbeck :

C'est une question de bon sens. Examinez les légumes soigneusement et fiez-vous aussi à votre odorat. Pour les tomates, par exemple, on peut réellement sentir les différences de qualité.

Hannelore Kohl :

Il est préférable de rester fidèle à un même commerçant. Il est le mieux à même de vous conseiller et vos critiques éventuelles seront davantage prises en compte.

Alfons Schuhbeck :

Les saisons sont elles-mêmes bonnes conseillères pour le menu et les achats : en décembre, une belle pomme allemande au four devrait être bien meilleure en dessert que des fraises, venues des Caraïbes, qui ont subi une douzaine d'heures de vol. C'est pourquoi aussi l'on mange du chou rouge avec l'oie de la Saint-Martin, et non des asperges.

Hannelore Kohl :

Avez-vous un conseil pour préparer les légumes en préservant au mieux leurs qualités ?

Alfons Schuhbeck :

« Les couper fin et les cuire rapidement » : voilà la règle. Je coupe les carottes en petits dés, détache les brocolis en minuscules bouquets et mets

Préférez toujours les légumes de saison, vendus bien frais. Vous serez sûre de faire le bon choix !

le tout avec une tasse d'eau et un morceau de beurre dans le plat de cuisson. Ensuite, je porte à ébullition et retire le plat aussitôt de la plaque de cuisson encore chaude. Quelques minutes suffisent alors pour que le légume termine tout seul sa cuisson et qu'il ait la fermeté adéquate.

Hannelore Kohl :

Vous déconseillez donc de faire cuire un chou-fleur en entier ?

Alfons Schuhbeck :

Évidemment, l'aspect du chou-fleur entier est pourtant très joli, mais il faut choisir : soit les petits bouquets de la surface sont parfaitement à point — et alors c'est la tige qui reste dure. Ou la tige est tendre et le reste trop cuit. Voilà pourquoi je préfère détacher les bouquets de la tige, celle-ci sera toujours fort bonne pour une soupe au chou-fleur.

La Suisse saxonne et la Forêt de Thuringe

Par Helmut Kohl

Depuis la réunification des deux Allemagnes, la Saxe et la Thuringe apparaissent de nouveau telles qu'elles avaient été pendant des siècles : des paysages au centre de l'Allemagne en même temps que des centres culturels de l'esprit et de la littérature allemands. C'est en Thuringe que Martin Luther a traduit la Bible, et c'est à partir de ce pays qu'il a entrepris son œuvre de réformateur. Weimar et Iéna ont offert à Goethe et à Schiller un séjour où leur œuvre a pu se perpétuer tout au long de leur vie ; au XVIIIe siècle on comparait Dresde à Florence. Un grand artiste italien, Canaletto, y fut à cette époque peintre de la Cour. À présent, avec une aide internationale, l'on s'emploie à Dresde à reconstruire l'église Notre-Dame (la « Frauenkirche ») détruite en 1945 par les bombardements.

▶

La Suisse saxonne et la Forêt de Thuringe

Mais ce ne sont pas seulement ces hauts lieux de l'histoire allemande et européenne qui retiennent ici le regard : les massifs montagneux entre les Monts métallifères et la Lusace attirent les citadins autant que la large étendue de la Forêt de Thuringe propice à la marche et à la détente. Jouissances intellectuelles et culinaires s'y allient à merveille.

La Saxe est particulièrement célèbre par sa cuisine et sa pâtisserie. Même à l'époque des restrictions, des recettes traditionnelles ont été conservées ici et transmises comme je l'ai appris moi-même lors des rares visites que j'ai pu faire en Saxe pendant les années 60. En ce temps-là, ma femme et moi sommes allés à Leipzig en voyage privé. Elle m'y a montré son ancienne école primaire et aussi le lycée qu'elle fréquenta jusqu'à sa fuite vers l'Ouest. À cette époque j'ai appris à savourer les mets de cette région appréciés par tous : gourmets au palais sensible ou même amateurs de plats robustes.

Tout visiteur de la Saxe doit essayer le « Allerlei » (pêle-mêle) leipzigois, ensemble de jeunes légumes tendres agrémentés de queues d'écrevisses. Il faut également goûter des pâtisseries qui ont rendu célèbres dans le monde entier les « Saxons tout en sucre » : le « Stollen » de Dresde (gâteau de Noël aux fruits confits en forme de galerie de mine), l'« Eierschecke » (gâteau bigarré) et le « Kleckselkuchen ». La Poêlée aux cerises saxonne (« Sächsische Kirschpfanne ») n'est pas servie très sucrée ; c'est une pâte faite de pain blanc, d'œufs, de lait et de beurre clarifié qu'on cuit ensuite au four en la laissant gonfler.

Le filtre à café fut inventé en 1908 par une ménagère saxonne du nom de Melitta Benz. Ce ne fut pas un hasard car le café est la boisson préférée des Saxons. Dès le XVIIIe siècle l'atmosphère si particulière des « maisons à café » était célèbre à Leipzig, à l'enseigne de « l'Antre à café ». Jean-Sébastien Bach, en écrivant sa « Cantate du café », s'est gentiment moqué des dames de Leipzig toujours à la pointe de la mode et de leur engouement pour le café, alors que Johann-Wolfgang von Goethe chantait la gloire du Marché légendaire aux Oignons de Weimar. Y a-t-il une meilleure preuve de ce que l'esprit et le plaisir ne s'excluent pas mutuellement ?

Si vous avez l'occasion, lors d'une fête en forêt, de goûter les quenelles thuringiennes accompagnées de la saucisse rôtie légendaire, vous découvrirez l'importance de la culture de la pomme de terre qui leur donne ce goût exquis et vous comprendrez mieux pourquoi le fumet de ces saucisses est appelé « encens de Thuringe ».

Les amateurs de belles bâtisses paysannes dans le Vogtland se régaleront. La région de Plauen est célèbre aussi pour sa dentelle au fuseau et ses ouvrages à l'aiguille.

Côtelettes paysannes de Moritzburg [1] *(photo ci-dessus)*

Ingrédients
(pour 4 personnes)

4 côtes de porc (de 250 g)

sel, poivre

90 g de beurre clarifié

80 g de lard coupé en dés

1 tasse de bouillon de viande

750 g de pommes de terre

1 œuf

un peu de farine

2 oignons, hachés menu

500 g d'épinard

1/2 oignon coupé en dés

20 g de beurre

Préparation

1. Assaisonner les côtes de porc de sel et de poivre et les faire cuire dans du beurre clarifié. Les maintenir au chaud sur une lèchefrite dans le four préchauffé à 140°.

2. Faire fondre le lard dans une poêle, y verser le bouillon de viande, le faire réduire, le passer au chinois et rectifier l'assaisonnement si nécessaire.

3. Éplucher les pommes de terre et les râper. Les mélanger avec l'œuf, du poivre, du sel, de la farine et les oignons hachés menu. Faire revenir des petites galettes de pommes de terre aplaties à la main dans le reste de beurre fondu.

4. Laver les épinards, les égoutter et les laisser ramollir dans la poêle avec les dés d'oignons et le beurre. Assaisonner de sel et de poivre selon les goûts. Présenter les côtes de porc et les galettes de pommes de terre sur un grand plat de service. Servir la sauce séparément.

1. Ville au nord-ouest de Dresde célèbre pour son château baroque : naguère rendez-vous de chasse des grands Électeurs de Saxe et aujourd'hui magnifiquement rénové, il a été transformé en musée.

Bœuf aux oignons à la saxonne

Ingrédients
(pour 4 personnes)

500 g d'os de porc avec leur viande, découpés par votre boucher

1 kg d'oignons

30 g de beurre

3 à 4 cuil. à soupe de chapelure

300 g de viande de bœuf

1 pointe de sucre

sel, poivre

un peu de cumin

Préparation

1. Faire cuire les os de porc dans de l'eau pendant environ 1 h pour obtenir un bouillon.

2. Peler les oignons et les couper finement, les faire cuire dans le beurre, recouverts juste à hauteur d'eau. Couper la viande en fines tranches ou en lanières et les laisser braiser sur les oignons jusqu'à ce que l'ensemble soit cuit à point.

3. Saupoudrer la chapelure et verser le bouillon, laisser réduire quelques minutes. Bien mélanger, assaisonner si nécessaire et disposer sur un plat de service.

Hannelore Kohl

« Avec les côtelettes paysannes, je sers toujours des röstis et une salade verte selon la saison. »

Échine de porc aux poireaux

Ingrédients

(pour 4 personnes)

1 kg d'échine de porc
(avec sa couenne)
sel, poivre, marjolaine
30 g de beurre clarifié
2 carottes
1 morceau de racine de persil
(facultatif)
150 g de céleri
1 gros oignon (80 g)
2 clous de girofle, 2 feuilles de laurier
1/4 l de fond de bœuf ou de veau
eau salée

Pour les poireaux :
2 kg de poireaux
30 g de beurre
sel, poivre
1/4 l de fond de veau (en conserve)
50 ml de crème fraîche

Pour la sauce :
2 échalotes pelées et hachées
40 g de beurre en copeaux
1/8 l de vin blanc sec
125 g de beurre froid
sel, poivre, 1 pincée de sucre
1 bouquet de cerfeuil ciselé

Préparation

1. Frotter la viande sur tous ses côtés avec les aromates. Entailler la couenne en forme de losanges.
2. Faire chauffer le beurre clarifié dans une grande cocotte et y faire bien revenir la viande sur tous ses côtés.
3. Laver les légumes, les éplucher et les couper menu. Peler l'oignon, le couper en deux, piquer les clous de girofle et enfoncer les feuilles de laurier. Ajouter les légumes à la viande (hormis l'oignon). Verser le fond de bœuf ou de veau et laisser mijoter l'ensemble à couvert pendant environ 1 h 15.
4. Environ 15 mn avant la fin de la cuisson, ajouter l'oignon. Laisser étuver à découvert.
5. Laver les poireaux, les égoutter et les couper en julienne. Faire fondre le beurre dans une casserole et y faire ramollir brièvement les poireaux. Assaisonner de poivre et de sel, y verser le bouillon et la crème fraîche. Couvrir. Faire cuire les poireaux à l'étuvée 5 mn.
6. Pour la sauce, faire revenir les échalotes jusqu'à transparence dans le beurre. Verser le vin, réduire, ajouter le beurre, assaisonner et parsemer le cerfeuil.

Échine de porc sur lit de légumes *(photo page de droite)*

Ingrédients

(pour 4 personnes)

1 kg d'échine de porc
(maigre, désossée)
2 ou 3 carottes
150 g de céleri
150 g de racine de persil
(facultatif)
1 gros oignon
1 belle gousse d'ail
4 à 6 branches de persil
1,25 l de vin blanc sec
2 petits poireaux d'environ 250 g

Préparation

1. Bien dégraisser la viande, laver les carottes, le céleri et la racine de persil et les couper en morceaux. Hacher menu l'oignon et l'ail, lier les branches de persil avec du fil de cuisine.
2. Porter à ébullition le vin blanc avec 1/4 l d'eau. Y plonger la viande et les légumes et laisser cuire à petits bouillons pendant environ 50 mn, écumer.
3. Pratiquer une longue entaille dans les poireaux sur leur longueur, mais sans les couper en deux. Les laver soigneusement, les détailler en tronçons de 6 cm de longueur et lier les morceaux avec du fil de cuisine. Ajouter les poireaux 20 mn avant la fin du temps de cuisson.
4. Sortir tous les légumes de la cocotte dès qu'ils sont cuits, arroser d'un peu de bouillon, couvrir et réserver au chaud. Au moment de servir, sortir la viande à l'aide d'une écumoire et la couper en tranches épaisses, l'accompagner des légumes mis au chaud.

Gâteau de pommes de terre

Ingrédients

(pour 4 personnes)

250 g de pommes de terre
50 g de raisins secs
4 cl de rhum
6 jaunes d'œufs
150 g de sucre en poudre
1 pincée de sel
le zeste râpé de 1 citron non traité
6 blancs d'œufs
3 cuil. à soupe de fécule

20 g de beurre pour le moule
1 cuil. à soupe de chapelure

Pour le glaçage :
80 g de beurre fondu
2 cuil. à soupe de sucre
1 cuil. à café de cannelle

Préparation

1. Laver les pommes de terre, les faire cuire environ 25 mn, les passer sous l'eau froide et les peler. Laisser refroidir pendant une nuit.
2. Faire ramollir les raisins secs dans le rhum, râper les pommes de terre. Mélanger le tout. Battre ensemble les jaunes d'œufs avec le sucre, le sel et le zeste de citron. Ajouter au mélange précédent.

3. Monter les blancs d'œufs en une neige et les incorporer dans la pâte de pomme de terre. Saupoudrer la fécule et mélanger l'ensemble.
4. Graisser un moule amovible, le parsemer de chapelure et le remplir avec la pâte. Faire cuire environ 1 h dans le four préchauffé à 180°.
5. Sortir le gâteau du moule et le laisser refroidir. Le badigeonner de beurre fondu, et le poudrer de sucre et de cannelle.

Rognons de veau aux cèpes *(photo ci-dessous)*

Ingrédients
(pour 4 personnes)

600 g de rognons de veau

1 poivron rouge et 1 vert

1 cuil. à soupe de beurre

1 oignon haché menu

150 g de cèpes frais

(ou 2 cuil. à soupe de cèpes séchés :
les faire tremper à l'avance)

1 prise de paprika fort, sel, poivre,

1,25 dl de vin blanc

du beurre clarifié

40 g de persil haché

Préparation

1. Ouvrir les rognons dans le sens de leur longueur, retirer la graisse, les tendons et les artères et les laver avec précaution.

2. Laver les poivrons, les couper en deux, retirer la tige et les graines. Couper les moitiés en fines lanières. Faire fondre le beurre dans une cocotte, et y faire étuver les poivrons pendant 3 mn.
3. Ajouter les cèpes, assaisonner avec du paprika fort, du sel et du poivre, mouiller avec le vin blanc et laisser mijoter 10 mn.
4. Couper les rognons en tranches et les faire revenir à feu vif pendant 5 mn sur leurs deux faces dans le beurre clarifié chaud. Assaisonner de sel et de poivre. Disposer les rognons et les légumes sur un plat de service et parsemer le persil. Les pâtes sont leur meilleur accompagnement.

Sauté de veau aux groseilles à maquereau

Ingrédients
(pour 4 personnes)

1 kg d'épaule de veau

30 g de beurre

150 g de groseilles à maquereaux

(le moins mûr possible)

6 cuil. à soupe de vin blanc

1 cuil. à soupe de sucre

1 pointe de cannelle

1/8 l de crème fraîche

Préparation

1. Faire cuire l'épaule de veau dans une grande quantité d'eau froide à feu doux pendant 45 mn.
2. Faire fondre le beurre et y faire revenir la viande bien égouttée sur tous ses côtés.
3. Réserver une cuil. à soupe de groseilles à maquereau ; ajouter les autres à la viande avec le vin blanc, le sucre et la cannelle. Mouiller éventuellement avec un peu de bouillon de cuisson du veau. Faire mijoter pendant 45 mn environ. .
4. Sortir la viande de son récipient de cuisson et la couper en tranches. Ajouter dans la sauce de cuisson le reste des groseilles à maquereaux et laisser cuire encore 2 mn. Affiner la sauce avec la crème fraîche, fouetter l'ensemble.

Selle d'agneau (photo ci-dessus)

Ingrédients
(pour 4 personnes)

2 gousses d'ail

2 oignons

2 tomates

1 selle d'agneau de 1 kg environ

sel, poivre

40 g de beurre clarifié

1 branche de thym

1 branche de romarin

Préparation

1. Peler l'ail et le hacher menu. Peler les oignons et les couper en quatre. Passer les tomates à l'eau bouillante, décoller la peau, et les couper en quartiers.
2. Frotter la selle d'agneau de sel et de poivre. Chauffer le beurre dans un plat allant au four, y faire revenir la selle sur toutes ses faces.
3. Ajouter les légumes, l'ail et les herbes émiettées ; laisser cuire jusqu'à ce que la viande rosisse à l'intérieur dans le four préchauffé à 180° pendant 15 à 20 mn. En accompagnement, servir des courgettes et des poivrons.

Hannelore Kohl

« À la place des jarrets d'agneau, vous pouvez utiliser au lieu du gigot arrière les morceaux de devant appelés épaule d'agneau. Ils sont meilleur marché et tout aussi bons. »

Jarrets d'agneau

Ingrédients
(pour 4 à 6 personnes)

Pour la marinade :

4 cuil. à soupe de jus de citron

quelques feuilles de menthe hachées menu

1/8 l de vin rouge

4 cuil. à soupe d'huile

100 g d'oignons hachés menu

1 cuil. à soupe d'aneth, de persil et de ciboulette hachés menu

Pour les jarrets :

4 jarrets d'agneau

(à commander chez votre boucher)

sel, poivre noir

3 cuil. à soupe de beurre clarifié

1/4 l de vin rouge

1/4 l de bouillon de viande

2 poireaux

2 carottes (d'environ 150 g)

100 g de crème fraîche

Préparation

1. Mélanger soigneusement tous les ingrédients de la marinade. Y plonger les jarrets ; laisser mariner quelques heures au réfrigérateur.
2. Retirer les jarrets de la marinade et assaisonner de sel et de poivre. Faire chauffer le beurre clarifié dans une cocotte, y faire revenir la viande à feu vif. Laisser rôtir au four préchauffé à 165° pendant 45 mn en arrosant de temps à autre avec le vin et le bouillon.
3. Laver les légumes, les éplucher et les couper en petits morceaux ; les ajouter à la viande et laisser cuire encore 30 mn.
4. Sortir la viande de la cocotte et la maintenir au chaud. Passer le fond de sauce au chinois et en recueillir les légumes. Affiner la sauce avec la crème fraîche, rectifier l'assaisonnement en sel et en poivre et servir avec la viande.

Filet d'agneau au citron

Ingrédients

(pour 4 personnes)

600 g de filet d'agneau

sel, poivre

2 cuil. à soupe de beurre clarifié

1 dl de bouillon de viande

1/2 poivron

1/2 citron non traité

Pour la garniture :

quelques tranches de citron non traité

quelques feuilles de menthe

Préparation

1. Couper le filet en fines tranches, les aplatir, saler et poivrer.

2. Chauffer le beurre clarifié dans une poêle. Faire revenir la viande sur chaque face, la retirer et la maintenir au chaud. Déglacer la graisse de cuisson avec le bouillon.

3. Laver le poivron, l'épépiner et le couper en minces lanières. Laver le citron et le couper en fines rondelles. Placer l'un et l'autre dans le bouillon et faire mijoter à petit feu pendant 15 mn.

4. Ajouter le filet d'agneau, laisser chauffer pendant 5 mn, rectifier l'assaisonnement. Garnir de rondelles de citron et de feuilles de menthe. Servir avec de la purée de pommes de terre et une salade d'endives.

Gigot d'agneau farci

Ingrédients

(pour 4 personnes)

1 gigot d'agneau d'environ 1,5 kg, désossé

sel, poivre blanc

200 g de bleu de Bresse ou roquefort

200 g d'oignons

1 gousse d'ail

2 cuil. à soupe de beurre clarifié

1/4 l de bouillon

quelques aiguilles de romarin

200 g de crème fraîche aigre

Préparation

1. Saler et poivrer le gigot. Remplir de fromage la cavité où se trouvait l'os et fermer avec du fil de cuisine.

2. Peler et hacher les oignons et l'ail. Faire chauffer le beurre clarifié dans un plat allant au four et y faire revenir le gigot sur tous ses côtés. Ajouter les oignons et l'ail, laisser mijoter quelques minutes le tout. Versez le bouillon, ajouter le romarin.

3. Placer au four préchauffé à 175° sur la plaque du bas et laisser rôtir environ 1 h 10. Arroser de temps à autre avec le fond de cuisson.

4. Sortir le gigot du four et le maintenir au chaud. Porter le fond de sauce à ébullition, le passer au tamis et ajouter la crème, rectifier l'assaisonnement. Couper le gigot en tranches. Avec la sauce, servir des épinards cuits à la vapeur et des boulettes de pommes de terre.

Gigot d'agneau rôti

Ingrédients

(pour 4 personnes)

1 kg de gigot d'agneau désossé

sel, poivre

50 g de beurre clarifié

1 carotte

2 oignons

1 racine de persil coupée en petits dés (facultatif)

2 gousses d'ail finement hachées

romarin

bouillon de viande

2 cuil. à soupe de crème fraîche

Préparation

1. Saler et poivrer le gigot et le faire revenir dans le beurre clarifié chaud sur toutes ses faces.

2. Y ajouter les légumes coupés fin et le romarin, mouiller avec le bouillon. Laisser cuire le gigot 1 h 15 environ dans le four préchauffé à 165°.

3. Passer le jus de cuisson au chinois, affiner avec la crème fraîche et rectifier l'assaisonnement si nécessaire.

4. Couper la viande en tranches. La servir avec la sauce et des pommes de terre « Duchesse » ainsi que de la salade verte.

Hannelore Kohl

« Généralement, je passe les légumes qui ont cuit en même temps que la viande au travers d'une passoire et je les ajoute à la sauce ; je passe ensuite le tout au moulin à légumes. La sauce n'en est que plus goûteuse. »

Pommes de terre au jambon

Ingrédients

(pour 4 personnes)

800 g de pommes de terre cuites

250 g de jambon cuit

2 oignons

2 cuil. à soupe de beurre clarifié

250 g de crème fraîche

4 œufs

sel, poivre, noix de muscade

150 g de gruyère râpé

Préparation

1. Peler les pommes de terre et les couper en fines tranches, couper le jambon en lanières.

2. Peler les oignons, les couper en anneaux et les faire revenir jusqu'à transparence dans 1 cuil. à soupe de beurre clarifié bien chaud. Graisser avec le reste du beurre un plat à gratin. Disposer dans le plat en couches les oignons, les pommes de terre et le jambon.

3. Mélanger les œufs et la crème fraîche, assaisonner de sel, de poivre et de noix de muscade et ajouter la moitié du fromage. Verser cette pâte sur les pommes de terre au jambon et faire cuire environ 30 mn au four préchauffé à 200°. Dix minutes avant la fin du temps de cuisson, saupoudrer le reste du fromage.

Côtelettes aux champignons *(Photo de gauche)*

Ingrédients
(pour 4 personnes)

*4 côtes de porc avec leurs manches
(de 240 g chacune)
sel, poivre, 5 cuil. à soupe d'huile
2 cuil. à soupe de jus de citron
500 g de champignons de Paris
50 ml de vin blanc
150 g de crème fraîche aigre
2 cuil. à soupe de fines herbes
hachées (thym, marjolaine) ou en
remplacement 1/2 cuil. à café de
chacune en poudre*

Préparation

1. Saler et poivrer les côtes de porc. Faire chauffer l'huile dans une cocotte en fonte. Y faire revenir brièvement les côtes de porc sur leurs deux faces et les retirer du feu.
2. Nettoyer soigneusement les champignons, les couper en lamelles et les faire ramollir dans le fond de sauce avec le jus de citron. Ajouter en remuant doucement le vin blanc, la crème fraîche et les herbes.
3. Poser les côtes sur les champignons, fermer la cocotte hermétiquement. Laisser cuire au four préchauffé à 200° pendant 15 mn. Présenter le plat de cuisson directement sur la table. Accompagner de pain bis ou de baguette toastée à l'ail.

Rôti de porc aux Klöße [1]

Ingrédients
(pour 4 personnes)

*600 g de porc dans la noix
sel, poivre
1/4 l de lait
20 g de levure
500 g de farine, 1 œuf
1 pincée de noix de muscade
125 g de beurre
10 belles poires
1 cuil. à soupe de sucre
1/2 l d'eau*

Préparation

1. Frotter le porc de sel et de poivre. Couvrir et laisser reposer 24 h.
2. Faire chauffer le lait, émietter la levure dans le lait, ajouter 4 cuil. à soupe de farine et mélanger. Couvrir et laisser lever environ 30 mn.
3. Délayer 1 cuil. à café de sel, l'œuf et la noix de muscade dans le reste du lait. Y incorporer le beurre en copeaux. Pétrir le tout en une pâte bien lisse et laisser lever 1 h environ.
4. Éplucher les poires, les couper en deux, les épépiner et saupoudrer de sucre. Pétrir la pâte une nouvelle fois et en former une grosse quenelle.
5. Placer la viande au centre d'une grande sauteuse comportant un couvercle fermant hermétiquement. Disposer les poires d'un côté de la viande, la quenelle sur l'autre. Recouvrir d'eau juste à hauteur et fermer le couvercle. Laisser cuire au four préchauffé à 175° pendant environ 2 h. Ajouter un peu d'eau en cours de cuisson.
6. Couper la viande en tranches, la quenelle en parts individuelles. Les servir avec les poires et le fond de sauce recueilli et passé au chinois.

---

1. « Kloß » est un mot pratiquement intraduisible. Les « Klöße » sont de grosses boules de pain ou de pommes de terre, telles que nous en donnons la recette, mais pour la facilité de lecture, nous les avons dénommées quenelles ou boulettes lorsqu'elles sont en forme de petites boules individuelles.

Paupiettes au chou rouge de Thuringe

Ingrédients
(pour 4 personnes)

8 belles feuilles de chou rouge

1 cuil. à soupe de vinaigre de vin

sel, 1 pincée de sucre

1/2 oignon

1 clou de girofle

750 g de bifteck haché

250 g de cèpes ou de girolles hachés
et cuits à la vapeur

4 cuil. à soupe de panure (chapelure
mélangée à la farine en parts égales)

1 œuf

poivre

40 g de beurre

1/4 l de bouillon de viande

3 cuil. à soupe de crème fraîche aigre
(ou crème fraîche + jus de citron)

Préparation

1. Faire cuire les feuilles de chou avec le vinaigre, le sel, la pincée de sucre, l'oignon, le clou de girofle dans un peu d'eau pour qu'elles en soient recouvertes juste à hauteur.
2. Former un mélange avec le bifteck haché, les champignons, la panure, l'œuf, le sel, et le poivre. Poser une petite quantité de cette farce sur chaque feuille de chou. Replier les feuilles à droite et à gauche, les rouler et les coudre au fil de cuisine.
3. Faire chauffer le beurre, dans une grande sauteuse, y verser le bouillon et y faire mijoter les paupiettes de chou jusqu'à ce qu'elles soient cuites. Affiner la sauce avec la crème fraîche, rectifier l'assaisonnement. Servir avec de la purée de pommes de terre.

Hannelore Kohl

« Les "paupiettes de choux", plus connues dans certaines régions sous le nom de "roulades", ont une saveur particulièrement délicate si l'on incorpore dans la pâte un peu de riz cuit. »

Boudin noir aux lentilles à l'aigre-douce

Ingrédients
(pour 4 personnes)

250 g de lentilles

250 g de légumes composant une
soupe de légumes (poireau, racine
de persil, céleri-rave, carotte)

1 à 3 cuil. à soupe de vinaigre de vin

sel, poivre, sucre

100 g de lard maigre

2 oignons

500 g de saucisse de boudin noir frais
(à défaut de boudin noir) déjà cuit

Préparation

1. La veille, recouvrir les lentilles avec de l'eau tiède et les laisser tremper toute la nuit.
2. Le lendemain, les égoutter et les faire cuire avec les légumes du potage coupés en petits morceaux à feu doux dans de l'eau salée. Assaisonner avec du vinaigre, du sel, et du sucre.
3. Couper le lard et les oignons en petits dés, les faire revenir dans une poêle, et les ajouter sur les lentilles. Couper le boudin noir en belles tranches et servir. Accompagner de pain de campagne frais.

Hannelore Kohl

« Coupez une petite pomme en petits dés ou râpez-la grossièrement, et faites-la fondre dans le lard et les oignons. »

Potée de porc fumé de Kassel
(photo en haut, à gauche)

Potée de légumes au bœuf
(photo en haut, à droite)

Ingrédients
(pour 4 personnes)

1,5 l de bouillon

*500 g de carré de porc fumé
(Kasseler)*

1 petit chou frisé

300 g de carottes

300 g de pommes de terre

2 poireaux

poivre

Préparation

1. Faire chauffer le bouillon,
couper le carré en gros cubes
et les plonger dans le liquide.
2. Nettoyer le chou frisé, le
laver et le couper en grosses
lanières. Éplucher les carottes
et les pommes de terre, couper les carottes en rondelles,
et les pommes de terre en
dés. Ajouter les légumes au
bouillon et laisser cuire le tout
de 30 à 40 mn. Rectifier
l'assaisonnement avec du
poivre si nécessaire.

Hannelore Kohl

*« Vous pouvez affiner ce plat avec de la crème fraîche liquide ou
de la crème fraîche légèrement battue. Les légumes peuvent
varier à volonté selon la saison. »*

Ingrédients
(pour 4 personnes)

500 g de bœuf (dans le flanchet)

1,5 l d'eau

1 bouquet de persil

1 oignon

2 feuilles de laurier

2 clous de girofle

10 grains de poivre

300 g de carottes

*2 racines de persil (à remplacer
éventuellement par 30 g de céleri)*

300 g de haricots verts

300 g de chou blanc

sel, poivre

Préparation

1. Dans un faitout, plonger
la viande dans de l'eau
bouillante. Ajouter le persil,
l'oignon coupé en deux, les
feuilles de laurier, les clous de
girofle et les grains de poivre.
Faire cuire une bonne heure
à feu doux.
2. Sortir la viande du faitout
et la couper en cubes. Passer
le bouillon au travers d'une
passoire. Éplucher les carottes
et les racines de persil (ou le
céleri) et les couper en dés.
Nettoyer les haricots et les
couper en morceaux. Net-
toyer le chou et le couper en
lanières. Plonger les légumes
dans le bouillon et les y faire
cuire environ 20 mn.
3. Ajouter la viande. Assaisonner avec du sel et du
poivre. Servir avec de la
baguette à l'ancienne.

Bœuf braisé aux quenelles du Vogtland [1]

Ingrédients

(pour 4 personnes)

Pour la viande :

50 g de lard gras

1 kg de bœuf pris dans le flanchet

sel, poivre

30 g de beurre clarifié

1 oignon

1 bouquet garni

1 cuil. à soupe de farine

1 bouillon cube

3 cuil. à soupe de concentré de tomate

Pour les quenelles (à préparer la veille) :

1,5 kg à 2 kg de pommes de terre

1 œuf

1/8 l de lait chaud

125 g de mie de pain rassis

sel

100 g de lard maigre

---

1. *Région dans l'extrême sud de la Thuringe, non loin de la Bavière. Son chef-lieu est Plauen.*

Préparation

1. Couper le lard en lanières et entrelarder la viande. Frotter de sel et de poivre. Faire chauffer le beurre clarifié dans un grand faitout et y faire revenir la viande sur tous ses côtés.

2. Peler l'oignon, le couper en dés, l'ajouter et le laisser brunir. Trier le bouquet garni, l'ajouter et saupoudrer de farine. Recouvrir d'eau bouillante, ajouter le bouillon cube et le concentré de tomate, couvrir avec un couvercle et laisser mijoter le tout, à petits bouillons.

3. Pour les quenelles, éplucher et râper les pommes de terre. Etaler cette pâte sur une couche lisse dans un grand plat et la recouvrir d'environ 1/4 à 1/2 l d'eau froide. Laisser reposer toute une journée.

4. Etendre un linge propre sur un grand récipient creux et y déposer au-dessus la pâte de pommes de terre, bien l'égoutter.

5. Laisser l'eau passée à travers le linge reposer pendant quelques minutes. La fécule de pomme de terre se dépose alors au fond du récipient. Jeter l'eau et ajouter la fécule recueillie à la pâte de pommes de terre.

6. Battre l'œuf dans le lait, saler. Découper en petits dés le lard et la mie de pain. Faire fondre le lard, y faire revenir les croûtons de pain et ajouter le tout à la pâte. Façonner dans cette pâte des « quenelles » d'égale dimension et les laisser frémir dans de l'eau bouillante quelques minutes.

Hannelore Kohl

« S'il reste des quenelles, je les coupe en tranches le lendemain et les fais dorer dans du beurre fondu. »

Palette aux cèpes

Ingrédients

(pour 4 personnes)

…0 g de cèpes séchés
…feuille de laurier
…grains de poivre, 2 clous de girofle
…/8 l de bouillon de viande
…00 g de palette de porc
…0 g de beurre
…oignon
…00 g de cèpes (ou de champignons …sés des prés)
…el, poivre, 1 bouquet de persil haché
…cuil. à soupe de crème fraîche aigre

Préparation

1. La veille, porter à ébullition les cèpes, la feuille de laurier, les grains de poivre et les clous de girofle dans le bouillon, puis laisser refroidir complètement. Poser la viande dans un plat creux, l'arroser de cette marinade, couvrir et laisser reposer toute la nuit dans un endroit frais.
2. Préchauffer le four à 180°. Sortir la viande de la marinade avec une écumoire, la laisser égoutter et la sécher dans du papier absorbant. Faire revenir la viande de tous côtés dans le beurre fondu.
3. Peler l'oignon, le couper en dés, les ajouter, les y faire revenir jusqu'à ce qu'ils deviennent translucides. Mettre le rôti au four. Passer la marinade au chinois, en arroser le rôti toutes les 10 minutes.
4. Nettoyer les cèpes et les laver, les saler et poivrer légèrement. Après 30 mn de cuisson, les ajouter à la viande.
5. Une heure plus tard, sortir le rôti du four, relever de sel et de poivre et laisser reposer environ 15 mn dans le four éteint.
6. Assaisonner le fond de sauce avec le persil et la crème fraîche. Servir la sauce séparément. Accompagner de pommes de terre nouvelles en robe des champs et de salade verte de saison.

Allerlei de Leipzig

(Pêle-mêle) *(photo ci-dessous)*

Ingrédients

(pour 4 personnes)

250 g de carottes nouvelles, de chou-rave, de petits pois et de haricots verts
150 g de petits oignons
400 g d'asperges
70 g de beurre, 1/2 cuil. à café de sel, 1/2 cuil. à café de sucre
200 g de girolles
100 g de morilles fraîches (ou 25 g de morilles séchées ramollies dans de l'eau tiède)
1 prise de noix de muscade
2 cuil. à soupe de persil frais haché

Préparation

1. Nettoyer les légumes, les laver et les éplucher. Couper les carottes en rondelles, le chou-rave en dés de 1 cm de côté et les asperges en gros morceaux.

2. Porter un litre d'eau à ébullition avec le beurre, le sel et le sucre. Plonger les carottes, puis 5 mn plus tard les asperges, les oignons, le chou-rave et les haricots et encore 5 mn après, terminer par les petits pois ; faire cuire le tout pendant 5 mn supplémentaires.

3. Faire égoutter les légumes dans une passoire, en recueillir le bouillon. Laisser reprendre l'ébullition, ajouter les girolles et les morilles nettoyées et laisser gonfler 5 à 8 mn.

4. Sortir les champignons du bouillon avec une écumoire et les disposer dans un autre récipient. Verser 1/2 l environ du bouillon de légumes et laisser cuire encore 8 à 10 mn. Rectifier l'assaisonnement avec la muscade.

5. Ajouter les autres légumes, porter à température vive. Saupoudrer de persil.

Velouté au concombre

Ingrédients

(pour 4 personnes)

1 concombre moyen
750 g de pommes de terre
3/4 l d'eau, 1 cuil. 1/2 à café de sel
1/4 cuil. à café de poivre noir
1/4 l de crème liquide, 1/4 l de lait,
1 cuil. à soupe d'oignon râpé, 1 cuil.
à soupe d'aneth haché menu

Préparation

1. Éplucher le concombre, le couper en deux dans le sens de la longueur, l'épépiner et le couper en dés de 1/2 cm d'épaisseur.

2. Éplucher les pommes de terre et les couper en cubes de 1 cm de côté. Porter l'eau à ébullition avec le sel et le poivre et y plonger les pommes de terre. Les laisser cuire le temps qu'elles s'écrasent facilement.

3. Passer les pommes de terre au travers d'un moulin à légumes avec leur eau de cuisson. Reverser la purée dans le récipient et ajouter la crème fraîche, le lait, les oignons et les dés de concombre. Bien fouetter le tout.

4. Laisser cuire les dés de concombre dans la soupe pendant 5 mn. Ajouter l'aneth et rectifier l'assaisonnement si nécessaire.

Hannelore Kohl

« Dans la recette originelle du "pêle-mêle", il y a des écrevisses parmi les ingrédients. Mais comme celles-ci sont rares et chères, on accompagne aujourd'hui le "pêle-mêle" avec de la viande et des pommes de terre. »

Carpe au paprika

Carpe à la bière brune

Ingrédients

(pour 4 personnes)

1 carpe de 1,5 à 2 kg prête à cuire
le jus de 1 citron
2 cuil. à soupe de sauce au soja
1 cuil. à soupe de poudre de paprika
doux, 2 cuil. à soupe de dés
d'oignons, sel, farine pour paner
2 cuil. à soupe de beurre pour la
cuisson
150 g de yaourt
1 bouquet de persil haché
quelques rondelles de citron

Pour la sauce :
100 g de lard coupé en dés
300 g d'oignons coupés en dés
1 gousse d'ail
1 cuil. à soupe de poudre de paprika
doux,
2 cuil. à soupe de farine
1/2 l de bouillon de légume
50 g de ketchup
1 feuille de laurier
du jus de citron, du sel

Préparation

1. Désarêter soigneusement
la carpe avec une pince à
épiler par exemple et la couper en parts individuelles.
Les arroser du jus de citron
et de la sauce au soja, poudrer de paprika et recouvrir
des petits dés d'oignon.
Laisser mariner environ 1 h.
2. Pour la sauce, faire
fondre le lard dans une poêle
et faire dorer les oignons
dans sa graisse. Ajouter une
gousse d'ail écrasée, poudrer
de paprika et de farine,
mélanger bien le tout.
3. Verser le bouillon de
légume. Ajouter le ketchup et
la feuille de laurier, porter à
ébullition et laisser frémir environ 3 mn à feu doux. Rectifier
l'assaisonnement avec le jus
du citron et un peu de sel.
4. Laisser égoutter les morceaux de carpe, saler, paner
et les faire dorer sur leurs
deux faces dans du beurre
fondu. Disposer les mor-
ceaux de carpe dans un plat
de cuisson, les recouvrir
avec la sauce au paprika et
faire réchauffer à feu doux
pendant 3 mn.
5. Disposer la carpe avec sa
sauce dans les assiettes. Sur
chacune, ajouter une cuiller
à soupe de yaourt, saupoudrer de persil et garnir de
rondelles de citron. Servir
avec des pommes de terre
cuites à l'eau salée et une
salade de chou rouge.

Ingrédients

(pour 4 personnes)

1 carpe de 1,5 à 2 kg, prête à cuire
poivre
le jus de 1 citron
1 dl de vin rouge
sel
2 bouteilles de bière brune à forte
teneur en malt
(de 0,33 l chacune)
1 feuille de laurier
1 clou de girofle
1 oignon
40 g de raisins de Smyrne
200 g de carottes
100 g de céleri-rave
50 g de beurre
60 à 80 g de pain d'épice au miel
sucre
50 g d'amandes

Préparation

1. Désarêter soigneusement
la carpe, enlever la peau
et découper le poisson en
4 morceaux. Assaisonner
avec le poivre, arroser de
jus de citron et de vin rouge
et placer au frais pendant
environ 2 h.
2. Mettre la carpe dans un
plat de cuisson et saler.
Recouvrir de bière et de
marinade. Peler l'oignon, le
couper menu, l'ajouter avec
la feuille de laurier et le clou
de girofle, porter à ébullition
et laisser pocher le poisson à
feu moyen pendant environ
10 minutes.
3. Faire gonfler les raisins
de Smyrne dans un peu
d'eau bouillante. Éplucher
les carottes et le céleri, les
couper en fine julienne (fins
bâtonnets) et les faire ramollir dans du beurre fondu
pendant environ 5 mn.
4. Sortir la carpe de son jus
de cuisson. La maintenir au
chaud. Passer le jus de cuisson au chinois, le porter à
ébullition, et lier avec du
pain d'épice au miel râpé.
5. Ajouter la julienne de
légumes et les raisins bien
égouttés. Assaisonner avec
du sel, du poivre, du jus de
citron et du sucre.
6. Hacher grossièrement
les amandes. Recouvrir les
morceaux de carpe avec
la sauce et saupoudrer
d'amandes. Servir avec des
pommes de terre au persil.

Gigot d'agneau « au foin »

Ingrédients

(pour 10 personnes)

environ 2,5 kg de gigot d'agneau avec son os

poivre fraîchement concassé, sel

5 gousses d'ail

de la graisse pour la cuisson

10 cuil. à soupe d'huile d'arachide

10 cl de Xérès ou de Brandy

le zeste râpé de 1 citron non traité

un peu de marjolaine, de romarin et de thym émietté

du foin pour l'habillage du plat de cuisson

Pour la sauce :

quelques os d'agneau (coupés au hachoir)

1/8 l de vin rouge

1/8 l de bouillon de volaille

50 g de beurre froid

un peu de jus de citron, de marjolaine, de romarin et de thym émietté

Préparation

1. Frotter le gigot avec le poivre et les gousses d'ail écrasées dans le sel. Dans une grande sauteuse, faire revenir la viande sur tous ses côtés dans la graisse très chaude.
2. Mélanger ensemble l'huile, l'eau-de-vie, le zeste de citron et les herbes émiettées. En enduire régulièrement le gigot avec un pinceau.
3. Préchauffer le four à 180°. Emplir un autre plat de cuisson avec un peu de foin. Y poser le gigot et le laisser cuire environ 25 mn ; le sortir du four et le recouvrir de foin. Faire cuire 25 à 30 mn supplémentaires.
4. Pour la sauce, faire brunir les os dans le fond de cuisson de la sauteuse où le gigot est revenu. Mouiller lentement avec le vin rouge et le bouillon de volaille et laisser chaque fois reprendre un peu l'ébullition. Retirer les os. Lier la sauce avec le beurre coupé en copeaux, assaisonner avec le jus de citron et les herbes émiettées. Émulsionner avec un fouet et la verser dans une saucière préchauffée.
5. Sortir le gigot du foin. Découper la viande et servir avec la sauce. Accompagner de quenelles de Thuringe et de haricots cuits au lard.

Salade de pommes de terre « Wendes »[1]

Ingrédients

(pour 4 personnes)

1 kg de pommes de terre, sel

3 cuil. à soupe de vinaigre

3 cuil. à soupe de graisse d'oie

poivre

2 cuil. à soupe de sucre

500 g de pommes

1 gros oignon

2 cornichons russes appelés Molossol

1 bouquet de ciboulette

Préparation

1. Faire cuire les pommes de terre dans une grande quantité d'eau salée. Les égoutter, les peler encore chaudes, les couper en rondelles et les maintenir au chaud dans un grand saladier.
2. Faire chauffer le vinaigre et y laisser fondre la graisse d'oie. Ne pas faire bouillir, juste frémir. Assaisonner de sel, de poivre et de sucre.
3. Laver les pommes, les couper en quatre, les épépiner et les couper en petits dés. Peler l'oignon et le couper en dés, ainsi que les cornichons. Mélanger les dés de pommes, d'oignon et de cornichons, les ajouter aux pommes de terre. Verser le vinaigre chaud et bien mélanger le tout.
4. Ciseler la ciboulette, en saupoudrer la salade et la servir chaude. Accompagner de boulettes de viande croustillantes.

---

1. *Wendes : nom donné par les Allemands du Moyen Âge aux Slaves d'Allemagne dont les Slovènes.*

Hannelore Kohl

« Le terme de "pâté de viande" s'applique aux roulades, boulettes et autres paupiettes. Il n'y a dans leur préparation que des variantes régionales, pas de grandes différences sur la préparation de fond ! »

« *Soupe* » de baies de sureau aux boulettes d'amandes

Ingrédients

(pour 4 personnes)

Pour la soupe :

500 g de baies de sureau (à remplacer par des baies de myrtilles ou autres baies en votre possession)
1 petit bâton de cannelle
1 morceau de zeste de citron
140 g de sucre en poudre
240 g de poires, 360 g de prunes
1 cuil. à soupe de fécule
1,5 dl de vin blanc

Pour les boulettes d'amandes :

4 œufs, 150 g de sucre
150 g d'amandes en poudre
de la chapelure, de l'huile de noix pour la friture (ou autre huile végétale)

Préparation

1. Laver les baies, les égrener et les faire pocher environ 15 mn dans de l'eau bouillante. Les verser dans une passoire et les presser pour en recueillir le jus.
2. Le porter à ébullition avec la cannelle, le zeste de citron et le sucre. Éplucher les poires, les couper en quatre, les épépiner, les couper en tranches et les ajouter au sirop précédent. Faire cuire les poires environ 5 mn à feu doux.
3. Laver les prunes, les dénoyauter, les couper en quatre, les ajouter aux poires et faire cuire quelques minutes. Délayer la fécule dans un peu d'eau froide et la diluer dans la soupe. Verser le vin, laisser reprendre l'ébullition et rectifier l'assaisonnement.
4. Pour les boulettes d'amandes, battre ensemble les œufs et le sucre. Incorporer les amandes en poudre et autant de chapelure qu'il en faut pour obtenir une pâte consistante. Façonner des petites boulettes avec cette pâte et les faire frire dans de l'huile bien chaude. Les retirer avec une écumoire et les laisser égoutter sur du papier absorbant.
5. Répartir la « soupe » dans des assiettes individuelles. Disposer les boulettes dans la soupe et servir de suite.

Eierschecke de Dresde

Ingrédients

(pour 12 parts)

Pour la pâte :
250 g de farine
100 g de beurre froid coupé en
copeaux
150 g de sucre en poudre
1/2 sachet de levure en poudre
1 œuf
1 cuil. à café de sucre vanillé
du beurre pour le moule

Pour la garniture :
500 g de fromage blanc
100 g de sucre
le jus et le zeste de 1/2 citron
non traité
50 g de farine
1 œuf
1 pincée de sel
1 cuil. à café de sucre vanillé
un peu de lait

Pour le dessus :
1/2 l de lait
1 sachet de flan à la vanille
230 g de sucre
200 g de beurre
3 jaunes d'œufs
3 blancs d'œufs
1 cuil. à café de sucre vanillé

Préparation

1. Pour la pâte : pétrir rapidement ensemble la farine, les copeaux de beurre, le sucre, la levure, l'œuf, et le sucre vanillé en une pâte brisée. Couvrir la pâte et laisser reposer au froid 20 mn.

2. Graisser un moule amovible de 26 cm de diamètre. Étaler la pâte sur un plan de travail fariné et la poser dans le moule en façonnant un rebord sur son pourtour. Piquer plusieurs fois le fond avec une fourchette.

3. Pour la garniture : mélanger tous les ingrédients indiqués en ajoutant un peu de lait pour que la pâte devienne bien souple.

4. Pour le dessus : faire un flan avec le lait, le flan en poudre et 30 g de sucre en suivant les indications du sachet, bien battre, laisser refroidir en remuant de temps à autre.

5. Battre ensemble le beurre, le reste de sucre et le jaune d'œuf jusqu'à obtenir une pâte mousseuse. La remuer avec le flan à l'aide d'une cuiller. Battre en neige ferme les blancs d'œufs avec le sucre vanillé et l'incorporer à la crème que vous venez de confectionner.

6. Répartir la garniture sur le fond de pâte, verser la crème au flan sur le dessus et égaliser avec une cuiller. Laisser cuire 10 mn au four préchauffé à 200°.

7. Baisser le thermostat à 175° et laisser achever la cuisson du gâteau environ 1 h 20. Si le gâteau brunit trop, le recouvrir de papier sulfurisé.

Hannelore Kohl

« Les Saxons raffolent des douceurs. Parmi les nombreuses variétés de gâteaux et de tartes aux raisins secs, aux amandes, au chocolat, au beurre et bien d'autres encore, le "Eierschecke" est certainement une des plus connues. »

Christstollen [1] de Dresde *(Gâteau de Noël)*

Ingrédients

(pour 2 « Stollen »)

2 gousses de vanille

200 g de sucre en poudre

350 g de raisins secs

100 g d'amandes émondées
et hachées

50 g de citron confit coupé
en petits dés

100 g d'orange confite coupée
en petits dés

5 cl de rhum

1,2 kg de farine

100 g de levure

4 dl de lait tiède

2 œufs

le zeste râpé de 1 citron non traité

1 cuil. à café de sel

550 g de beurre ramolli

Préparation

1. Fendre les gousses de vanille, en gratter les graines et bien les mélanger au sucre. La moitié du sucre vanillé ainsi obtenu sera utilisée pour la pâte, l'autre moitié pour saupoudrer le « Stollen ».
2. Tremper les raisins secs, les dés de citron et d'orange confite dans le rhum et laisser macérer plusieurs heures.
3. Tamiser environ 1 kg de farine dans un grand saladier, y creuser un puits avec une spatule. Émietter la levure et la délayer dans 1,5 dl de lait avec une pincée de sucre, verser ce mélange dans le puits. Pétrir et former un levain, le rouler dans un peu de farine. Laisser reposer ce levain dans un endroit chaud pendant environ 15 mn.

4. Ajouter à ce levain la moitié du sucre vanillé, le reste de lait, les œufs, le zeste de citron, le sel et pétrir le tout en une pâte bien lisse. Laisser lever cette pâte pendant environ 20 à 30 mn dans un endroit chaud.
5. Pendant ce temps, travailler 400 g de beurre avec le reste de farine et pétrir une nouvelle fois avec le levain déjà gonflé. Laisser reposer de nouveau pendant 15 mn.
6. Incorporer rapidement dans la pâte le mélange de fruits et de rhum par petites portions. Laisser lever une dernière fois dans un endroit chaud 15 mn.
7. Partager la pâte en deux. Étaler chaque moitié et former des rectangles. Faire en sorte qu'il apparaisse un renflement sur les bords des côtés constituant la longueur, un petit d'un côté et un plus grand de l'autre. Replier le bord au petit renflement sur le plus épais de manière à ce que les deux renflements soient côte à côte. Appuyer légèrement sur les bords des « Stollen » pour les souder.

8. Disposer les « Stollen » sur une lèchefrite bien graissée et les laisser encore lever environ 1 h recouverts d'un linge.
9. Préchauffer le four à 200°. Faire cuire les « Stollen » environ 1 h sur la grille du bas. Si les « Stollen » deviennent trop bruns, les recouvrir d'une feuille de papier sulfurisé.
10. Avec un pinceau, badigeonner de tous côtés les « Stollen » encore chauds avec du beurre fondu. Saupoudrer avec le reste de sucre vanillé.

1. Le « Stollen » porte le nom de galerie de mines, la Saxe étant un pays où les mines étaient exploitées depuis le haut Moyen Âge dans les Monts Métallifères (Erzgebirge).

« Cuissots »
au fromage blanc

Ingrédients
(pour 4 personnes)

500 g de pommes de terre farineuses
250 g de fromage blanc maigre
1 œuf
50 à 75 g de farine
1 pincée de sel
50 g de sucre en poudre
1/2 cuil. à café de cannelle
1/4 cuil. à café de sucre vanillé
le zeste râpé de 1 citron non traité
100 g de raisins de Corinthe
100 g de beurre
sucre glace pour saupoudrer

Préparation

1. Faire cuire les pommes de terre la veille, les peler et les râper.

2. Faire une pâte avec le fromage blanc, l'œuf, la farine, le sel, le sucre, le sucre vanillé, le zeste de citron et les pommes de terre.
3. Verser un peu d'eau bouillante sur les raisins de Corinthe et laisser gonfler. Les faire égoutter, les sécher et les mélanger à la pâte. Si la pâte colle encore, ajouter un peu de farine.
4. Découper la pâte en portions à l'aide d'une cuiller et en façonner des petits « cuissots » de forme ovale. Faire fondre du beurre dans une grande poêle et y faire dorer les « cuissots » de tous côtés. Les saupoudrer encore chauds avec le sucre glace. Servir avec des pommes en compote ou juste fondues dans du beurre.

Poires « ivres »

Ingrédients
(pour 4 personnes)

700 g de poires
75 g de sucre en poudre
1 sachet de sucre vanillé
2 cuil. à soupe de gelée de pommes
ou de coings
250 g de biscottes
(ou de petits gâteaux secs)
le jus et le zeste râpé de 1 citron
non traité
1,5 dl de jus de poire
1/4 l de lait
2 jaunes d'œufs
1 dl de liqueur de mûres
75 g de beurre coupé en copeaux

Préparation

1. Éplucher les poires, les couper en quatre, les épépiner et les détailler en fines lamelles. Dans un moule à soufflé, disposer en forme de rosace les lamelles de poires.
2. Mélanger le sucre en poudre avec le sucre vanillé et en saupoudrer les poires. Répartir la gelée en surface. Écraser les biscottes ou les petits gâteaux au mortier et les saupoudrer à leur tour.
3. Mélanger le jus de poire et le jus de citron ainsi que son zeste pour en mouiller les biscottes. Battre au fouet le lait et le jaune d'œuf, y verser la liqueur et répartir cette préparation sur les biscottes.
4. Parsemer les copeaux de beurre sur la surface et la recouvrir d'une feuille d'aluminium. Laisser cuire environ 15 mn au four préchauffé à 200°. Retirer la feuille d'aluminium et laisser brunir le dessus pendant 10 mn environ.

Meringue du Sacristain

(photo ci-dessous)

Ingrédients

(pour 4 personnes)

6 blancs d'œufs

1 cuil. à soupe d'eau froide

120 g de sucre en poudre

du beurre pour le moule

200 g de chocolat doux-amer

1/8 l de crème fraîche

1/8 l de lait

Préparation

1. Fouetter les blancs d'œufs, l'eau et le sucre pour former une meringue bien ferme. Beurrer un moule à bombe glacée. Remplir le moule avec la meringue.
2. Recouvrir le moule avec du papier en aluminium, bien le fermer et le placer dans un récipient rempli d'eau frémissante. Laisser « prendre » la meringue pendant 20 mn dans un four préchauffé à 175°. Retirer la feuille d'aluminium et faire dorer la préparation pendant 25 mn dans le four. La meringue va durcir.
3. Retourner la demi-boule de meringue sur un grand plat en verre et le placer au frais. Pendant ce temps, râper le chocolat et le faire fondre à feu doux dans la crème fraîche et le lait. Bien remuer la crème et la servir chaude sur la meringue.

Flan de Suhl [1]

Ingrédients

(pour une lèchefrite)

Pour la pâte :

500 g de farine

50 g de sucre en poudre

1 pincée de sel

100 g de beurre coupé en copeaux

30 g de levure

1/4 l de lait tiède

un peu de beurre pour la lèchefrite

Pour la garniture :

1 l de lait

150 g de sucre

2 sachets de flan vanillé

800 g de raisins de Smyrne

3 œufs

500 g de crème double

125 g de crème fraîche

---

1. Ville située au sud de la Thuringe.

Préparation

1. Mélanger la farine, le sucre, le sel et le beurre. Délayer le levain dans le lait tiède et laisser reposer, couvert, pendant quelques minutes.
2. Travailler le tout en une pâte lisse. Couvrir et laisser lever dans un endroit chaud jusqu'à ce que la pâte ait doublé de volume (environ 20 mn).
3. Beurrer une lèchefrite. Abaisser la pâte, l'étaler sur la lèchefrite et laisser à nouveau lever un peu.
4. Faire un flan en suivant les indications portées sur l'emballage avec la poudre, le lait et le sucre et le répartir sur la pâte. Parsemer de raisins de Smyrne. Mélanger les œufs et le sucre, ajouter la crème double et verser cette préparation sur le tout.
5. Laisser cuire pendant environ 45 mn sur la grille du bas dans le four préchauffé à 200°. Faire une crème Chantilly bien ferme et, avec une poche à douille, former des volutes sur le gâteau refroidi.

Boulettes aux poires

Ingrédients

(pour 4 personnes)

400 g de farine

30 g de levure

40 g de sucre en poudre

2 dl de lait tiède

le zeste râpé de 1 citron non traité

1 pincée de sel

1 œuf

40 g de beurre ramolli

4 poires bien mûres et sucrées

40 g de sucre brun (cassonade)

2 cl d'alcool de poire

100 g de mélange cannelle-sucre

100 g de beurre fondu « noisette »

Préparation

1. Tamiser la farine dans un grand saladier et y creuser un puits. Délayer la levure émiettée dans un peu de lait tiède avec 1 cuil. à café de sucre. Verser le lait à la levure dans le puits et mélanger à un peu de farine. Laisser gonfler ce levain pendant environ 30 mn.
2. Le pétrir en une pâte lisse avec le reste de sucre, le zeste de citron, le sel, l'œuf et le beurre. Déposer cette pâte dans un endroit chaud jusqu'à ce qu'elle double de volume.

3. Pétrir de nouveau la pâte, l'étaler au rouleau à pâtisserie sur 1,5 cm d'épaisseur et y découper des carrés de 8 x 8 cm.
4. Éplucher les poires, les couper en quatre, les épépiner et les couper en dés. Saupoudrer de sucre brun et les laisser macérer dans le jus de citron et l'alcool de poire.
5. Disposer sur chaque carré de pâte 1 cuil. à soupe de poires. Souder les bords de la pâte en les pressant l'un contre l'autre et former une boule. Laisser lever environ 10 mn dans un endroit chaud.
6. Dans un grand récipient, porter de l'eau à ébullition. Y plonger les boulettes aux poires et laisser cuire dans le récipient fermé pendant environ 12 mn. Retourner les boulettes et laisser cuire 6 mn supplémentaires.
7. Retirer les boulettes avec une écumoire, les rouler dans le mélange sucre-cannelle et napper de beurre noisette fondu. Servir immédiatement.

Flan aux amandes

Ingrédients

(pour 4 personnes)

Pour le flan :

4 œufs

150 g de sucre

1 sachet de sucre vanillé

30 g de fécule

1/4 l de lait

6 feuilles de gélatine

3 cl de liqueur d'amande

120 g d'amandes hachées

(dont la moitié sont grillées)

4 cuil. à soupe de chocolat râpé

Pour la sauce :

3 jaunes d'œufs

80 g de sucre

1/4 l de lait

1 cuil. à soupe de poudre de cacao

Préparation

1. Séparer les blancs d'œufs des jaunes. Battre le sucre et le sucre vanillé avec les jaunes d'œufs. Délayer la fécule dans le lait et l'ajouter à la pâte aux œufs.
2. Faire ramollir la gélatine dans de l'eau froide. Battre les blancs en neige.

3. Fouetter la pâte aux œufs dans un bain-marie très chaud jusqu'à ce qu'elle épaississe. Ajouter la liqueur d'amandes, la gélatine égouttée et les amandes nature. Remuer cette pâte pendant qu'elle refroidit. Incorporer délicatement les œufs en neige dans la pâte du flan quand elle est bien froide.
4. Passer un moule à savarin sous l'eau froide et y répartir les amandes grillées. Le remplir de pâte à flan et laisser prendre dans le réfrigérateur.
5. Pour la sauce : battre les jaunes d'œufs et le sucre dans un récipient. Y verser le lait. Fouetter le mélange à feu doux jusqu'à obtenir une crème veloutée. Ajouter à ce moment le cacao en remuant toujours.
6. Renverser le flan, le saupoudrer de chocolat râpé et le servir avec la sauce au chocolat.

À l'étal du boucher :
c'est le bon conseil qui compte !

Hannelore Kohl :
Pendant la guerre, acheter un beau morceau de viande semblait un rêve irréalisable. Qui pourrait le croire de nos jours !

Alfons Schuhbeck :
La viande est aujourd'hui tout à fait abordable. On peut l'acheter chez le boucher, dans les grandes surfaces ou chez le fermier. L'offre est diversifiée, et on peut obtenir toute sorte de viandes différentes, de la plus grasse à la plus maigre.

Hannelore Kohl :
On dit que la viande persillée a particulièrement de goût...

Alfons Schuhbeck :
Sûrement : c'est la graisse qui donne le goût. Les clients le savent maintenant et la viande persillée est de plus en plus demandée.

Hannelore Kohl :
Comment choisir un morceau de viande pour tel ou tel plat ?

Alfons Schuhbeck :
Le boucher ou le spécialiste des viandes au rayon du supermarché sont là pour vous diriger. Souvent, pour un même plat, on a le choix entre plusieurs morceaux. Dans ce cas, je m'en remettrais aux recommandations du boucher.

Hannelore Kohl :
Quelles sont les consignes qu'il convient de respecter absolument pour garder à la viande toute sa saveur ?

Une photo « incisive » ! Le couteau à aiguiser est un élément essentiel dans votre cuisine. Aiguisez régulièrement les couteaux à viande et à saucisse. Ils n'en couperont que mieux !

Alfons Schuhbeck :
Il ne faut pas laisser la viande dans son papier d'emballage. Déposez-la dans un plat de porcelaine ou de verre et recouvrez-la d'une assiette. Si vous devez acheter la viande plusieurs jours avant de la consommer, par exemple avant les Fêtes, prenez plutôt du bœuf et enduisez la viande d'huile avec un pinceau, elle continuera ainsi à « mûrir » au réfrigérateur et sera plus tendre.

Hannelore Kohl :
La bonne cuisson de départ est très importante pour que la viande soit saisie...

Alfons Schuhbeck :
En fait, c'est le choix de la graisse qui fait la différence : on doit pouvoir la porter à haute température sans qu'elle brûle. Le beurre clarifié par exemple est tout à fait désigné pour débuter la cuisson. Pour que le rôti ne sèche pas, il faut le laisser reposer environ 15 minutes après la fin de la cuisson avant de le découper. Faute de quoi il perdrait de son précieux jus.

Du Rhin inférieur à l'Eifel

Par Helmut Kohl

« U n centurion romain, un légionnaire celte, un cavalier suédois, un flotteur de bois descendant de la Forêt Noire, un acteur français et un musicien de Bohême »,
c'est ainsi que l'écrivain Zuckmayer présente l'arbre généalogique des Rhénans dans sa pièce « Le Général du Diable ». Ils sont « du Rhin, et cela signifie de l'Occident ». De ce fait, les villes de Rhénanie sont de véritables mines d'or pour les visiteurs qui s'intéressent à l'histoire. Toutes ces cités furent fondées et construites par les Romains, elles jettent un fier regard sur une histoire deux fois millénaire. À Cologne, tout proche de la cathédrale, le Musée romain-germanique conduit le voyageur dans les profondeurs de l'histoire, et à Bonn l'on peut suivre du regard, dans la nouvelle « Maison de l'Histoire », celle de la République fédérale d'Allemagne.

▶

Du Rhin inférieur à l'Eifel

C'est à Xanten, au cœur de la Rhénanie traditionnellement catholique, que l'on peut admirer dans le chœur de la cathédrale les plus anciennes stalles, qui datent du XIIIe siècle. La chaire et l'autel ont été reconstitués par l'un de mes bons amis, le professeur Gernot Rumpf, natif de la ville de Neustadt. Jusqu'en 1531 c'est dans la cathédrale d'Aix-la-Chapelle, la ville de Charlemagne, que furent couronnés les rois allemands.

La Rhénanie a le privilège de posséder cinq saisons car, entre l'hiver et le printemps, le Carnaval occupe un vaste espace. À la grande surprise des visiteurs du dehors on y découvre qu'un « demi-coquelet » est un petit pain de seigle avec du fromage, et le « caviar de Cologne » un boudin agrémenté de fromage. Les Rhénans rient cordialement devant le mépris des « estrangers », et de ce fait la glace est rompue.

La Convivialité et l'Hospitalité sont des mots qu'en Rhénanie l'on écrit avec des majuscules. Tout au long du fleuve, les villages se serrent les uns contre les autres. L'on y célèbre gaiement les fêtes du vin au cours desquelles sont élues les « Reines du Vin ». Certains chants du Rhin sont connus dans le monde entier. Le « Marché de Pützchen » (la petite Pütz), la célèbre foire, sur la rive droite du fleuve en face de Bonn, fut fêté dès le XIVe siècle, et la kermesse de Sainte-Anne à Düren attire chaque année des visiteurs de toutes les régions d'Allemagne.

Les « Reibekuchen » (galettes de pommes de terre bien croustillantes) et les « Himmel un Äd » (Ciel et terre), une spécialité locale faite de purée de pommes de terre, avec des pommes et du boudin, font ici partie de la tradition. Rien de mieux pour accompagner ces mets que de la bière de Cologne (« Kölsch ») bien fraîche. Comme toutes les bières « obergärig » (haute fermentation), elle est fort légère et correspond à la manière d'être des Rhénans, légère et raffinée. Cependant la « bière à l'ancienne » (« Altbier ») possède, elle aussi, ses partisans déclarés. L'histoire des brasseries de Cologne, où le garçon, le « Köbes », sert revêtu d'un long tablier, et qui possèdent souvent leur propre charcuterie, remonte elle aussi, pour certaines, jusqu'au XVIe siècle.

Les « Printen » d'Aix-la-Chapelle, sorte de pain d'épice régional, connus dans le monde entier, se composent en grande partie de fanes de rave (ce gâteau est mentionné dans les archives depuis 1483) que l'on utilise aussi comme condiment dans la préparation du rôti rhénan à l'aigre. Pendant les mois de mai et de juin les asperges qui proviennent des collines proches de Bonn et du Rhin inférieur sont tout particulièrement appréciées ; au cours de cette période elles figurent en bonne place au menu des dîners officiels.

Pour les amateurs d'excursions et de grandes marches, l'Eifel, sur la rive gauche, avec ses volcans éteints et ses lacs appelés « Maaren » (le même mot que nos « mares »), et sur l'autre rive les Monts du Pays de Berg (le mot signifie montagne), offre de belles randonnées. Ne manquez surtout pas d'entrer dans un local annonçant qu'il cultive encore « la table des cafés du pays de Berg » : on y déguste d'abord des gaufres avec des cerises chaudes, on y trouve également du riz avec de la cannelle et du sucre, du pain de noix avec du saucisson de foie, de la brioche aux raisins, de la confiture et du fromage blanc qu'on étale sur l'assiette avec une spatule. Ce mélange bariolé tirerait son origine des conditions fort misérables qui prévalaient dans la région : les hôtes pleins de convivialité, en dépit de leur condition modeste, apportaient tout ce que pouvait offrir leur cellier.

Quant à moi j'aime beaucoup fréquenter le monastère de Maria Laach près du lac de même nom (le mot « Laach » vient du latin comme « lac ») qui se trouve aux alentours de Bonn, près de la ville d'eaux de Neuenahr. Ici s'ouvre la célèbre vallée de la rivière Ahr, l'un des terroirs qui produisent les meilleurs vins d'Allemagne. C'est auprès des moines bénédictins de Maria Laach que Konrad Adenauer, persécuté par les nazis, trouva refuge et sérénité.

Dans la région autour de Krefeld se trouvent de splendides moulins à vent, comme on en voit en Hollande.

Ähzesupp

(Velouté aux petits pois) *(photo ci-dessus)*

Ingrédients

(pour 4 personnes)

2 échalotes
200 g de petits pois écossés
2 cuil. à soupe de beurre
1 pincée de sucre
1 pincée de sel, du poivre
5 dl de bouillon
5 cl de crème fraîche
2 cuil. à soupe de lardons

Préparation

1. Éplucher les échalotes et
les couper en petits dés.
Laver les petits pois.

2. Faire fondre un peu de
beurre dans un récipient,
y faire revenir les échalotes
et les petits pois. Assaisonner
avec le sucre, le sel et le
poivre, verser le bouillon.
Laisser cuire 5 à 8 mn
à feu doux.
3. Passer ce mélange au
presse-purée. Ajouter la
crème et le reste de beurre,
bien mixer une nouvelle fois
et passer la soupe au tamis.
4. Porter rapidement à
ébullition, servir avec les
lardons légèrement revenus
à la poêle.

Pitter un Jupp

(Potée au chou)

Ingrédients

(pour 4 personnes)

1 petite tête de chou frisé
4 carottes, 500 g de pommes de terre
1/2 bouquet garni
un peu de beurre
3/4 l de bouillon
sel, poivre, noix de muscade
4 cervelas, 1 petit bouquet de persil

Préparation

1. Nettoyer le chou, le laver
et le couper en lanières.
Éplucher les carottes et les
pommes de terre et les cou-

per en dés. Nettoyer le bouquet garni.
2. Faire fondre du beurre
dans une sauteuse et y laisser
braiser le chou. Ajouter les
autres légumes en couches et
verser le bouillon au-dessus.
Faire cuire ce mélange 35 à
40 mn à feu doux. Écraser
un peu les légumes, assaisonner de sel, de poivre et de
muscade.
3. Faire cuire les cervelas
dans de l'eau pendant environ 10 mn. Couper les saucisses en tranches, les
ajouter à la potée et laisser
la cuisson se poursuivre pendant 5 mn environ. Servir
après avoir recouvert de persil finement ciselé.

Soupe à la bière de Bitburg [1]

Ingrédients

(pour 4 personnes)

un peu de beurre

2 tranches de pain bis coupées en dés

7 dl de bière blonde

2 cuil. à soupe de raisins secs

1/4 de bâton de cannelle

un peu de sucre

sel, poivre

noix de muscade

2 jaunes d'œufs

2 dl de crème fraîche liquide

quelques brins de persil

Préparation

1. Faire fondre du beurre dans une poêle et y laisser revenir les croûtons jusqu'à ce qu'ils deviennent croustillants. Mettre dans une cocotte la bière, les raisins secs, la cannelle et le sucre, porter rapidement à ébullition. Assaisonner de sel, de poivre et de noix de muscade.

2. Fouetter les jaunes d'œufs avec la crème fraîche, et lier la soupe avec cette préparation. Ne plus porter à ébullition.

3. Servir la soupe dans des assiettes préalablement préchauffées. Saupoudrer de croûtons et garnir de persil.

1. Ville du Land de Rhénanie-Palatinat située sur les hauteurs de l'Eifel.

Hannelore Kohl

« La cannelle est l'écorce d'une plante tropicale apparentée au laurier. Pour un bâton de cannelle, on empile l'une sur l'autre plusieurs feuilles de jeunes pousses de l'écorce intérieure, on les roule et on les fait sécher. La cannelle du Sri Lanka est, paraît-il, la meilleure. »

Soupe multicolore aux pommes de terre

Ingrédients

(pour 4 personnes)

400 g de pommes de terre

2 oignons

30 g de saindoux

1 l de bouillon

1/2 céleri-rave

1 poireau

3 carottes

2 tomates

1 racine de persil (facultatif)

100 g de lard maigre

2 cuil. à soupe de persil haché

Préparation

1. Éplucher les pommes de terre et les couper en dés. Peler les oignons et les hacher menu.

2. Faire chauffer le saindoux et y faire revenir les oignons jusqu'à ce qu'ils deviennent transparents ; verser le bouillon.

3. Nettoyer tous les légumes, les couper en morceaux et les ajouter au bouillon avec les pommes de terre. Laisser cuire la soupe environ 30 à 40 mn.

4. Couper le lard en dés et les faire revenir dans une poêle jusqu'à ce qu'ils deviennent croustillants. Les répartir sur la soupe avec le persil haché.

Hannelore Kohl

« Vous pouvez aussi préparer cette soupe aux pommes de terre la veille. Les saveurs peuvent ainsi se mêler pendant la nuit et elle aura un arôme plus intense. Ajouter toujours le persil juste avant de servir. »

Salade de choucroute (photo ci-dessus)

Ingrédients
(pour 4 à 6 personnes)

500 g de choucroute crue,
non épicée

2 pommes rouges lavées

3 cornichons au vinaigre balsamique

1 petit oignon

3 cuil. à soupe de crème liquide

1 pincée de sucre

Préparation

1. Couper la choucroute en fines lanières et aérer le tout avec une fourchette.
2. Couper les pommes en quatre avec leur peau, les épépiner et les couper en dés ainsi que les cornichons. Peler l'oignon et le couper en fins anneaux. Mélanger les ingrédients ainsi préparés avec la crème fraîche et le sucre.
3. Servir cette salade en accompagnement de rôtis froids ou en hors-d'œuvre. On peut aussi en farcir des tomates crues ; pour cela, extraire la pulpe des tomates, les farcir avec la salade et servir avec du pain noir.

Côtelettes à la moutarde

Ingrédients
(pour 4 personnes)

3 tranches de pain blanc

1/4 l de lait

1 oignon

400 g de bifteck haché

2 cuil. à soupe de moutarde de Düsseldorf

3 œufs

2 cuil. à soupe d'huile

sel

poivre blanc

60 g de beurre

4 côtelettes de porc minces

80 g de fromage râpé

Préparation

1. Couper le pain blanc en gros morceaux, les faire tremper dans le lait. Peler l'oignon et le couper en petits dés.
2. Mélanger le bifteck haché avec le pain soigneusement essoré, les dés d'oignon et la moutarde. Fouetter les œufs et les incorporer au hachis avec le sel et le poivre, rectifier l'assaisonnement.
3. Faire fondre du beurre dans une poêle et y faire revenir les côtelettes 2 mn de chaque côté. Les retirer de la poêle et les déposer sur une lèchefrite.
4. Étaler du hachis de viande sur la surface de la côtelette tournée vers le haut. Saupoudrer de fromage. Faire gratiner au four préchauffé à 200° pendant environ 5 mn. Servir avec des boulettes de pommes de terre, des petits pois ou du chou-fleur.

Boulettes de faux lièvre [1]

(Lièvre du pauvre) (photo page de droite)

Ingrédients

(pour 4 personnes)

3 à 4 petits pains de la veille
(3 à 4 morceaux de pain de
campagne rassis)
un peu de lait tiède
1 oignon
2 cuil. à soupe d'huile
300 g de bifteck haché
250 g de chair à saucisse ou de porc
haché
1 œuf
2 à 3 cuil. à soupe de moutarde
en grains
quelques feuilles de basilic hachées
sel, poivre
8 œufs de caille cuits dur
un peu de panure
(farine + chapelure)
20 g de beurre clarifié
15 cl de crème fraîche
un peu de jus de citron

Préparation

1. Faire ramollir les petits
pains dans le lait tiède puis
les essorer. Peler l'oignon,
le couper fin et le faire revenir jusqu'à ce qu'il devienne
transparent dans l'huile.
2. Bien mélanger les viandes
hachées, les petits pains
essorés, l'oignon, l'œuf et
la moutarde. Assaisonner
avec du basilic, du sel et
du poivre.
3. Diviser ce hachis en
8 parts égales, les aplatir
légèrement. Écaler les œufs
de caille, les placer au
centre des boulettes et les
enfoncer dans la pâte du
hachis. Bien refermer les
boulettes en les roulant sur
elles-mêmes.
4. Paner les boulettes ainsi
obtenues dans la panure.
Faire chauffer le beurre clarifié dans une cocotte allant
au four. Faire rapidement
revenir ces boulettes, puis
terminer la cuisson pendant
25 mn dans le four pré-
chauffé à 175° tout en arrosant de temps à autre avec
le jus de sauce.
5. Retirer les boulettes du
four et les réserver au chaud.
Déglacer le fond de cuisson
avec la crème fraîche et
laisser reprendre l'ébullition.
Mélanger le jus de citron
dans la sauce, et la servir
avec les boulettes, dans une
saucière.

1. On appelle « falscher Hase » (faux lièvre)
un rôti reconstitué de viande hachée.

Potage de pommes de terre et de poireaux *(photo ci-dessus)*

Ingrédients

(pour 4 personnes)

2 oignons
150 g de poireaux nouveaux
40 g de beurre clarifié
400 g de pommes de terre farineuses
1/2 l de consommé de bœuf
30 g de beurre
3 cl de crème fraîche liquide
noix de muscade
sel
poivre blanc
marjolaine
80 g de saucisse de gruaux
(peut être remplacée par de la
saucisse de Morteau !)
de la farine pour paner
4 cuil. à soupe de crème fouettée
quelques brins de persil

Préparation

1. Peler les oignons, nettoyer
les poireaux, couper le tout
en anneaux. Faire chauffer
20 g du beurre clarifié et
y faire revenir les anneaux
d'oignons et de poireaux.
2. Éplucher les pommes de
terre, les couper grossièrement et les ajouter. Verser le
bouillon de bœuf et laisser
cuire, à couvert.
3. Réduire le potage en
purée au mixer ou au moulin
à légumes et le passer au
tamis.
4. Faire réchauffer la soupe
et l'assaisonner avec le
beurre, la crème, la noix de
muscade, le sel, le poivre et
un peu de marjolaine.
5. Couper la saucisse en
rondelles, les passer rapidement dans la farine et les
faire revenir des deux côtés
dans le reste du beurre
clarifié.
6. Répartir la soupe dans
des assiettes préchauffées et
garnir de saucisse de gruaux
(ou de Morteau), de crème
fouettée et de persil ciselé.

Hannelore Kohl

« Si vous ne pouvez vous procurer d'œufs de caille, placez, au
cœur de la boulette, des œufs de poule cuits durs et divisés en
quarts. La pâte sera particulièrement savoureuse si vous l'affinez
avec du concentré de tomate. »

Döbbekooche rhénan

(Double gâteau)

Ingrédients

(pour 4 à 6 personnes)

2 petits pains
(ou 2 morceaux de pain rassis)
1/4 l de lait
1 gros oignon
125 g de poitrine fumée maigre
3 kg de pommes de terre
1 pomme
2 à 3 œufs, selon leur grosseur
1/2 cuil. à café de sel
poivre
du beurre pour le moule

Préparation

1. Faire ramollir les petits pains dans le lait. Les essorer et réserver le lait. Peler l'oignon et le couper en petits dés, faire de même avec le lard.
2. Éplucher les pommes de terre et la pomme, les râper et en extraire le jus dans un linge propre. Recueillir ce jus et le laisser reposer quelques minutes pour que la fécule de la pomme de terre se dépose.
3. Mélanger les pommes de terre, la pomme, l'oignon, les petits pains et la poitrine fumée. Jeter l'eau des pommes de terre et en ajouter la fécule à la pâte. Éventuellement, rajouter un peu de lait pour ramollir la masse.
4. Bien graisser un moule en grès, y verser la masse et laisser cuire environ 2 h dans le four préchauffé à 225°.

Boudin blanc aux pommes

Ingrédients

(pour 4 personnes)

750 g de pommes
2 cuil. à soupe de sucre en poudre
1/2 cuil. à café de cannelle en poudre
125 g de raisins secs ou de Corinthe
50 g de beurre
4 boudins blancs
1 cuil. à café du zeste râpé de
1 citron non traité
7 cl de vin blanc ou de jus de pomme

Préparation

1. Éplucher les pommes, les couper en quatre, les épépiner et les détailler en lamelles. Les saupoudrer d'une cuiller à soupe de sucre et de cannelle.
2. Ajouter les raisins de Corinthe ou les raisins secs, bien mélanger le tout et laisser reposer 1 h.
3. Faire fondre du beurre dans une cocotte et y faire revenir les boudins blancs. Ajouter les pommes, les raisins secs, le reste du sucre et le zeste de citron. Couvrir et laisser étuver à feu doux pendant 20 mn. Les morceaux de pommes doivent rester fermes.
4. Rectifier l'assaisonnement du fond de cuisson avec le vin blanc ou le jus de pomme. Accompagner de boulettes de pommes de terre, de semoule ou de pains.

Potée de coq du Hunsrück [1]

Ingrédients

(pour 4 personnes)

1 coq d'environ 2 kg
2 cuil. à soupe d'huile
sel, poivre
1 oignon moyen
2 carottes moyennes
100 g de céleri-rave
200 g de champignons
1 gousse d'ail
5 dl de vin de Bourgogne léger
(Beaujolais)
5 dl de bouillon de volaille

1 branche de thym
1 branche de romarin
1 branche de basilic
1 feuille de laurier
100 g de beurre froid

Préparation

1. Sécher le coq et le découper en 8 portions. Pour cela : couper les deux cuisses à l'articulation et couper la poitrine en deux puis chaque aile en deux également.

2. Faire chauffer l'huile dans une cocotte, y faire rôtir les morceaux de volaille côté peau et assaisonner avec le sel et le poivre.
3. Éplucher l'oignon, les carottes et le céleri, les couper en dés de 1 cm de côté et les ajouter à la volaille. Nettoyer les champignons, peler l'ail, les couper en lamelles. Les ajouter au contenu de la cocotte et faire revenir rapidement le tout.
4. Retirer les blancs de volaille et les réserver. Déglacer au vin rouge et faire reprendre l'ébullition. Verser le bouillon de volaille. Laisser

frémir à petits bouillons pendant environ 30 mn à feu doux dans le récipient fermé.
5. Replacer les blancs, ajouter les fines herbes et la feuille de laurier et laisser mijoter 10 mn supplémentaires. À la fin, incorporer le beurre en petits copeaux et rectifier l'assaisonnement. Servir la potée dans la cocotte. Accompagner de pommes de terre au lard.

1. Massif montagneux entre les rives gauches du Rhin et de la Moselle.

Petit déjeuner du paysan

Ingrédients
(pour 4 personnes)

1 kg de petites pommes de terre
fermes
2 oignons
125 g de lard maigre
3 œufs
3 cuil. à soupe de lait
sel
poivre
1 bouquet de ciboulette
1 tomate

Préparation

1. Faire cuire les pommes de terre, les peler et les laisser refroidir ; les couper en dés.
2. Peler les oignons et les couper en petits dés ; en faire de même avec le lard. Faire revenir le tout jusqu'à ce qu'il devienne transparent dans une poêle. Ajouter les dés de pommes de terre et bien laisser braiser l'ensemble.
3. Mélanger au fouet les œufs et le lait, assaisonner avec le sel et le poivre, verser cette préparation sur les pommes de terre et laisser prendre à feu doux, en détachant sans cesse les bords avec une spatule pour que le mélange lait et œufs soit toujours homogène.
4. Couper la ciboulette en petits rouleaux et la tomate en tranches. En garnir le petit déjeuner paysan. Accompagner d'une salade composée de rondelles de concombres et de carottes râpées.

Panhas [1]
(photo page de droite)

Ingrédients
(pour 4 personnes)

3 oignons
100 g de lard gras
1,5 l de bouillon de viande
350 g de saucisse de foie
(ou pâté de foie)
350 g de boudin noir
sel
poivre
1/2 cuil. à café de girofle en poudre
1 cuil. à soupe de marjolaine en
poudre
500 g de farine de sarrasin
50 g de beurre clarifié

Préparation

1. Peler les oignons et les couper en petits dés ; en faire de même avec le lard. Faire fondre le lard dans une poêle. Y faire revenir les oignons jusqu'à ce qu'ils deviennent transparents.
2. Y verser le bouillon. Décoller la peau de la saucisse de foie et du boudin noir et les ajouter dans la poêle, porter rapidement à ébullition. Assaisonner de sel, de poivre, de girofle en poudre et de marjolaine.
3. Ajouter la farine de sarrasin et, en remuant sans cesse, laisser bouillonner environ 10 mn. Laisser gonfler environ 30 mn à feu doux.
4. Remplir de hachis un grand récipient creux, l'aplatir en surface et le laisser refroidir. Le retourner sur une assiette et le découper en tranches. Les faire revenir des deux côtés dans le beurre clarifié bien chaud. Servir avec des pommes de terre au persil et des petits pains de seigle.

1. Galette de gruaux de blé noir cuite dans un bouillon de saucisse.

Galettes de pommes de terre râpées au lard

Ingrédients
(pour 4 personnes)

1,5 kg de pommes de terre
2 oignons
200 g de lard
2 œufs
sel
poivre
du beurre clarifié pour la cuisson

Préparation

1. Éplucher les pommes de terre, les laver, les râper et les laisser égoutter dans une passoire.
2. Peler les oignons et les hacher finement, couper le lard en petits dés. Mélanger les pommes de terre, les oignons et le lard, incorporer les œufs et assaisonner avec le poivre et le sel.
3. Faire fondre le beurre clarifié dans une poêle. A l'aide de deux cuillers, former des petits tas de pâte dans la poêle et les aplatir. Faire dorer les galettes sur leurs deux côtés. Servir avec une compote de pommes.

Hannelore Kohl

« Les galettes de pommes de terre râpées sont des spécialités bien connues dans toutes les régions d'Allemagne, mais nulle part ailleurs qu'en Rhénanie elles ne sont aussi omniprésentes. On peut acheter des galettes râpées fraîchement cuites appelées "Rievekooche" à tous les coins de rue. »

Rôti de porc de l'Eifel

Ingrédients

(pour 10 personnes)

2 kg de rôti de porc

(en un seul morceau, sans os)

sel

8 oignons

2 feuilles de laurier

8 graines de piment

10 cuil. à soupe de vinaigre de vin

1 l de bière brune

10 cuil. à soupe de miel

1 cuil. à soupe de farine

Préparation

1. Sécher la viande dans du papier absorbant et la frotter de sel. Éplucher les oignons, les couper en rondelles et les mettre dans une grande cocotte avec la viande, les feuilles de laurier et les graines de piment.

2. Mélanger le vinaigre de vin et la bière brune, diluer le miel dans le liquide et le verser dans la cocotte jusqu'à ce que la viande en soit recouverte à moitié. Fermer hermétiquement la cocotte et laisser mijoter la viande pendant environ 1 h 30 dans le four préchauffé à 180°.

3. Retirer la viande de la cocotte et la maintenir au chaud, verser le reste du mélange vinaigre/bière dans le fond de cuisson du rôti et le déglacer pendant la suite de sa cuisson.

4. Passer la sauce dans une passoire et la faire réduire à feu doux. Mélanger la farine avec un peu d'eau froide et lier la sauce.

Hannelore Kohl

« À mi-cuisson, ajouter à la potée des échalotes et des tomates coupées en quatre. Enlever ensuite les légumes avant de passer la sauce dans la passoire et les ajouter au tout dernier moment après avoir lié la sauce à la farine. »

Schnippelkuchen

(Gâteau de pommes de terre)

Ingrédients

(pour 4 personnes)

2,5 dl de lait

25 g de farine

5 œufs

750 g de pommes de terre

sel

poivre

noix de muscade

4 échalotes

2 cuil. à soupe de beurre

350 g de jambon cru (coupé en tranches ou en lanières)

250 g de mâche

2 cuil. à soupe de vinaigre

1 cuil. à soupe de vinaigre balsamique

6 cuil. à soupe d'huile

un peu d'eau

Préparation

1. Fouetter, avec une fourchette le lait et la farine, ajouter les œufs un à un en les battant toujours. Éplucher les pommes de terre et les râper immédiatement dans le lait aux œufs, mélanger bien le tout. Assaisonner de sel, de poivre et de noix de muscade. Peler les échalotes et les ajouter.
2. Laisser fondre le beurre dans une poêle et y faire rapidement revenir le jambon. Faire couler par-dessus les pommes de terre et faire sauter le gâteau ainsi formé des deux côtés jusqu'à ce qu'il soit doré et croustillant. Le maintenir au chaud.
3. Nettoyer la salade, la laver soigneusement et laisser égoutter. Mélanger à la fourchette le vinaigre, le vinaigre balsamique, l'huile et l'eau. Saler et poivrer. Assaisonner la salade avec la vinaigrette en la mêlant délicatement. Servir la salade sur les assiettes avec le gâteau coupé en parts individuelles.

Himmel un Äd

(en patois rhénan : « Ciel et terre »)

Ingrédients

(pour 4 personnes)

1 kg de pommes de terre

sel

1 kg de pommes

1 cuil. à café de sucre

2 oignons

250 g de lard fumé maigre

poivre, noix de muscade

500 g de boudin noir

30 g de beurre

Préparation

1. Éplucher les pommes de terre, les couper en morceaux et les faire cuire dans de l'eau salée. Éplucher les pommes, les couper en quatre, les épépiner et les faire étuver dans un peu d'eau et de sucre, jusqu'à ce qu'elles soient ramollies.
2. Placer les pommes de terre dans une grande casserole. Faire égoutter les pommes dans une passoire et les ajouter aux pommes de terre. Égaliser la surface. Remettre la casserole sur le feu et faire réchauffer brièvement.

3. Peler les oignons et les couper en petits dés, de même que le lard. Laisser fondre le lard dans une poêle, ajouter les oignons et faire revenir le mélange jusqu'à ce qu'il soit doré, ajouter alors le lard et les oignons à la préparation de pommes de terre et de pommes. Assaisonner de sel, de poivre et de muscade.
4. Couper le boudin en tranches d'environ 1 cm d'épaisseur. Faire fondre le beurre et y faire revenir rapidement les tranches de boudin sur leurs deux faces. Servir les tranches de boudin avec les pommes de terres et les pommes fruits réduites en une purée grossière.

Rôti à la rhénane, sauce aigre-douce

Ingrédients

(pour 4 personnes)

800 g de rôti de bœuf dans le rond
ou la tranche

2 carottes

1 gros oignon

1/8 l de vinaigre de vin

1 l d'eau

3 clous de girofle

8 grains de poivre

1 feuille de laurier

4 baies de genièvre

1 pincée de sucre

poivre, sel

30 g de beurre clarifié

60 g de pain d'épice émietté

1 cuil. à soupe de gelée de pommes

200 g de raisins de Corinthe

3 cuil. à soupe de crème fraîche aigre

Préparation

1. Placer la viande dans un grand plat creux. Peler les carottes et l'oignon et les couper en tout petits dés ; les faire cuire rapidement avec le vinaigre avec l'eau et les épices ; laisser refroidir et verser sur la viande. Laisser mariner pendant 2 à 3 jours en retournant la viande de temps à autre.
2. Sortir la viande de la marinade, la sécher en la tapotant avec du papier absorbant, et la frotter de sel et de poivre. Faire chauffer le beurre clarifié dans une sauteuse, et faire revenir brièvement mais vivement la viande sur toutes ses faces.
3. Ajouter les miettes de pain d'épice et la gelée de pomme. Verser la marinade dans un tamis et arroser le rôti avec ce liquide. Laisser mijoter à feu moyen pendant 1 h 30, en arrosant sans cesse le fond de sauce.
4. Laver les raisins et les ajouter 15 mn avant la fin du temps de cuisson.
5. Retirer la viande et la maintenir au chaud. Goûter la sauce et l'affiner avec la crème fraîche. Découper la viande en tranches et la servir sur un plat de service avec des boulettes de pommes de terre.

Galette de pommes de terre à la truite fumée

Ingrédients

(pour 4 personnes)

1,5 kg de pommes de terre

2 oignons

2 œufs

sel

poivre

un peu de beurre clarifié

1/4 l de crème fraîche liquide

1 cuil. à soupe de jus de citron

2 cuil. à soupe de raifort

(fraîchement râpé)

1 pomme acide *(râpée finement)*

4 filets de truite fumée

Préparation

1. Éplucher les pommes de terre, les laver, les râper et les laisser égoutter dans une passoire. Peler les oignons et les hacher menu. Mélanger les pommes de terre et les oignons, y ajouter les œufs, le sel et le poivre.
2. Faire chauffer le beurre clarifié dans une poêle. À l'aide de deux cuillers à soupe former des petits tas de pâte et les jeter dans la poêle, les aplatir avec le dos d'une des cuillers. Faire dorer ces galettes sur leurs deux faces. Maintenir au chaud 8 galettes et laisser refroidir les autres qui seront ensuite placées au congélateur.
3. Battre la crème jusqu'à ce qu'elle épaississe et la mélanger avec le sel, le jus de citron, le raifort et la pomme. Placer 2 galettes sur chaque assiette et les garnir d'un filet de truite coupé en deux.
4. Répartir la crème sur les filets de truite. Décorer chaque assiette avec des tranches de pomme, des feuilles de salade ou des petites tomates-cerises, au choix.

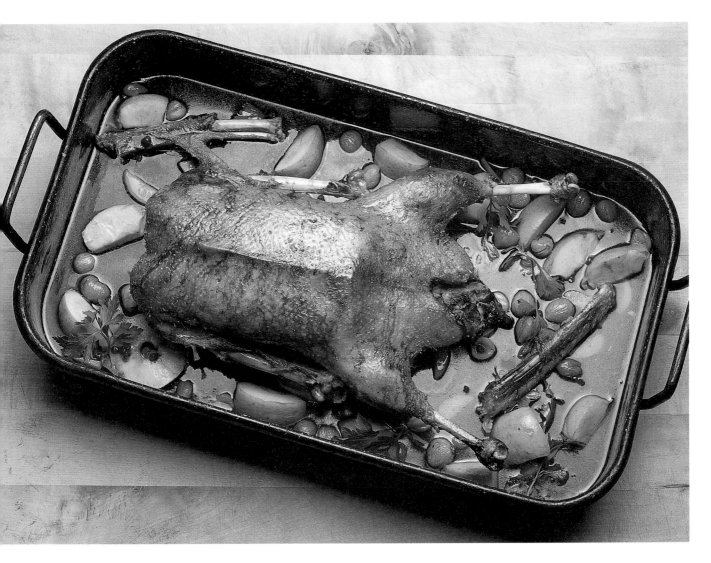

Oie de la Saint-Martin aux pommes et aux marrons

Ingrédients

(pour 4 personnes)

1 oie prête à cuire (environ 5 kg)

sel

poivre

1 cuil. à café de marjolaine

1 cuil. à café d'armoise (ou de citronnelle)

3 pommes

2 oignons

1/2 l de bouillon

250 g de marrons en conserve, prêts à cuire

Préparation

1. Laver l'intérieur et l'extérieur de l'oie à grande eau et la laisser plongée pendant 4 à 5 h dans de l'eau glacée.
2. Sécher l'oie et la frotter à l'intérieur et à l'extérieur avec le sel, le poivre la marjolaine et l'armoise (ou la citronnelle).
3. Éplucher les pommes, les couper en quatre, les épépiner et les couper en fines lamelles. Peler les oignons et les couper en huit. Remplir le ventre de l'oie avec la moitié de la garniture et recoudre l'ouverture avec du fil de cuisine.
4. Placer l'oie, poitrine vers le haut, dans un grand plat allant au four. Verser 1/4 l d'eau, placer le plat au centre du four préchauffé à 160° et laisser cuire pendant 2 h.

5. Porter ensuite la température à 200°. Ajouter le reste de la garniture ainsi que les marrons et laisser cuire le tout 30 mn supplémentaires. Arroser de temps à autre avec le jus de cuisson.
6. Sortir l'oie du four, la maintenir au chaud. Couper les ailes et le cou, les hacher menu et les faire rissoler dans le plat de cuisson. Verser le bouillon et laisser mijoter pendant 30 mn à petit feu.

7. Passer la sauce au chinois, la goûter. Découper l'oie et en servir les morceaux avec les pommes, les marrons et la sauce de cuisson.

Hannelore Kohl

« Placer l'oie dans de l'eau glacée pendant des heures avant sa cuisson est un "truc" ancestral. De cette façon la peau de la volaille sera merveilleusement croustillante après sa cuisson. Bien entendu, vous pourrez préparer les canards ou les poulets de la même manière. »

Halve Hahn

(« Demi-coquelets », Petites tartines au fromage)

Ingrédients

(pour 4 personnes)

4 petits pains de seigle
un peu de beurre mou
2 fromages de Limbourg [1]
100 g de moutarde à gros grains
(moutarde de Meaux, par exemple)
poivre noir du moulin

---

1. Ville du Land de Hesse. Le fromage de Limbourg à pâte molle peut être remplacé par du Pont l'Évêque, du Pavé, du Reblochon, tous les fromages à pâte molle en fait.

Préparation

1. Couper les petits pains en deux et recouvrir chaque moitié d'une fine pellicule de beurre.
2. Couper le fromage en tranches d'environ 1/2 cm d'épaisseur et les disposer sur les moitiés de petits pains.
3. Enduire le fromage d'un peu de moutarde, recouvrir de poivre fraîchement moulu. Garnir avec des radis roses ou des petits oignons de printemps.

Apfelkraut (Gelée de pommes)

Ingrédients

10 kg de pommes douces et mûres à point (Golden, Melrose, Reinette du Canada, Starking)
1 gousse de vanille fendue en deux
15 g de pectine

Préparation

1. Bien laver les pommes, les couper en quartiers, retirer les pépins et les couper en gros morceaux.

2. Poser les morceaux de pommes sur la partie supérieure d'un « cuisson-vapeur » et verser un peu d'eau dans la partie inférieure de l'appareil. Le porter sur feu doux et laisser le jus des pommes s'écouler pendant la cuisson dans l'eau du récipient jusqu'à ce que celles-ci deviennent bien tendres ; les laisser lentement s'égoutter dans le jus rendu par les pommes. Écraser légèrement.
3. Porter à ébullition le jus obtenu avec la gousse de vanille et faire cuire avec la pectine. Remplir des bocaux stérilisés de cette gelée encore bouillante, laisser refroidir. Ranger au frais.

Hannelore Kohl

« Il y a d'autres utilisations de cette gelée : les jus de fruits affinés avec cette mélasse ou les mueslis faits maison avec du yaourt arrosé de quelques gouttes de gelée ont un goût délicieux. »

Chaussons rhénans, sauce aux prunes

Ingrédients

(pour 4 personnes)

Pour la pâte :

200 g de farine complète de froment

300 g de farine de seigle

2 sachets de levure en poudre

2 cuil. à café de sucre

1 pincée de sel

3 dl de bière à l'ancienne

(genre Carlsberg ou autre bière de

très bonne qualité)

Pour la garniture :

4 magrets de canard

20 g de beurre clarifié

poivre, sel

Pour la sauce :

1 dl de bouillon de viande

ou de volaille

3 cuil. à soupe de compote de prunes

3 cuil. à soupe de bière (Carlsberg ou

autre)

1 cuil. à soupe de vinaigre de vin

sel, poivre

1 pincée de poivre de Cayenne

5 pruneaux secs

Préparation

1. Pétrir ensemble tous les ingrédients de la pâte à température ambiante et la réduire en une pâte lisse. Former une boule. La couvrir d'un linge propre et laisser lever environ 15 mn dans un endroit chaud.

2. Faire revenir de tous côtés les magrets de canard dans le beurre clarifié, poivrer, saler.

3. Repétrir la pâte, l'étaler aussi finement que possible au rouleau à pâtisserie et la découper en 4 rectangles. Envelopper les magrets de canard dans la pâte, en badigeonner la surface avec un peu d'eau. Faire dorer dans le four préchauffé à 180°.

4. Pendant ce temps, déglacer le fond de sauce de cuisson avec le bouillon de viande. Ajouter la compote de prune, la bière et le vinaigre. Assaisonner avec du sel, du poivre et du poivre de Cayenne. Découper les pruneaux secs en lamelles ; les ajouter à la sauce et laisser gonfler quelques minutes.

5. Maintenir les chaussons au chaud pendant quelques minutes dans le four éteint, les couper alors en tranches épaisses et servir avec la sauce aux prunes.

Flan
au caramel

Ingrédients

(pour 4 à 6 personnes)

80 g de sucre en poudre

un peu d'huile

2,5 dl de lait

75 g de beurre

1/2 gousse de vanille

120 g de farine

8 œufs

40 g de sucre glace ou de sucre semoule

du beurre pour le moule

du sucre pour le moule

Préparation

1. Mettre le sucre en poudre dans une poêle à revêtement anti-adhésif et le laisser caraméliser. Verser le caramel sur une plaque en marbre huilée, le laisser refroidir ; le râper finement.

2. Faire chauffer le lait et le beurre avec la vanille. Incorporer petit à petit la farine et laisser cuire quelques minutes en remuant sans cesse. Retirer la demi-gousse de vanille.

3. Casser les œufs en séparant les blancs des jaunes ; battre les blancs d'œufs et le sucre jusqu'à obtenir une neige mousseuse. Ajouter le caramel et les jaunes d'œufs. Mêler délicatement cette mousse au mélange lait-beurre-farine. Remplir aux deux tiers un moule à flan, graissé et saupoudré de sucre en poudre, de cette crème mousseuse ; fermer le moule avec une feuille de papier sulfurisé. Laisser cuire le flan au bain-marie pendant environ 35 à 40 mn.

4. Retirer le moule du bain-marie. Laisser reposer le flan, puis le renverser hors du moule sur un plat de service. Servir avec une crème à la vanille, un coulis de fruits ou une sauce au caramel.

Gelée de lait aux baies
de fruits rouges

Ingrédients

(pour 4 personnes)

5 feuilles de gélatine

500 g de lait caillé (ou de fromage blanc en faisselle) bien égoutté

50 g de sucre

200 g de mélange de baies (par exemple : framboises, mûres, groseilles, myrtilles, cassis, etc.)

Pour la garniture :

du sucre semoule

des petites feuilles de menthe et quelques baies de toutes sortes

Préparation

1. Faire ramollir la gélatine dans de l'eau froide pendant 10 mn. L'égoutter et la presser. Mélanger le lait caillé ou le fromage blanc avec le sucre. Prélever 2 cuil. à soupe de cette préparation et les mélanger dans une grande casserole à la gélatine égouttée. Faire fondre la gélatine à feu doux. Laisser tiédir. Incorporer la gélatine au mélange lacté (lait caillé ou fromage blanc).

2. Laver les baies, les sucrer légèrement et en remplir 4 moules individuels. Y verser la préparation encore liquide, placer les moules au frais et laisser prendre jusqu'à ce que la gelée devienne ferme.

3. Poser rapidement les moules dans de l'eau bouillante ; renverser la gelée sur des assiettes à dessert. Décorer avec les petites feuilles de menthe et les baies de votre convenance.

Hannelore Kohl

« Si vous n'aviez pas de petits moules, ramequins ou autres récipients individuels, remplissez tout simplement des tasses à thé ou à café avec le mélange gélatineux et laisser prendre dans ces petits pots de fortune. »

Brioche rhénane aux raisins

Ingrédients

375 g de raisins de Corinthe

1 kg de farine

50 g de levure

150 g de sucre en poudre

1/4 de lait tiède

200 g de beurre

2 œufs battus

1 cuil. à café de sel

1 cuil. à café de cannelle en poudre

1 jaune d'œuf

1 cuil. à soupe de lait

Préparation

1. Faire ramollir les raisins de Corinthe pendant 30 mn dans de l'eau tiède et bien les égoutter dans une passoire. Presser légèrement.

2. Tamiser la farine dans un grand saladier et former un puits. Émietter la levure et la délayer dans le lait avec le sucre. La verser dans le puits, pétrir avec la farine, couvrir d'un linge propre, et laisser lever ce levain dans un endroit chaud pendant environ 15 mn.

3. Faire fondre le beurre dans une poêle, et y ajouter le reste de sucre, les œufs, le sel, la cannelle et les raisins de Corinthe égouttés. Bien pétrir le levain avec tous ces ingrédients et former une pâte lisse. Tapoter la pâte jusqu'à ce qu'elle fasse des bulles.

4. Garnir une lèchefrite avec du papier sulfurisé et y poser le cercle d'un moule à bords hauts démontable de 26 cm de diamètre. Remplir le moule avec la pâte.

5. Faire un mélange de jaune d'œuf et de lait et en badigeonner la pâte. Dessiner une croix sur le dessus de la pâte. Couvrir et laisser lever dans un endroit chaud pendant 1 à 2 h.

6. Cuire au four préchauffé à 200° pendant environ 1 h. La brioche aux raisins de Corinthe doit être bien grillée à l'extérieur et à l'intérieur très moelleuse.

« *Vierge rougissante* » *(Dessert lacté aux framboises)*

Ingrédients

(pour 4 personnes)

1/4 l de petit-lait Ribot

160 g de sucre

1/2 l de crème fraîche

2 cuil. à soupe de jus de citron

2 cuil. à soupe d'alcool de fruits

5 feuilles de gélatine

500 g de framboises

un peu de sucre en poudre

quelques feuilles de menthe

Préparation

1. Battre en crème le petit-lait avec 80 g de sucre et la moitié de la crème fraîche. Diluer ce mélange avec le jus de citron et l'alcool de fruits.
2. Faire tremper la gélatine 5 mn dans de l'eau froide. L'essorer, la faire fondre à feu doux et l'incorporer au mélange. Mettre à épaissir la crème pendant environ 30 mn au réfrigérateur : on doit pou-voir dessiner des sillons avec une fourchette sur sa surface.
3. Laver les framboises et les mélanger avec le reste de sucre ; laisser reposer. Égout-ter les baies dans une pas-soire et recueillir leur jus.
4. Battre le reste de la crème fraîche en une neige ferme et l'incorporer de façon homo-gène à la crème en gelée. Diviser cette crème en deux parts égales et en incorporer une moitié au jus des fram-boises. Répartir cette crème sur des assiettes à dessert.

5. Disposer les framboises en surface, répartir la deuxième portion de crème sur les framboises et saupou-drer d'un peu de sucre. Remettre la crème au frais pour qu'elle finisse de « prendre » complètement.
6. Garnir, au moment de servir, de feuilles de menthe fraîche et saupoudrer d'un peu de sucre glace.

À propos des plats uniques où l'on trouve de tout

Hannelore Kohl :

J'ai été frappée par le fait que les plats uniques qui avaient leur origine dans les familles modestes et servaient aussi à l'utilisation des restes, sont en train de devenir de plus en plus à la mode. Le constatez-vous aussi dans votre restaurant ?

Alfons Schuhbeck :

Nous offrons entre autres un plat unique de poissons, un plat unique de poitrine de bœuf et un plat unique de petites saucisses... et l'engouement des clients est toujours très fort. On revient de plus en plus vers la bonne cuisine des grands-mères. Le goût retrouvé pour des plats traditionnels préparés avec des produits bien de chez nous remet à l'honneur les plats uniques. Quoi de plus délicieux qu'un de ces plats qui sent bon et que l'on déguste entre amis !

Hannelore Kohl :

Faut-il vraiment préparer soi-même le fond de sauce avec sa viande et ses os ? Cela prend du temps. Un fond de sauce acheté tout fait ou du bouillon cube ne feraient-ils pas aussi bien l'affaire ?

Alfons Schuhbeck :

Si un repas autour d'un plat unique est prévu depuis un certain temps, je conseillerais de préparer soi-même le fond de sauce. Rien n'égale sa saveur. Mais si le plat unique doit être improvisé, alors un bouillon fait d'avance peut convenir. Cependant

Lequel « fouille au pot » de l'autre ? Qu'importe : tous deux aiment le potage aux légumes.

une bonne base pour le plat unique est souvent le reste d'un mets préparé pour un repas antérieur : du porc sauté que vous avez cuit la veille, ou de la poitrine de bœuf qu'on mange avec du raifort.

Hannelore Kohl :

Je mets souvent au congélateur des plats uniques de légumes en portions séparées. Ainsi j'ai toujours un repas tout prêt quand je n'ai pas le temps de faire la cuisine.

Alfons Schuhbeck :

Un autre avantage du plat unique est effectivement qu'on peut facilement le congeler et le réchauffer. Beaucoup de gens sont convaincus qu'une soupe aux petits pois ou un plat unique de lentilles comme on le fait en Souabe sont bien meilleurs réchauffés. Si l'on prévoit de réchauffer les plats uniques à base de légumes, il faudrait cependant veiller, dès leur préparation, à ce que les légumes soient croquants. Sinon ils ramollissent en réchauffant et perdent leur belle apparence.

Entre le Rhin et la Forêt de Teutoburg [1]

Par Helmut Kohl

Nous découvrons deux régions profondément différentes qui ont fini par faire bon ménage, au cours d'un voyage qui nous conduira de la région de la Ruhr vers le pays de Münster. Chacune d'elles a marqué l'histoire à sa manière, en Allemagne et au-delà des frontières allemandes. C'est dans une ville riche en traditions, à Münster, que fut conclue en 1648 la guerre de Trente Ans par les traités de Westphalie, une paix d'une portée véritablement européenne. C'est alors que les Pays-Bas obtinrent définitivement la reconnaissance en droit international de leur indépendance étatique. Depuis août 1995, Münster est devenue le lieu de garnison du premier Corps d'armée germano-néerlandais intégré.

▶

Entre le Rhin et la Forêt de Teutoburg

En dépit de l'emploi de techniques agraires modernes, le pays alentour reste imprégné de vieille culture paysanne. Certains jours d'automne, quand le paysage de champs et de pâtures de la Westphalie orientale se cache dans la brume, on se rappellera volontiers que ce fut ici le pays de « ceux qui voient ce que les autres ne voient point » (Spökenkicker). Des figures étranges comme le baron de Blomberg, le « Baron fou » [2], chevauchaient alors à travers le pays, et la poétesse Annette von Droste-Hülshoff trouva dans cette contrée le décor inquiétant de son récit « Le Hêtre aux juifs » (« Die Judenbuche ») [3].

Depuis plus de six cents ans (les documents l'attestent) existe en Westphalie un plat traditionnel, le « Pfefferpotthast » (cf. p. 112). C'est un ragoût de bœuf qu'on fait mijoter avec beaucoup d'oignons et de grains de poivre, et qu'on assaisonne de câpres. Ce plat est encore aujourd'hui la carte de visite culinaire de la région. Il ne faut pas non plus oublier ici le « Möpkenbrot », un « pain » de boudin sauté que l'on coupe en tranches, agrémenté de pommes de terre et servi chaud directement sorti de la poêle ; mentionnons aussi un dessert très spécial composé de glace à la vanille et de Pumpernickel.

Dans la commune de Steinhagen, sur la pente méridionale de la Forêt de Teutoburg, on fabriquait, dès le XVIᵉ siècle, de l'eau-de-vie de grains et de genièvre : dès cette époque, le produit était de si bonne qualité qu'il était commercialisé comme médicament. L'eau-de-vie appelée « Steinhäger » doit à cette bonne renommée d'avoir vécu jusqu'à nos jours : quand en 1688 le Grand Électeur [4] interdit rigoureusement la fabrication d'eau-de-vie de grains, de peur que le blé ne vienne à manquer pour faire le pain, les habitants de Steinhagen reçurent la permission exceptionnelle de continuer à produire leur eau-de-vie tant appréciée ; quelques-unes des distilleries qui bénéficièrent alors de cette autorisation, continuent jusqu'à ce jour de produire leur « Steinhäger » véritable.

Quel contraste que la région de la Ruhr, face à ces paysages idylliques ! Je me rappellerai toujours qu'après 1945 les compagnons mineurs de la Ruhr firent tout pour remettre en activité les mines de charbon. Mais la région de la Ruhr a connu, elle aussi, des mutations profondes, et beaucoup de recettes culinaires traditionnelles se sont ainsi transformées. Au XIXᵉ et au début du XXᵉ siècle, des immigrés polonais et des Allemands de Silésie et de Poméranie sont venus en masse dans la région sise entre Dortmund, Hamm et Bottrop. À la recherche d'un travail, ils se firent mineurs pour extraire « l'or noir ».

Beaucoup de recettes d'origines fort diverses sont de ce fait entrées dans la région de la Ruhr. Elles furent adaptées aux conditions locales. Beaucoup de « plats uniques » sont alors apparus. Placés dans le « bonhomme à manche » (le « Henkelmann ») ils pouvaient être emportés à la mine et mangés sur place pendant la pause de midi. En semaine, la préférence allait à des plats solides tels que le « Schlaberkaps » (fait de chou blanc et de pommes de terre) ainsi qu'à des plats uniques à base de raves, de chou frisé et de fèves. D'abord ils remplissaient bien l'estomac, ce qui était nécessaire vu la dureté du travail, et leur consistance permettait de les manger facilement avec une cuiller. Le dimanche seulement, était servie la bonne soupe au bœuf avec son consommé clair fortifiant.

Pour la plupart des gens qui exercent aujourd'hui une activité professionnelle dans la région de la Ruhr, ces plats fortement nourrissants ne s'imposent plus depuis longtemps. Beaucoup de travaux lourds ont été automatisés et le « bonhomme à manche » a été remplacé par des cantines bien organisées. De nombreux plats traditionnels ont, de ce fait, connu une profonde transformation : ils sont aujourd'hui préparés dans des versions nettement plus légères et plus pauvres en calories.

1. Hauteurs situées au nord-est de Münster en Westphalie, culminant à 468 mètres. C'est là qu'en l'an 4 de notre ère des légions romaines furent écrasées par la tribu germanique des Chérusques dirigée par Arminius (Hermann).
2. Gentilhomme du XVIIIᵉ siècle connu pour ses excentricités.
3. Annette von Droste-Hülshoff, 1797-1849.
4. Frédéric-Guillaume, Électeur de Brandebourg et duc en Prusse, 1640-1688.

Des châteaux comme la forteresse de Hülshoff près de Havixbeck, invitent à une halte agréable.

Salade de carottes de Paderborn [1] *(photo ci-dessus)*

Ingrédients
(pour 4 personnes)

500 g de carottes

sel

2 pommes

1 botte de radis

4 cuil. à soupe de raisins de Smyrne

1 bouquet de persil

le jus de 2 citrons

4 cuil. à soupe d'huile

2 cuil. à café de sucre

150 g de yaourt

1/2 cuil. à café de poivre blanc

1. *Ville de Westphalie.*

Préparation

1. Éplucher les carottes, les couper en fines rondelles et les faire cuire dans de l'eau salée pendant 1 à 2 mn.
2. Éplucher les pommes, les couper en quatre, les épépiner et les couper en lamelles ; laver les radis, les nettoyer, les détailler en rondelles. Trier les raisins de Smyrne, hacher le persil finement.
3. Mélanger le jus de citron, l'huile, le sucre, le yaourt et le poivre et les ajouter aux autres ingrédients de la salade. Bien mélanger, goûter et rectifier l'assaisonnement avec le poivre et le sel.

Arme Ritter

(Pain perdu)

Ingrédients
(pour 4 personnes)

8 tranches de pain blanc

pas trop frais ou 4 moitiés

de petits pains de la veille

2 dl de lait

3 œufs

1 pincée de sel

1 cuil. à soupe de sucre

de la panure (mélange de farine

et de chapelure)

du beurre pour la cuisson

du sucre mélangé à de la cannelle

Préparation

1. Poser les tranches de pain ou les moitiés de petits pains sur une coupe plate. Mélanger au fouet le lait, les œufs, le sel et le sucre. Verser le mélange sur les tranches de pain et laisser tremper.
2. Retirer délicatement les tranches de pain, les essorer, les passer dans la panure, et les faire dorer sur leurs deux faces dans le beurre chauffé jusqu'à ce qu'elles deviennent croustillantes.
3. Saupoudrer le pain perdu avec du sucre à la cannelle et servir chaud. Accompagner de compote selon les goûts.

Lummerkoteletts

(Côtes de porc) (photo page de droite)

Ingrédients

(pour 4 personnes)

1 botte de carottes

sel

500 g de choux de Bruxelles

1 échalote

1 cuil. à soupe de beurre

1 dl de crème liquide

1 bouquet de persil

poivre

noix de muscade

20 g de beurre clarifié

4 côtes de porc dans le filet

(de 200 g chacune)

Préparation

1. Éplucher les carottes, couper les plus grosses en quatre, les plus petites en deux et les faire cuire pendant environ 10 à 15 mn dans de l'eau salée.

2. Nettoyer les choux de Bruxelles et les faire cuire 15 mn dans de l'eau bouillante salée. Peler l'échalote et la couper finement.

3. Faire fondre le beurre dans une sauteuse et faire revenir l'échalote. Arroser de crème, porter à ébullition.

4. Hacher le persil très finement et l'ajouter au contenu de la sauteuse. Assaisonner la sauce avec du sel, du poivre et de la muscade. Joindre à cette préparation les carottes et les choux de Bruxelles et les faire réchauffer dans la sauce de cuisson.

5. Faire chauffer le beurre clarifié dans une poêle, y faire revenir les côtes de porc pendant 6 mn de chaque côté. Saler, poivrer. Servir avec les légumes.

Soupe de fèves *(photo ci-dessus)*

Ingrédients

(pour 10 personnes)

4 kg de grosses fèves

600 g de crème fraîche

1 l de consommé de bouillon de viande bien corsé

sel

poivre blanc

300 g de jambon cru conservé au sec

100 g de ciboulette

Préparation

1. Blanchir les fèves et en retirer les cosses externes, qui sont dures. Les mélanger dans le mixer avec la crème fraîche et le consommé de bœuf. Réduire cette préparation en une purée très fine. La verser dans une grande casserole, assaisonner de sel et de poivre et la porter à ébullition.

2. Couper le jambon en fines lanières et la ciboulette en petits anneaux.

3. Répartir la soupe dans des assiettes creuses ou des bols préchauffés. Disposer sur le dessus les fines lanières de jambon et la ciboulette. Accompagner de petits pains au lard.

Hannelore Kohl

« Fines et savoureuses, les "Lummerkoteletts" sont des côtes prises dans le filet coupées en tranches. Elles sont particulièrement adaptées à une cuisson rapide, une cuisson sur le gril mais elles peuvent également mijoter en cocotte. »

Gâteau de pommes de terre du Sauerland [1]

Ingrédients

(pour 4 personnes)

300 g de pommes de terre farineuses cuites la veille

600 g de pommes de terre crues farineuses

300 g de cervelas

200 g de crème fraîche

4 œufs

sel

poivre

noix de muscade

de la matière grasse pour le moule

30 g de beurre

Préparation

1. Passer les pommes de terre cuites au hachoir ou au presse-purée. Râper les pommes de terre crues et les presser au travers d'un linge de cuisine. Couper le cervelas en dés.
2. Pétrir ensemble les pommes de terre, la crème, les œufs, le cervelas et les épices.
3. Remplir un moule amovible à bords hauts, genre moule à cake, préalablement graissé avec cette pâte et mettre à cuire 1 h 15 dans le four préchauffé à 175°.
4. Retirer le gâteau du four et le laisser refroidir. Découper en tranches et les faire rissoler sur chacune de leurs deux faces dans du beurre fondu. Accompagner de jambon de Westphalie et de salade composée.

1. *Région de moyenne montagne au sud de la Westphalie.*

Côtelettes glacées au chou frisé

Ingrédients

(pour 4 personnes)

1 kg de petites côtelettes de porc

sel

poivre de Cayenne

30 g de beurre clarifié

750 g de chou frisé

2 oignons

100 g de jambon cuit

20 g de beurre

50 g de miel

1 cuil. à soupe de moutarde

1/8 l de bière

1/8 l de bouillon de viande

poivre

Préparation

1. Assaisonner les côtelettes de sel et de poivre de Cayenne. Les faire revenir rapidement sur leurs deux faces dans du beurre clarifié, les maintenir au chaud.
2. Préchauffer le four à 175°. Couper le chou en deux, bien le nettoyer et le couper en fines lanières. Peler l'oignon et le couper en quatre, puis en fines rondelles et le jambon en lanières également.
3. Faire fondre le beurre clarifié dans une cocotte. Y faire revenir les oignons jusqu'à ce qu'ils deviennent transparents, ajouter le jambon et le chou. Déposer les côtelettes sur le dessus, laisser cuire le tout environ 45 mn au four.
4. Faire chauffer ensemble jusqu'à ébullition le miel et la moutarde et en badigeonner les côtelettes à la moitié du temps de cuisson.
5. Retirer les côtelettes et les légumes de la cocotte. Déglacer le fond avec de la bière et du bouillon et laisser reprendre brièvement l'ébullition ; assaisonner de poivre et de sel.

Blinis à la farine de sarrasin *(photo ci-dessous)*

Ingrédients

(pour 4 personnes)

00 g de farine de sarrasin
jaunes d'œufs
5 g de levure
dl de lait tiède
cuil. à soupe de beurre
cuil. à soupe de crème fouettée
ien ferme

e plus :

uelques feuilles de salade de saison
à 8 filets de truite fumée

Préparation

1. Verser la farine et les jaunes d'œufs dans un saladier. Emietter la levure et la délayer dans le lait. Verser le lait dans le saladier et mélanger le tout en une pâte bien lisse. Laisser reposer la pâte pendant 3 à 4 h.
2. Battre le beurre jusqu'à ce qu'il devienne crémeux et l'incorporer à la pâte avec la crème fouettée.
3. Chauffer le beurre dans une poêle. Poser les unes après les autres dans la poêle, des petites portions de pâte et faire dorer les blinis sur leurs deux faces.
4. Garnir des assiettes de feuilles de salade. Disposer sur ces assiettes les filets de truite et les blinis.

« Fricadelle » espagnole

Ingrédients

(pour 4 personnes)

500 g de bœuf *(macreuse ou tranche)*
4 cuil. à soupe d'huile, sel, poivre,
poudre de paprika doux, 1/8 l de
bouillon, 500 g de pommes de terre
500 g d'oignons, de la matière
grasse pour le moule, 2 à 3 feuilles
de laurier, 2 à 3 clous de girofle
150 g de crème liquide *(fleurette)*
100 g de crème fraîche

Préparation

1. Couper la viande en petits dés et les faire revenir dans 2 cuil. à soupe d'huile chauffée. Assaisonner de sel, de poivre et de paprika et laisser mijoter 10 mn. Verser le bouillon, faire cuire 10 mn encore.
2. Éplucher les pommes de terre, les couper en petits dés et les faire cuire environ 15 mn dans de l'eau bouillante salée. Peler les oignons, les découper en anneaux et les faire dorer dans le reste d'huile chauffée.
3. Graisser un moule allant au four et disposer des couches successives de viande, de pommes de terre et d'oignons, y ajouter les feuilles de laurier et la girofle. Saler légèrement les couches de pommes de terre.
4. Recouvrir du fond de sauce de cuisson et faire cuire 10 mn dans le four préchauffé à 175°.
5. Mélanger la crème et la crème fraîche et verser le mélange sur la « fricadelle ». Laisser cuire 30 mn supplémentaires au four, servir aussitôt.

Jambon de Westphalie sur galettes de pommes de terre

Ingrédients

(pour 4 personnes)

600 g de pommes de terre

1 oignon

1 bouquet de persil

250 g de jambon de Westphalie

1 œuf

poivre

sel

noix de muscade

1/8 l d'huile

2 dl de crème liquide

Préparation

1. Éplucher les pommes de terre, les râper finement, les placer dans une passoire et recueillir leur jus dans un plat. Laisser reposer ce liquide jusqu'à ce que la fécule se soit déposée. Jeter délicatement le liquide.

2. Peler l'oignon et le râper. Laver le persil et en hacher les deux tiers. Lier les brins restants en 4 petits bouquets, couper le jambon en minces lamelles.

3. Disposer dans un grand plat la fécule, les pommes de terre, l'oignon et l'œuf. Assaisonner de sel, de poivre et de muscade. Bien mêler le tout.

4. Mettre à chauffer l'huile dans une poêle et y faire dorer la pâte divisée en 4 galettes de pommes de terre de même taille.

5. Retourner les galettes plusieurs fois pendant la cuisson. Mélanger la crème liquide et le persil haché, saler, poivrer.

6. Disposer les galettes de pommes de terre sur des assiettes préchauffées. Répartir la crème liquide au persil sur le dessus et ajouter les lamelles de jambon. Garnir des petits bouquets de persil.

Hannelore Kohl

« L'été vous pouvez également enrichir la crème liquide de basilic frais et, selon les goûts, l'assaisonner avec de l'ail. Dans ce cas, faites revenir les galettes dans de l'huile d'olive. »

Chou du chasseur (photo ci-dessus)

Ingrédients

(pour 4 personnes)

800 g de chou blanc

1 oignon

150 g de lard maigre

350 g d'un mélange de viandes hachées (bœuf et porc)

sel

poivre

1/4 l de bouillon

500 g de pommes de terre

Préparation

1. Nettoyer le chou blanc, le laver, le râper finement. Peler l'oignon et le découper en dés, faire de même avec le lard.

2. Laisser fondre le lard dans une grande cocotte et y faire revenir l'oignon jusqu'à ce qu'il devienne translucide. Ajouter les viandes hachées et faire cuire le tout. Saler, poivrer.

3. Ajouter le chou blanc, arroser de bouillon et faire cuire à feu doux jusqu'à ce que le chou soit cuit et croquant à la fois.

4. Pendant ce temps, éplucher les pommes de terre, les couper en tranches et les ajouter au chou après 20 mn de cuisson. Laisser cuire 20 mn supplémentaires.

Möppkenbrot (Petits pains épicés)

Ingrédients

(pour 4 personnes)

1/2 l de sang de porc frais (à commander chez votre boucher ou votre charcutier)

1/2 l de bouillon de viande

environ 250 g de gruaux de seigle ou de farine de seigle

100 g de lard gras

75 g de raisins secs

sel, poivre noir, noix de muscade

1 branche de thym, 1 piment du Chili

1 cuil. à café de cumin en graines

1 pincée de sucre, 1 gros oignon

1 grosse pomme

30 g de beurre clarifié

Préparation

1. Mélanger le sang et le bouillon. Ajouter progressive-ment le gruau ou la farine de seigle jusqu'à obtenir une pâte bien ferme.

2. Découper le lard en dés et l'incorporer à la pâte avec les raisins secs. Ajouter toutes les épices. Laisser reposer la pâte 30 mn.

3. Partager la pâte en parts égales de la taille d'une balle de tennis, façonner des bou-lettes et les faire pocher dans de l'eau salée pendant envi-ron 30 à 40 mn. Les « petits pains » sont cuits quand ils remontent à la surface. Les retirer alors de l'eau, les égoutter et les laisser refroidir.

4. Couper les « petits pains » en tranches. Peler l'oignon et le couper en anneaux. Éplu-cher la pomme, la couper en quatre, l'épépiner et la cou-per en dés. Faire revenir l'en-semble rapidement dans le beurre clarifié chauffé. Servir avec du sirop de canne à sucre, du Pumpernickel, du café ou du thé.

Schlodderkappes

(Potée au chou)

Ingrédients

(pour 6 personnes)

1 kg de pommes de terre

1 kg d'échine de porc désossée

1 kg de chou blanc

sel

poivre blanc

1/2 l de bouillon clair

1 cuil. à café de cumin

quelques feuilles de céleri finement hachées

Préparation

1. Éplucher les pommes de terre et les couper en cubes de taille égale, de même que la viande. Nettoyer le chou, défaire les feuilles et retirer les grosses côtes. Blanchir les feuilles.
2. Placer en alternance dans une grande cocotte les cubes de pommes de terre, les feuilles de chou, et les cubes de viande. Saler et poivrer chaque couche. Verser le bouillon sur le tout, couvrir et laisser mijoter le plat à feu moyen pendant 1 h environ.
3. Ajouter le cumin et les branches de céleri juste avant la fin du temps de cuisson.

Pfefferpotthast

(Estouffade de bœuf au poivre)

Ingrédients

(pour 4 personnes)

500 g d'oignons

800 g de bœuf

50 g de beurre clarifié

1/2 l de bouillon de viande

1 feuille de laurier, 3 clous de girofle

sel, poivre, 1/2 l d'eau bouillante

3 cuil. à soupe de miettes de pain de seigle

1 cuil. à soupe de câpres

2 cuil. à soupe de jus de citron

<u>Pour la garniture :</u>

1 concombre russe (dit Molossol)

1 citron

Préparation

1. Peler les oignons et les couper en petits cubes, faire de même avec la viande.

Mettre à chauffer du beurre clarifié dans une cocotte et y faire revenir la viande sur tous ses côtés ; la retirer et la maintenir au chaud.
2. Faire revenir les oignons dans la graisse de cuisson, verser le bouillon de viande. Ajouter la feuille de laurier et les clous de girofle ; saler et poivrer. Ajouter alors la viande et laisser mijoter 1 h environ à feu moyen.
3. Verser progressivement de l'eau bouillante dans le récipient de cuisson pour que la viande soit toujours immergée. Mélanger les miettes de pain, les câpres et le jus de citron et laisser cuire 15 mn supplémentaires à petits bouillons.
4. Couper un concombre en rondelles et un citron en quartiers. Décorer l'estouffade avec le concombre et le citron.

Grenadins de veau, sauce aux morilles

Ingrédients

(pour 4 personnes)

0 morilles séchées
0 g de beurre
el
oivre noir
n peu de jus de citron
cuil. à soupe de Cognac
/4 l de crème fraîche
grenadins de veau
de 200 g chacun)
0 g de beurre clarifié
u poivre blanc
3 cuil. à café de Xérès

Préparation

1. Faire ramollir les morilles dans environ 1/4 l d'eau tiède pendant 1 h 30. (Ne pas prolonger le temps de trempage, même s'il est indiqué différemment sur l'emballage.)
2. Verser les morilles dans un filtre à café ou dans un filtre garni de papier absorbant, en recueillir le jus. Bien laver les morilles sous l'eau froide pour enlever le sable. Les sécher et les couper en morceaux.

3. Faire fondre le beurre et laisser revenir les morilles environ 5 mn. Assaisonner de sel, de poivre et de quelques gouttes de citron.
4. Verser le Cognac, ajouter un peu de crème fraîche et porter la sauce à ébullition en ajoutant progressivement le reste de la crème et l'eau des morilles, laisser mijoter jusqu'à ce que la sauce prenne un beau velouté brun-clair. Assaisonner de sel, de poivre et de jus de citron, couvrir et réserver au chaud.

5. Faire revenir les grenadins de veau dans du beurre clarifié bien chaud pendant environ 5 mn sur leurs deux faces. Saler, poivrer.
6. Réchauffer la sauce aux morilles, rectifier le goût avec le Xérès et la servir avec les grenadins.

Hannelore Kohl

« Les morilles sont des champignons tubulaires à pied lisse en forme de colonne ; elles ont un chapeau en forme de cloche, creusé d'alvéoles Généralement, on les trouve dans le commerce en conserve ou séchées. »

Rôti de bœuf du Sauerland mijoté au laurier

Ingrédients

(pour 4 personnes)

1 cuil. à café de graines de coriandre

2 clous de girofle

6 graines de piment

3 baies de genièvre

1 cuil. à café de poivre blanc en grains

1 pincée de poudre de gingembre

de la muscade

de la cannelle en poudre

du paprika doux en poudre

150 g de lard gras

2 cl de Cognac

1 kg de rôti de bœuf dans la culotte

sel, poivre

50 g de beurre clarifié

un peu de farine

3 carottes

2 oignons

1/4 l de vin rouge

1/4 à 1/2 l de bouillon de viande

1 tranche de pain noir (ou de seigle) légèrement rassise

6 feuilles de laurier

125 à 250 g de crème fraîche

Préparation

1. Écraser au mortier la coriandre, les clous de girofle, le poivre, le piment et les baies de genièvre, mélanger cette poudre au gingembre, à la muscade, à la cannelle et au paprika.
2. Découper le lard en lanières, le recouvrir de la poudre d'épices et de Cognac ; couvrir le récipient et laisser mariner 30 mn dans un endroit frais.
3. Piquer la viande en divers endroits et y enfoncer les lardons légèrement égouttés, l'enrober du reste des épices, saler et poivrer. La faire revenir de tous côtés dans le beurre clarifié très chaud, jeter la graisse de cuisson.

4. Saupoudrer la viande d'un peu de farine. Peler les carottes et les oignons, les couper en dés et les ajouter à la viande. Arroser de vin rouge et de bouillon de viande de sorte que le rôti soit immergé à sa moitié, le porter sur feu moyen.
5. Émietter la tranche de pain et l'ajouter dans le plat de cuisson. Envelopper le rôti des feuilles de laurier et laisser mijoter pendant 2 à 3 h sur une plaque chauffante ou dans le four préchauffé à 180°.
6. Arroser continuellement le rôti avec son fond de cuisson et ajouter de temps à autre du vin rouge et du bouillon. Au bout d'une heure de cuisson, retourner la viande et en recouvrir la partie supérieure avec les feuilles de laurier. Remettre à cuire pendant le reste du temps de cuisson.
7. Retirer le rôti du four et le maintenir au chaud, passer le fond au chinois et le détendre d'un peu de bouillon de viande. Incorporer la crème fraîche et porter la sauce à ébullition jusqu'à ce qu'elle devienne bien veloutée. Saler, poivrer. Servir séparément le rôti et la sauce. Accompagner de boulettes de pommes de terre, de chou rouge ou de salade verte.

Rôti de bœuf façon gibier

(photo page de droite)

Ingrédients

(pour 4 personnes)

1/2 carotte

1/2 céleri-rave

2 oignons

10 baies de genièvre

1 feuille de laurier

1/2 l de vin rouge

4 cuil. à soupe d'eau

le jus de 1/2 citron

800 g de viande de bœuf dans le flanchet

sel, poivre

1/2 cuil. à café de paprika doux en poudre

100 g de lard coupé en lanières

50 g de beurre clarifié

2 dl de crème liquide

1 cuil. à café de farine

du sucre

Préparation

1. Peler la carotte, le céleri et les oignons, les couper en petits dés. Piler les baies de genièvre au mortier.
2. Dans une cocotte, répartir tous ces ingrédients, ajouter la feuille de laurier, le vin rouge, un peu de citron et d'eau, porter l'ensemble à ébullition, puis retirer la cocotte du feu.
3. Déposer la viande dans la marinade chaude et l'y laisser mariner environ 48 h dans un endroit frais en la retournant de temps à autre.
4. Retirer la viande de la marinade et l'éponger. La frotter de sel, de poivre et de paprika ; la piquer et y enfoncer les lardons. Faire chauffer du beurre clarifié dans une cocotte et y faire revenir la viande de tous côtés.

5. Passer la marinade au chinois. Mouiller le rôti avec la moitié de la marinade et laisser braiser pendant environ 1 h dans le four préchauffé à 200°. Arroser de temps à autre avec le reste de marinade.
6. Retirer le rôti du four et le garder au chaud. Mélanger la crème et la farine et lier le fond de sauce de cuisson avec cette préparation. Rectifier l'assaisonnement avec le sel, le sucre et le jus de citron. Découper le rôti en tranches et le servir avec la sauce. Accompagner de chou rouge et de boulettes de pommes de terre.

Rôti de veau,
sauce à la moutarde _(photo ci-dessus)_

Ingrédients
(pour 4 personnes)

1,2 kg de veau maigre dans le quasi ou dans la noix

poivre blanc

3 cuil. à soupe de beurre fondu très chaud

1 oignon blanc

1/4 l de bouillon de viande bien chaud

3,5 dl de vin blanc sec

2 cuil. à soupe de moutarde demi-forte

2 blancs d'œufs

200 g de crème

sel

1 pincée de sucre

30 g de beurre froid

Préparation

1. Assaisonner le veau avec du poivre, le placer dans une sauteuse et l'arroser du beurre très chaud. Peler l'oignon, le couper en morceaux, et les ajouter dans la sauteuse.

2. Verser le bouillon de viande. Faire cuire pendant environ 1 h 30 au four préchauffé à 220°. Ajouter le vin blanc 40 mn après le début de la cuisson.
3. Retirer le rôti du four et le maintenir au chaud. Déglacer le fond de sauce de cuisson avec un peu d'eau bouillante, puis le passer au chinois. Mettre la sauce à chauffer, incorporer la moutarde, lier le tout avec les blancs d'œufs et la crème. Ne plus porter à ébullition.
4. Rectifier l'assaisonnement de la sauce avec du sel, du poivre et du sucre. Incorporer délicatement le beurre réfrigéré et coupé en copeaux. Découper la viande en tranches et la servir avec la sauce à la moutarde. Garnir avec des feuilles d'épinard ou des petites croquettes de pommes de terre ou encore des pommes de terre cuites à l'eau.

Rôti de porc
à la moutarde

Ingrédients
(pour 4 personnes)

1,2 kg de porc dans la palette

4 cuil. à soupe de moutarde demi-forte

sel

poivre

1/2 cuil. à café de poudre de paprika doux

2 oignons

1 échalote

1 carotte

3 dl de vin blanc sec

1 branche de marjolaine

4 cuil. à soupe de crème liquide

Préparation

1. Badigeonner la viande avec la moutarde et assaisonner de poivre, de sel et de paprika.
2. Peler et hacher finement les oignons et l'échalote. Éplucher la carotte et la couper en rondelles plutôt épaisses.

3. Placer la viande dans une cocotte et répartir autour les oignons, l'échalote et la carotte. Assaisonner d'un peu de sel et de poivre. Verser le vin blanc, ajouter la marjolaine.
4. Faire cuire environ 1 h au four préchauffé à 250°, retourner souvent la viande et l'arroser avec son fond de sauce de cuisson.
5. A la fin du temps de cuisson, éteindre le four et y laisser reposer le rôti pendant environ 15 mn. Découper le rôti en tranches et le garder au chaud.
6. Passer le fond de sauce au chinois dans une casserole et porter à ébullition, incorporer la crème et laisser reprendre l'ébullition, à feu doux pendant 5 mn, rectifier l'assaisonnement. Napper le rôti avec la sauce.

Hannelore Kohl

« À la place de la moutarde demi-forte, vous pouvez, selon les goûts, utiliser d'autres sortes de moutarde, par exemple de la moutarde de Dijon. Le rôti sera particulièrement réussi si vous ajoutez à la moutarde un mélange d'herbes fraîches finement ciselées. »

Rôti de Westphalie au vin de Bourgogne *(photo ci-dessus)*

Fèves au lard

Ingrédients

(pour 8 à 10 personnes)

3/4 l de vin rouge
(du Bourgogne de préférence)
3 feuilles de laurier
6 grains de poivre
2,5 kg de jarret de bœuf
6 à 8 belles tranches de lard

Préparation

1. Verser le vin rouge dans une grande cocotte, y ajouter les feuilles de laurier et les grains de poivre. Laisser mariner la viande environ 12 h dans cette marinade.

2. Retirer la viande de la cocotte, l'éponger et l'envelopper soigneusement avec les tranches de lard. Faire cuire la viande 2 h dans le four préchauffé à 150° en l'arrosant continuellement de sa marinade.

3. Retirer le jambon du four et le laisser reposer environ 15 mn. Le découper en tranches et le servir avec de la moutarde et du Pumpernickel.

Ingrédients

(pour 4 personnes)

1 oignon
1 cuil. à café de beurre clarifié
500 g de lard fumé
800 g de grosses fèves écossées
1 bouquet de sarriette
1 cuil. à soupe de beurre
2 cuil. à café de farine
2 à 3 cuil. à soupe de persil haché
grossièrement

Préparation

1. Peler l'oignon, le hacher et le faire revenir dans le beurre clarifié. Arroser avec 3/4 l d'eau, ajouter le lard et laisser cuire 45 mn.

2. Retirer le lard du récipient de cuisson et le maintenir au chaud. Ajouter au jus de cuisson les fèves et la sarriette, couvrir et faire cuire 15 mn.

3. Pétrir ensemble le beurre et la farine et lier la sauce avec ce mélange. Découper le lard en tranches et les disposer sur les fèves. Saupoudrer de persil. Accompagner de pommes de terre cuites à l'eau salée.

Potée au lard de Westphalie

Ingrédients

(pour 4 personnes)

200 g de haricots blancs

500 g de lard maigre

300 g de haricots verts

300 g de carottes

300 g de pommes de terre

200 g de pommes acides

200 g de poires

2 oignons

50 g de beurre

sel

poivre

1 cuil. à soupe de persil haché

Préparation

1. La veille : faire tremper les haricots blancs dans 2 l d'eau.

2. Le lendemain : faire cuire les haricots blancs pendant 1 h à 1 h 10 dans leur eau de trempage avec le lard maigre.

3. Laver les haricots verts et les effiler. Éplucher les carottes et les pommes de terre ; les couper en rondelles. Les ajouter à la potée avec les haricots verts et laisser cuire 30 mn de plus.

4. Éplucher les pommes et les poires, les couper en quatre, les épépiner et les couper en tranches. Placer les fruits dans le plat de cuisson et laisser cuire le tout pendant 30 mn supplémentaires.

5. Peler les oignons, les couper en petits dés et les faire blondir dans le beurre fondu ; les égoutter légèrement et les ajouter au plat. Assaisonner avec du sel et du poivre et saupoudrer de persil.

Hannelore Kohl

« Le choix des pommes acides est particulièrement important. Si vous n'en trouvez pas ce jour-là, utilisez une variété plus douce mais, dans ce cas, ajoutez un peu de vinaigre. »

Pudding au Pumpernickel [1]

Ingrédients

(pour 4 à 6 personnes)

400 g de Pumpernickel

1/4 l de lait bouillant

100 g de raisins secs

5 jaunes d'œufs

100 g de sucre en poudre, 50 g de chocolat doux-amer râpé, 1/2 cuil. à café de cannelle en poudre

3 cl de rhum

le jus et le zeste râpé de 1/2 citron non traité

100 g de noisettes moulues

5 blancs d'œufs, 50 g de beurre

2 cuil. à soupe de chapelure

Préparation

1. Émietter finement le Pumpernickel ou le hacher finement avec un couteau. Arroser le pain avec le lait, bien mélanger le tout et laisser reposer 1 h.

2. Faire ramollir les raisins secs dans de l'eau bouillante. Battre les jaunes d'œufs et le sucre jusqu'à ce que le mélange devienne mousseux. Ajouter le chocolat, la cannelle, le rhum, le jus et le zeste du citron ainsi que les noisettes et bien mélanger le tout.

3. Former un mélange bien homogène entre la masse du Pumpernickel et la pâte aux jaunes d'œufs. Battre les blancs d'œufs en neige bien ferme et les incorporer au mélange, très délicatement.

4. Bien graisser un moule à flan et le saupoudrer de chapelure. Remplir le moule de pâte à flan aux trois quarts de la hauteur, fermer hermétiquement et laisser cuire 1 h dans un bain-marie bouillant.

5. Retirer le pudding du bain-marie et le laisser reposer légèrement. Le démouler et le renverser sur un plat préchauffé. Servir avec une crème à la vanille.

---

1. Pain noir à base de seigle, originaire de Westphalie.

Gelée des Dieux de Westphalie

Ingrédients

(pour 4 personnes)

2 pommes

1 cuil. à soupe de beurre

1/2 l de crème

20 g de sucre en poudre

100 g de Pumpernickel

100 g de noisettes hachées

100 g de macarons émiettés

300 g de griottes dénoyautées

Préparation

1. Éplucher les pommes, les couper en quatre, les épépiner et les couper en tranches. Faire fondre le beurre dans une poêle et y faire étuver les pommes brièvement à feu doux.

2. Battre la crème fraîche et le sucre en poudre en une crème Chantilly bien ferme. Râper le Pumpernickel ; mélanger les noisettes et les macarons.

3. Incorporer à la crème Chantilly la moitié du Pumpernickel et du mélange noisettes-macarons. Remplir 4 verres à bords hauts (flûtes à Champagne, par exemple) de couches alternées de crème, de Pumpernickel, de crème Chantilly et enfin du mélange noisettes-macaron en renouvelant les opérations jusqu'à ce que tous les ingrédients soient utilisés.

4. Décorer avec les quartiers de pommes et les cerises. Placer les coupes au réfrigérateur environ 1 h avant de servir.

Dessert au fromage blanc de Münster

Ingrédients

(pour 6 personnes)

500 g de fromage blanc à la crème type Fjord par exemple (ou 300 g de fromage blanc + 200 g de crème fraîche)

3 cuil. à soupe de sucre en poudre brun (type cassonade)

1/2 l de lait

125 g de Pumpernickel

5 cl de kirsch

100 g de chocolat doux-amer

1 bocal de cerises

Préparation

1. Former un mélange homogène en fouettant le fromage blanc avec 2 cuil. à soupe de sucre.

2. Émietter le Pumpernickel, le saupoudrer avec le reste de sucre et l'imbiber de kirsch. Râper grossièrement le chocolat et l'incorporer au mélange.

3. Disposer, dans un plat creux, en couches alternées le Pumpernickel au chocolat, le fromage blanc et les cerises, en renouvelant les opérations jusqu'à la fin des ingrédients. Mettre le dessert à rafraîchir, dans le réfrigérateur 1 à 2 h.

Hannelore Kohl

« À la place des cerises en conserve, vous pouvez préparer ce dessert avec des airelles. »

Soufflé aux pommes *(photo ci-dessus)*

Ingrédients

(pour 4 personnes)

1/8 l de lait, 65 g de beurre

sel, 65 g de farine

3 jaunes d'œufs, 65 g de sucre

1/4 cuil. à café poudre de flan à la vanille

le zeste râpé de 1/2 citron non traité

1 kg de pommes (par exemple des Cox orange)

3 blancs d'œufs

du beurre pour le moule

Préparation

1. Porter à ébullition le lait, le beurre et la pincée de sel. Ajouter la farine et remuer jusqu'à ce que la pâte se détache du fond de la casserole. Laisser refroidir.

2. Battre les jaunes d'œufs et le sucre jusqu'à ce que le mélange blanchisse et devienne crémeux. Ajouter le flan en poudre, et le zeste de citron ; incorporer la pâte à choux refroidie par petites cuillerées.

3. Éplucher les pommes, les couper en quatre, les épépiner et les détailler en fines tranches. Battre les blancs d'œufs avec la pincée de sel en une neige bien ferme et l'incorporer délicatement à la pâte. Ranger les pommes dans un moule à soufflé graissé, répartir la pâte sur le dessus et égaliser la surface. Faire dorer environ 45 mn dans le four préchauffé à 175°.

Gâteau de riz « Henriette »

Ingrédients

(pour 10 portions)

250 g de riz à grains ronds

1 l de lait, un bâton de cannelle

le zeste non râpé de 1/2 citron non traité

125 g de beurre, 125 g de sucre

10 jaunes d'œufs, 10 blancs d'œufs

graisse et panure pour le moule

200 g de macarons

Préparation

1. Porter à ébullition le riz dans le lait avec la cannelle et le zeste de citron. Dès l'ébullition, réduire la température et laisser gonfler le riz environ 20 mn ; le laisser refroidir.

2. Retirer le bâton de cannelle et le zeste de citron. Battre le beurre jusqu'à ce qu'il devienne crémeux et y ajouter progressivement le sucre et les jaunes d'œufs. Incorporer au riz par petites cuillerées. Battre les blancs en neige ferme et l'incorporer délicatement au mélange.

3. Bien graisser un moule à flan et le saupoudrer de panure. Faire se succéder des couches de riz et de macarons et recouvrir le moule de papier sulfurisé. Laisser cuire le flan environ 2 h 30 dans un bain-marie bien chaud.

4. Laisser refroidir légèrement, puis renverser le flan sur un plat de service. Servir avec une compote de mûres ou une sauce à la vanille.

Pudding du Land de Lippe [1]

Ingrédients

(pour 4 personnes)

Pour la crème blanche :

1/2 l de lait

50 g de sucre

1 sachet de sucre vanillé

80 g de poudre d'amandes

40 g de fécule

4 blancs d'œufs

Pour la crème jaune (sabayon) :

4 jaunes d'œufs

3/8 l de vin blanc sec

le zeste râpé de 1 citron non traité

20 g de fécule

De plus :

10 macarons

200 g de crème fouettée

1 cuil. à soupe de julienne du zeste

de 1 citron non traité

Préparation

1. Pour la crème blanche : faire chauffer le lait avec le sucre et le sucre vanillé. Ajouter les amandes. Délayer la fécule dans un peu d'eau froide et la verser. Porter le mélange à ébullition et laisser refroidir.
2. Battre les blancs en neige ferme et les incorporer délicatement. Remplir un plat en verre avec cette crème et la laisser prendre au réfrigérateur.
3. Pour la crème jaune : battre au fouet les jaunes d'œufs avec le vin blanc et le sucre et ajouter le zeste de citron. Battre continuellement au fouet en chauffant doucement le mélange. Délayer la fécule dans un peu d'eau froide et la verser dans le sabayon. Poursuivre la cuisson jusqu'à ce que la crème épaississe et nappe les fils du fouet.
4. Laisser légèrement refroidir la crème jaune et la répartir sur la crème blanche. Placer le pudding quelques heures au réfrigérateur.
5. Au moment de servir, garnir le flan avec des macarons, de la crème Chantilly et du zeste de citron.

---

1. L'ancienne principauté de Lippe fait aujourd'hui partie du Land de Rhénanie-Nord-Westphalie.

Pain brioché de Westphalie *(photo ci-dessus)*

Ingrédients

(pour 1 pain)

1 kg de farine

40 g de levure

60 g de sucre

1/2 l de lait

1 cuil. à café de sel

60 g de saindoux

du beurre pour le moule

Préparation

1. Verser la farine dans un saladier et creuser un puits. Émietter la levure, la mélanger avec le sucre et le lait (en réserver quelques cuillers à soupe) et verser le lait dans le puits. Mélanger à un peu de farine et laisser reposer ce levain 15 mn dans un endroit chaud.
2. Pétrir la pâte ainsi obtenue avec le reste des ingrédients. Étaler cette pâte dans un moule amovible à bords hauts préalablement graissé (moule à cake par exemple) et laisser lever encore jusqu'à ce que la pâte ait doublé de volume.
3. Badigeonner la pâte avec le reste de lait et faire cuire 1 h dans le four préchauffé à 200°.

Hannelore Kohl

« Autrefois, les paysans westphaliens avaient coutume de rompre les tranches de ce pain tout simple au petit déjeuner et de les tremper dans leur bol de café, de les saupoudrer de sucre et de les arroser de lait bouillant. Parfois ils les recouvraient de beurre ou encore ils les mangeaient avec une tranche de "Pumpernickel". »

Les épices de A à Z

s meilleurs plats du monde peu-
nt rester fades s'il leur manque
bonne épice. L'offre en la
atière est vaste et présente une
ge palette où chacun trouvera
n bonheur. Les conseils qui sui-
nt pour l'utilisation des épices
sont là qu'à titre de sugges-
n. Laissez le champ libre à
tre imagination !

ais : employé pour les pâtisse-
s et les sauces douces, les
mpotes de fruits et notamment
purée de prunes.

asilic : utilisé beaucoup en
emagne avec les rôtis d'oie et
porc.

nnelle : très utilisée en Alle-
agne avec les choux rouges,
compotes, et toutes les pâtis-
ries en général.

erfeuil : pour toutes les sauces
toutes les soupes.

ou de girofle : pour les
oux rouges, les bouillons de
ndes et de volaille, pour les
mpotes de poires et de prunes.

min : pour toutes les sortes
chou, les rôtis de porc, les
mmes de terre et les pains
s maison.

rry : pour les plats à base de
, de veau et de volaille, de
issons et d'œufs.

tragon : pour les sauces et
potages, pour le veau et les
perges.

urier : pour les plats de len-
es, les rôtis à l'aigre-douce et
marinades, pour le gibier
alement.

**vèche ou « ache de mon-
gne »** : peu utilisée en
ance, très appréciée des Alle-
ands, en revanche, qui l'utili-
nt pour les sauces aux herbes,
potages et les potées.

arjolaine (ou origan) :
ur les pizzas, les viandes de
rc ou d'agneau, les plats à
se de tomates, les
ncombres, les potées.

oix de muscade : pour les
tis à base de viande hachée,
épinards, les choux-fleurs et
choux de Bruxelles, pour les
ats aux œufs en général.

aprika doux : pour les gou-
sch et les escalopes de veau ou
porc, les sauces tomate, et sur
tartines de fromages.

Poivre de Cayenne : pour
toutes les sauces et les soupes
qui demandent à être bien rele-
vées ; également pour les potées
et les plats uniques, de légumes
ou de viandes. Il doit être utilisé
avec précaution car son goût est
très prononcé.

Romarin : avec le lapin, les
volailles et l'agneau.

Sarriette : employée pour tous
les plats à base de haricots, les

potages à base de pois, de lentilles et de pommes de terre. La
sarriette rend la salade de
concombres plus digeste.

Thym : avec le gibier, tous les
poissons, les plats à base de
champignons, les pâtés et les
pommes de terre sautées.

Les mélanges d'épices qui sont
proposés chez votre commerçant
sont très pratiques car ils com-

portent les dosages étudiés
pour l'utilisation que vous en
ferez. Les plats de volailles, de
steaks, de viandes grillées et de
goulasch y gagnent aussitôt en
saveur. Pour les régimes hypo-
sodés, il existe des mélanges
d'épices à faible teneur en
sodium qui, par la finesse de
leur composition, garantissent
une saveur intacte, même
sans sel.

123

Par Helmut Kohl

S ûrs d'eux-mêmes, un peu obstinés, francs du collier, parfois un peu rudes, mais aussi d'une cordialité et d'une hospitalité à toute épreuve : voilà les gens du Palatinat. Ils vivent dans le climat le plus doux d'Allemagne, là où poussent tabac, châtaignes, figues et amandes, et où, surtout, se récolte un vin excellent. Celui qui sait goûter et apprécier le vin a aussi envie de partager ce plaisir avec les autres et, tout naturellement, il tient maison ouverte. Offrir à ses amis de bons plats dans la pure tradition bourgeoise est pour lui un plaisir tout naturel.

▶

Entre Rhin, Moselle et Sarre

Le vin n'est certes pas une boisson comme les autres. Il représente, à sa manière, une part capitale de l'histoire culturelle de l'Occident depuis les Grecs, en passant par les Romains, jusqu'aux temps présents. La culture de la vigne en témoigne : le Palatinat est bien un des plus anciens paysages culturels en Europe.

N'oublions pas que le vin — à côté du plaisir qu'il nous procure — est lié à un dur travail avec les soins continus que requiert la vigne parfois soumise aux revers des intempéries. Ce vignoble — qui appartient souvent à la même famille depuis des générations — marque ce lien avec la terre qui rend l'homme du Palatinat prompt à agir, mais aussi capable d'une longue patience.

Mes parents se sont rencontrés en 1910 lors des vendanges à Burrweiler au cœur du Palatinat, entre Landau et Neustadt. Ainsi l'on peut dire que j'ai appris à aimer le vin et la façon de vivre du Palatinat dès le berceau.

Cependant le Palatinat représente aussi un passé riche en traditions, depuis les puissants Comtes palatins du Moyen Âge jusqu'à la fameuse « Liselotte », Élisabeth-Charlotte, belle-sœur du Roi-Soleil qui vécut longtemps à la cour de Versailles en souffrant, jusqu'à la fin de ses jours, du mal du pays palatin. Et c'est dans ce même pays qu'eut lieu le

27 mars 1832 la Fête de Hambach qui aujourd'hui encore reste le symbole du premier essor du mouvement démocratique allemand [1]. Peu d'entre nous savent que c'est là que fut présenté pour la première fois le drapeau noir-rouge-or comme symbole de notre démocratie. Région frontalière avec la France, le Palatinat eut à souffrir de la guerre presque à chaque génération pendant des siècles. C'est pourquoi les hommes de

ce pays savent encore mieux que beaucoup d'autres quel don précieux représente l'amitié franco-allemande. Et c'est précisément parce qu'ils se sentent si étroitement liés à leur patrie qu'ils sont des Européens si convaincus.

Les façons de vivre solidement bourgeoises des gens du Palatinat se retrouvent également dans la cuisine locale qui emploie très souvent le vin pour relever les mets. Des quenelles de foie à la

choucroute et bien entendu la fameuse panse de cochon sont les plats typiques de la région. Les amateurs de douceurs s'enthousiasmeront pour le « Kerscheplotzer », un soufflé aux griottes et aux petits pains, ou pour les « Dampfnudeln » [2] qui sont préparées au Palatinat avec de l'eau salée et de l'huile, ou encore pour la sauce au vin. Toutefois la saveur de ces soufflés et la finesse de leur arôme échappent à toute description : il faut venir les goûter sur place ! Je vous conseillerai donc une excursion à travers les splendides vignobles du Palatinat et une pause au retour dans une auberge de campagne : Voilà le Palatinat à l'état pur !

1. La grande manifestation du 27 mai 1832, la plus grande réunion politique depuis la fin des guerres napoléoniennes, voulait protester contre les mesures réactionnaires intervenues après l'échec des révolutions de 1830. Les orateurs réclamèrent la République et le suffrage universel en présence de fortes délégations françaises et polonaises. La répression fut violente.
2. Boulettes de pâte de pain au lait et au sucre, cuites à la vapeur, servies chaudes avec de la sauce à la vanille.

Un but d'excursion chargé d'histoire : le château de Hambach sur la « Route des vins allemands ». Ici le drapeau noir-rouge-or a flotté au vent pour la première fois comme emblème des patriotes allemands luttant pour la liberté et l'unité de leur patrie.

Panse de cochon du Palatinat

Ingrédients

(pour 3,5 à 4 kg)

Pour la farce :

1,5 kg de porc dans l'échine et l'épaule

1,5 kg de pommes de terre

1,5 kg de chair à saucisse

Les épices :

2 à 3 cuil. à soupe de sel

1/2 cuil. à café de poivre

1/2 cuil. à café de muscade

1 cuil. à café de marjolaine séchée

1/2 cuil. à café de coriandre

1/2 cuil. à café de clou de girofle en poudre

1/2 cuil. à café de thym

1/2 cuil. à café de cardamome (moulue)

1/2 cuil. à café de basilic séché

quelques feuilles de laurier (moulues)

50 g d'oignons (coupés en dés)

D'autre part :

1 panse de cochon (la commander à l'avance chez le charcutier)

sel

30 g de beurre clarifié

Préparation

1. Couper la viande en gros cubes. Éplucher les pommes de terre, les couper en dés d'environ 1 cm de côté et les blanchir. Mélanger la viande, les pommes de terre et la chair à saucisse et assaisonner avec le mélange d'épices.

2. Laver soigneusement la panse de cochon à l'eau froide et la sécher dans un linge. Fermer deux des extrémités avec du fil de cuisine. Par la troisième ouverture, farcir la panse. Refermer l'ouverture avec du fil de cuisine de la même manière que les deux premières. (Ne pas farcir la panse trop pleinement afin d'éviter qu'elle n'éclate à la cuisson.)

3. Porter une grande quantité d'eau salée à ébullition, puis réduire le feu. Plonger la panse doucement dans l'eau bouillante et laisser mijoter 3 h à feu doux. Ne pas laisser bouillir mais juste frémir.

4. Retirer la panse, l'égoutter et la servir. La découper directement sur la table.

5. Selon les goûts, la faire revenir dans le beurre clarifié et laisser dorer au four à 200° jusqu'à ce qu'elle devienne croustillante. Servir avec du pain de campagne, de la purée à la crème ou des pommes de terre à la palatine, de la choucroute et du vin du Palatinat.

Hannelore Kohl

« S'il reste de la panse, on peut la couper le lendemain en tranches et la faire dorer dans du beurre fondu. »

Gâteau de crêpes fourrées

Ingrédients

(pour 4 personnes)

400 g de veau

sel

310 g de farine

1/2 l de lait

3 jaunes d'œufs

250 g de carottes

250 g d'asperges

250 g de petits pois

100 g de beurre

le jus de 1/2 citron

poivre blanc

1 bouquet de persil (haché)

3 blancs d'œufs

80 g de gouda jeune râpé

Préparation

1. Plonger la viande dans de l'eau bouillante salée et laisser cuire environ 45 mn. Retirer la viande du bouillon, laisser refroidir et la couper en dés.
2. Mélanger 250 g de farine, le lait, les jaunes d'œufs et du sel à l'aide d'un fouet jusqu'à obtention d'une pâte lisse ; laisser reposer pendant 40 mn.
3. Éplucher les carottes et les asperges et les couper en petits morceaux, laver les petits pois. Faire cuire les légumes séparément dans de l'eau salée – ils doivent rester croquants – et les passer sous l'eau froide.

4. Ajouter au bouillon de cuisson des légumes le bouillon de veau nécessaire pour obtenir en tout 1 l de bouillon. Dans une casserole, faire chauffer 60 g de beurre et y ajouter le reste de farine. Arroser lentement de bouillon en continuant à remuer et laisser cuire environ 10 mn.
5. Assaisonner avec le sel, le poivre et le jus de citron. Réchauffer dans la sauce les légumes et la viande et partager en 4 parts égales ; saupoudrer de persil.

6. Monter les blancs en neige ferme et les incorporer à la pâte. Faire fondre le beurre restant et confectionner 5 « crêpes ».
7. Former un gâteau en alternant une couche du mélange légumes-viande avec une couche de crêpe. Saupoudrer généreusement de gouda râpé. Couper « le gâteau » à table. Servir accompagné de salade verte.

Hannelore Kohl

« Ces crêpes peuvent être fourrées avec toutes sortes de légumes selon les saisons. Vous pouvez aussi les préparer avec de la viande de bœuf hachée parfumée aux herbes fraîches. »

Salade des vendangeurs

Ingrédients

(pour 4 personnes)

*1 grosse salade romaine
(à défaut : une laitue)
100 g de crème liquide
1 cuil. à soupe d'huile de pépins
de raisins
2 cuil. à soupe de vinaigre de vin
blanc
2 gousses d'ail
paprika doux en poudre
sel
poivre
1 cuil. à soupe de ciboulette hachée
4 tranches de pain blanc
40 g de beurre
2 cuil. à soupe de fromage d'Allgäu* [1]

Préparation

1. Détacher les feuilles de salade, les laver et les couper en morceaux.
2. Mélanger, dans un saladier, la crème, l'huile et le vinaigre. Peler l'ail, hacher une gousse au presse-ail et l'ajouter au mélange. Ajouter à la vinaigrette du sel, du poivre, du paprika en poudre et la ciboulette.
3. Couper le pain blanc en dés. Faire fondre le beurre dans une poêle et faire griller les dés de pain à feu doux. Hacher la deuxième gousse d'ail et la mélanger au pain.
4. Mêler la sauce à la salade, bien soulever le tout, parsemer les dés de pain grillés ainsi que le fromage râpé. Mélanger à nouveau juste avant de servir.

---

1. Région de haute montagne dans l'extrême sud-ouest de la Bavière.

Estouffade de bœuf au vin rouge

Ingrédients
(pour 6 personnes)

200 g de lard gras
1,5 kg de bœuf (macreuse, paleron, par exemple)
1,5 dl d'huile
7 dl de vin rouge
3 branches de thym émietté
poivre
40 g de beurre clarifié
sel
4 oignons
2 gousses d'ail
1 petit bouquet garni
1 pied de veau coupé en deux
1 branche de thym
1 feuille de laurier
250 g de champignons de Paris
250 g de carottes
400 g d'échalotes
30 g de beurre

Préparation

1. Couper le lard en fins lardons et les placer dans le congélateur ; ils vont durcir légèrement. Piquer la viande en divers endroits dans le sens des fibres et y enfoncer les lardons.
2. Mélanger l'huile, le vin rouge, le thym et le poivre dans un grand faitout, y plonger la viande, la couvrir et la laisser mariner toute une nuit.
3. Faire chauffer le beurre clarifié dans une grande cocotte et faire griller la viande sur tous ses côtés, saler.
4. Peler les oignons et l'ail, les couper en deux et les ajouter à la viande avec le bouquet garni, le pied de veau, le thym et la feuille de laurier. Réchauffer la marinade et la verser sur le rôti.
5. Couvrir, mettre au four préchauffé à 180° et laisser cuire 3 h sur la plaque inférieure. Dégraisser au fur et à mesure de la cuisson.
6. Laver les champignons, éplucher les carottes et les échalotes. Couper les carottes en dés de 1 cm de côté. Faire fondre le beurre dans une casserole et faire revenir les carottes et les échalotes. Ajouter un peu d'eau, couvrir et laisser cuire le temps nécessaire pour que les légumes soient cuits et croquants. Ajouter les champignons, mélanger le tout et assaisonner.
7. Retirer la viande et le pied de veau du fond de cuisson, dégraisser le jus et le passer au chinois. Laisser réduire la sauce pendant 10 mn, goûter. Ajouter la viande, les carottes, les champignons et les échalotes et faire réchauffer le tout dans la sauce. Servir accompagné d'un gratin de pommes de terre.

Daube de bœuf vigneronne *(photo ci-dessus)*

Ingrédients
(pour 4 personnes)

500 g de bœuf dans le flanchet ou la poitrine
50 g de beurre clarifié
1 oignon (finement haché)
1,5 dl de vin rouge
400 g de chou blanc
200 g de carottes
200 g de céleri-rave
1 poireau
1 l de bouillon de viande
poivre
sel
1 feuille de laurier
250 g de pommes de terre
1 petite botte de persil (haché)

Préparation

1. Couper la viande en dés. Faire chauffer le beurre clarifié dans un plat et y faire revenir la viande pendant 5 mn.
2. Ajouter l'oignon, le faire blondir et arroser de vin rouge. Laver les légumes, les couper en petits morceaux et les ajouter à la viande. Arroser de bouillon et ajouter les épices.
3. Mettre au four préchauffé à 180° et laisser braiser pendant 1 h. Éplucher les pommes de terre, les couper en dés et les ajouter 10 mn avant la fin de la cuisson. Saupoudrer de persil juste avant de servir.

Goulasch de porc aux pommes de terre *(photo ci-dessus)*

Ingrédients
(pour 4 personnes)

750 g d'épaule de porc

40 g de beurre clarifié

300 g d'oignons

1 cuil. à soupe de paprika doux en poudre

700 g de petites pommes de terre

1 cuil. à soupe de vinaigre

1 cuil. à soupe de cumin

3/4 l de bouillon de viande

200 g de crème fraîche

sel

poivre

paprika fort

Préparation

1. Couper la viande en dés. Faire chauffer le beurre clarifié dans une sauteuse, faire rissoler la viande et la retirer.
2. Peler les oignons, les couper en huit, les faire revenir et saupoudrer de paprika doux. Éplucher les pommes de terre et les ajouter à la viande avec le vinaigre, le cumin et le bouillon. Couvrir et laisser étuver le tout pendant 30 mn.
3. Retirer le plat du feu. Incorporer la crème fraîche, saler, poivrer et épicer avec le paprika fort.

Backesgrumbeere [1]

(Pommes de terre au four)

Ingrédients
(pour 4 personnes)

1 kg de pommes de terre

1 cuil. à soupe de saindoux

sel

poivre

500 g de poitrine de porc

1 bouquet de ciboulette

250 g de crème fraîche

cannelle (moulue)

Préparation

1. Éplucher les pommes de terre et les couper en fines rondelles. Graisser avec du saindoux un plat allant au feu, superposer en couches la moitié des pommes de terre, saler, poivrer.
2. Découper la poitrine de porc en tranches et les répartir sur les pommes de terre. Couper finement la ciboulette et en parsemer la moitié sur la viande. Recouvrir du reste des pommes de terre, saler, poivrer. Mettre au four préchauffé à 250° sur la plaque du milieu pendant 15 mn.
3. Mélanger la crème fraîche et la cannelle, verser le mélange sur les pommes de terre et laisser cuire encore 30 mn jusqu'à ce que se soit formée une croûte bien brune. Saupoudrer du reste de ciboulette.

---

1. « Grumbeere » est un mot de patois rhéno-palatin pour pommes de terre.

131

Émincé de bœuf aux oignons *(photo ci-dessous)*

Ingrédients
(pour 4 personnes)

750 g de filet de bœuf
4 cuil. à soupe de beurre
500 g d'oignons
1 gousse d'ail
1 poireau
1/4 l de bouillon de viande
sel
poivre noir
1/2 cuil. à café de cumin moulu
1 cuil. à café de marjolaine séchée

Préparation

1. Découper le bœuf en lanières. Faire fondre le beurre dans une grande sauteuse et laisser rissoler le filet pendant 6 mn. Le retirer de la sauteuse et le maintenir au chaud.

2. Peler les oignons et les couper en fins anneaux. Peler l'ail et le couper en petits dés. Bien laver le poireau, et le couper en rondelles.

3. Faire blondir les oignons et l'ail dans le fond de cuisson de la sauteuse. Verser le bouillon de viande et laisser réduire. Saler, poivrer.

4. Ajouter les rondelles de poireaux, le cumin et la marjolaine, goûter, et laisser étuver pendant 10 mn.

5. Saler et poivrer la viande, la reverser dans la sauteuse et la faire réchauffer. Servir accompagné de boulettes de pommes de terre, par exemple.

Quiche aux poireaux

(photo page de droite)

Ingrédients
(pour 12 parts)

Pour la pâte :
250 g de farine
125 g de beurre
1 pincée de sel
1 pincée de sucre
1 cuil. à soupe d'eau
de la matière grasse pour le plat

Pour la garniture :
300 g de lard fumé maigre
100 g de beurre
1,5 kg de poireaux
2 cuil. à soupe de farine
1/4 l de crème fraîche
4 œufs
sel
poivre
noix de muscade

Préparation

1. Pour la pâte : mélanger et pétrir tous les ingrédients, couvrir la pâte ainsi obtenue et la laisser reposer au frais environ 30 mn.

2. Couper le lard en petits dés et les faire revenir dans le beurre fondu. Bien laver les poireaux, les couper en fines rondelles, les ajouter au lard et faire ramollir pendant 10 mn. Saupoudrer de farine et mélanger bien le tout.

3. Dérouler la pâte, l'étaler dans un moule démontable de 28 cm de diamètre en façonnant un rebord. Garnir le fond avec les poireaux et mettre au four préchauffé à 200° pendant 10 mn.

4. Mélanger les œufs et la crème, épicer de sel, de poivre et de muscade, verser sur les poireaux et laisser cuire encore 30 à 40 mn. Servir chaud.

Marmite de bœuf aux oignons

Ingrédients
(pour 4 personnes)

500 g de bœuf dans les basses-côtes
125 g de lard maigre
100 g de beurre clarifié
poivre
sel
1/2 cuil. à café de paprika doux en poudre
1 kg d'oignons
1 cuil. à café de cumin concassé
1/2 l de vin blanc
500 g de pommes de terre
2 portions de fromage à fondre
(genre Mozzarella)

Préparation

1. Couper la viande et le lard en cubes. Faire chauffer le beurre clarifié et faire rissoler le lard. Ajouter la viande, laisser brunir et assaisonner avec du sel, du poivre et du paprika en poudre.

2. Peler les oignons et les couper en anneaux. Les ajouter à la viande avec le cumin et laisser braiser, le temps qu'ils ramollissent. Verser le bouillon et le vin. Laisser étuver pendant environ 50 mn.

3. Éplucher les pommes de terre, les couper en dés et les ajouter à la viande. Laisser cuire 30 mn supplémentaires. Au moment de servir, laisser fondre le fromage et goûter l'assaisonnement.

Daube de bœuf et de porc au vin

Ingrédients

(pour 4 personnes)

200 g de porc dans l'échine
200 g de porc dans l'épaule
200 g de poitrine de bœuf
6 dl de vin blanc sec
750 g de pommes de terre
300 g d'oignons, sel, poivre noir
1 bouquet de persil, 1 branche de thym, 1 branche de marjolaine
1 feuille de laurier, 1 gousse d'ail

Préparation

1. Couper la viande en gros cubes de 2 à 3 cm de côté et laisser mariner dans 5 dl de vin blanc pendant toute une nuit.
2. Remplir d'eau un Römertopf de préférence, à défaut une cocotte en terre cuite [1]. Retirer la viande de la marinade, l'égoutter et l'essuyer. Réserver la marinade. Éplucher les pommes de terre et les oignons et les couper en fines rondelles.
3. Disposer la moitié des pommes de terre en couche dans le plat, saler, poivrer.

Placer la viande ici et là, la recouvrir d'une couche d'oignons.
4. Faire un petit bouquet avec le persil, le thym et la marjolaine en les liant avec du fil de cuisine. Poser le bouquet et la feuille de laurier sur les oignons. Peler l'ail, l'écraser et l'ajouter. Recouvrir le tout du reste de pommes de terre.
5. Verser la marinade sur le tout et couvrir le récipient. Mettre au four préchauffé à 220° sur la plaque du milieu et laisser cuire pendant 1 h 30.
6. Arroser avec le reste de vin blanc et réduire la température du four à 160°. Couvrir à nouveau et laisser cuire encore pendant 1 h sur la plaque du milieu. Retirer le bouquet garni, goûter et rectifier l'assaisonnement.

1. En Allemagne, le « Römertopf » est une cocotte en terre cuite, très poreuse, que l'on immerge dans de l'eau jusqu'à ce que la terre en soit saturée. Immédiatement après l'avoir retirée de l'eau, on la sèche légèrement et on y place les aliments pour la cuisson. Ils vont alors mijoter « à l'étouffée » et en ressortiront merveilleusement fondants et moelleux.

Rôti de Dürkheim [1] au vin rouge

Ingrédients

(pour 4 personnes)

1 kg de viande de bœuf
7 dl de vin rouge
2 carottes
sel, poivre
4 cuil. à soupe d'huile
2 oignons
2 cuil. à soupe de concentré de tomate
1/4 l de bouillon de viande
2 cuil. à soupe de farine
3 cuil. à soupe de crème fraîche

Préparation

1. Mettre le bœuf dans un récipient creux avec le vin rouge et laisser mariner pendant deux jours.
2. Éplucher les carottes. Retirer la viande de la marinade et laisser égoutter. Faire deux trous dans la viande avec le manche d'une cuiller en bois et y enfoncer les carottes. Saler, poivrer le rôti et le faire revenir dans l'huile sur toutes ses faces.

3. Peler les oignons, les couper en dés et les faire rissoler avec le rôti. Ajouter le concentré de tomate, le bouillon de viande et le vin de la marinade. Laisser mijoter le rôti 1 h 30.
4. Mélanger la farine et la crème fraîche, ajouter un peu d'eau jusqu'à obtention d'une pâte lisse et mélanger à la sauce. Servir accompagné de légumes de saison et de « Spätzle » [2] (à défaut, de pâtes alimentaires).

1. Ville d'eaux du Palatinat.
2. Les « Spätzle » sont des nouilles aux œufs, très répandues en Allemagne et en Alsace, que l'on trouve, de nos jours, dans toutes les grandes surfaces. Voir recette p. 215.

Bäckerkartoffeln

(*Pommes de terre boulangères*) *(photo ci-dessus)*

Ingrédients

(pour 4 personnes)

250 g de bœuf

250 g de porc

250 g de mouton

4 oignons

1 kg de pommes de terre

1 bouquet de ciboulette

30 g de beurre clarifié

sel

poivre

40 g de beurre

1/4 l de vin blanc sec

Préparation

1. Découper les viandes en gros cubes de 3 cm de côté. Éplucher les oignons et les pommes de terre et les couper respectivement en fins anneaux et en rondelles. Ciseler finement la ciboulette.

2. Graisser avec du beurre clarifié un plat allant au four. Recouvrir le plat d'une couche d'oignons et d'une couche de pommes de terre. Disperser les morceaux de viande sur le dessus et saupoudrer de ciboulette. Saler et poivrer chacune des couches. Continuer de la même manière et terminer par une couche de pommes de terre.

3. Parsemer de copeaux de beurre, verser le vin blanc et laisser cuire de 1 h 30 à 2 h dans un four préchauffé à 220°.

4. Servir les pommes de terre dans leur plat de cuisson, accompagnées d'une salade verte bien croquante assaisonnée de vinaigrette aux herbes.

Goulasch d'agneau

Ingrédients

(pour 4 personnes)

750 g d'agneau dans l'épaule

40 g de beurre clarifié

250 g d'oignons

500 g de haricots verts

200 g de poivron rouge en bocal

sel

poivre noir

4 cuil. à café de paprika doux en poudre

1/4 bouillon de viande chaud

150 g de yaourt au lait entier

1 petit bouquet de persil

Préparation

1. Couper l'agneau en cubes. Faire chauffer le beurre clarifié et faire rissoler les cubes d'agneau pendant 15 mn.

2. Peler les oignons et les couper en rondelles. Laver les haricots verts. Égoutter les poivrons. Ajouter le tout à la viande. Saler, poivrer et saupoudrer de paprika en poudre.

3. Verser le bouillon de viande, couvrir et laisser mijoter environ 30 mn.

4 Avant de servir, verser le yaourt dans le jus de cuisson, et parsemer de persil haché sur le goulasch.

Rôti de porc à la broche du Hunsrück *(photo page de droite)*

Ingrédients
(pour 4 personnes)

1 kg d'échine de porc

6 gros oignons

poivre, sel

marjolaine

quelques cuillerées à soupe d'huile

de la bière

Préparation

1. Demander à son boucher de découper une entaille de 4 cm de longueur dans l'échine de porc.

2. Peler les oignons et les couper en anneaux. Saler, poivrer et saupoudrer généreusement de marjolaine. Faire chauffer un peu d'huile et y laisser fondre légèrement les oignons.

3. Fourrer la viande avec cette farce d'oignons. L'entourer de fil de cuisine pour bien refermer la viande, l'embrocher et la laisser griller environ 1 h 30 au four préchauffé à 200°.

4. Pendant le temps de cuisson, arroser plusieurs fois le rôti avec de la bière, afin que la croûte devienne bien croustillante. Servir avec des pommes de terre en papillotes et des tomates grillées.

Bœuf à la sauce aux raisins secs *(photo ci-dessus)*

Ingrédients
(pour 4 personnes)

500 g de bœuf pour pot-au-feu

(gîte ou flanchet)

1 oignon

1 bouquet garni

sel

125 g de raisins secs de Smyrne

50 g de pain d'épice

125 g d'amandes hachées

1 cuil. à soupe de sucre

1 cuil. à soupe de vinaigre de vin

1 morceau de bouillon cube

Préparation

1. Plonger la viande dans 2 l d'eau bouillante, ajouter l'oignon, le bouquet garni et le sel, laisser frémir à petits bouillons jusqu'à ce que la viande soit cuite sans être molle, écumer de temps à autre.

2. Faire ramollir les raisins dans un peu d'eau, râper finement le pain d'épice.

3 Retirer la viande du bouillon. Passer le bouillon au tamis ou au chinois. Y ajouter le pain d'épice et les raisins. Laisser réduire la sauce jusqu'à ce qu'elle soit veloutée. Assaisonner de sucre, de vinaigre et de bouillon cube.

4. Couper la viande en tranches, répandre la sauce. Servir accompagné de boulettes de pommes de terre.

Goulasch de bœuf aux marrons

Ingrédients
(pour 4 personnes)

1 kg de goulasch de bœuf (dans

l'aloyau ou dans le gîte à la noix)

30 g de beurre clarifié

12 petits oignons grelots épluchés

1/4 l de bière

1 cuil. à soupe de concentré de

tomate, 1 cuil. à café de thym émietté

sel, poivre

500 g de marrons

500 g de potiron

1/4 l de crème fraîche

1 cuil. à soupe de persil haché

Préparation

1. Faire revenir la viande dans le beurre clarifié sur toutes ses faces. Ajouter les oignons et les faire blondir. Déglacer avec 1/8 l de bière.

2. Ajouter le concentré de tomate et le thym, saler, poivrer. Couvrir et laisser mijoter environ 1 h.

3. Inciser les marrons et les laisser cuire dans de l'eau pendant 15 mn. Ôter immédiatement la coquille ainsi que la membrane brune qui les recouvrent. Couper le potiron en dés. Après une heure de cuisson, ajouter les marrons et le potiron au goulasch. Verser le reste de la bière et laisser de nouveau mijoter pendant 30 mn.

4. Retirer la viande, les marrons et le potiron du plat de cuisson et les passer au travers d'une passoire, récupérer leur jus de cuisson et le laisser réduire de moitié. Ajouter la crème fraîche en la fouettant légèrement, amener à ébullition et répandre la sauce sur la viande, goûter et rectifier l'assaisonnement. Saupoudrer de persil, servir.

Couronne d'agneau garnie

Ingrédients

(pour 6 personnes)

2 kg de côtes d'agneau dans le carré
(demander au boucher de le couper
en 2 morceaux de même taille)

sel

ail en poudre

poivre

1/4 l de bouillon de viande chaud

1/8 l de vin blanc

Pour la garniture :

500 g de haricots mange-tout

1 petit chou-fleur

6 tomates

sel, ail en poudre

noix de muscade

4 cuil. à soupe de beurre

de l'huile pour graisser

1 cuil. à café de farine

un peu de crème fraîche

Préparation

1. Enlever l'excédent de gras des deux morceaux d'agneau. Saler, poivrer et saupoudrer d'ail en poudre. Courber chaque morceau en un demi-cercle et les relier avec du fil de cuisine de façon à former une couronne.
2. Faire des entailles de 2 cm de profondeur dans la viande, entre chaque côte. Placer la couronne dans un plat allant au four. Arroser de bouillon et de vin blanc. Recouvrir avec du papier en aluminium, mettre au four préchauffé à 180° sur la plaque inférieure et laisser cuire pendant 2 h.
3. Après une heure de cuisson, retirer le papier en aluminium. Environ 45 mn avant la fin de la cuisson, effiler les haricots et les casser en morceaux. Défaire le chou-fleur en petits bouquets. Equeuter les tomates et les fendre légèrement.

4. Porter une petite quantité d'eau à ébullition avec du sel et de la poudre d'ail. Y plonger les haricots et laisser frémir pendant 10 mn. Dans une deuxième casserole, porter de l'eau à ébullition avec du sel, et une pincée de muscade, y plonger le chou-fleur et le laisser frissonner pendant 15 mn.
5. Faire égoutter les haricots et le chou-fleur dans une passoire. Les répartir dans un plat de cuisson et laisser fondre 3 cuil. à soupe de beurre sur les légumes ; les maintenir au chaud. Saler les tomates et les parsemer légèrement d'ail en poudre. Répartir le reste du beurre coupé en petits copeaux et les disposer dans le plat de légumes.
6. Retirer la couronne d'agneau du four et la dresser sur un plat de service, recouvrir avec du papier en aluminium et maintenir au chaud. Ajouter de l'eau au fond de cuisson de façon à

obtenir 3/8 l, porter à ébullition. Mélanger la farine et la crème fraîche et lier le bouillon pour former une sauce onctueuse ; goûter l'assaisonnement.
7. Dès que le rôti a été retiré du four, placer le plat de tomates, de haricots et de chou-fleur dans le four encore chaud. Laisser dorer 5 mn sous le gril. Disposer les légumes autour de la couronne d'agneau. Verser la sauce dans une saucière préchauffée et la servir séparément.

Pâté en croûte de Sarrebruck *(photo ci-contre)*

Ingrédients
(pour 8 parts)

1 kg d'échine de porc parfaitement désossée

1 gros oignon

3 feuilles de laurier

5 clous de girofle

8 baies de genièvre

1 cuil. à café de coriandre

3/4 l de vin rouge

1/8 l de vinaigre de vin

300 g de farine

15 g de levure

1 cuil. à café de sucre

1/8 l de lait tiède

75 g de beurre à peine fondu

1 œuf,

sel

250 g de chair à saucisse

poivre

2,5 dl de crème fraîche liquide

1 jaune d'œuf

Préparation

1. Couper la viande en gros cubes de 2 cm de côté. Peler l'oignon et le hacher grossièrement. Faire une marinade avec l'oignon haché, les feuilles de laurier, les clous de girofle, les baies de genièvre, la coriandre, le vin rouge et le vinaigre, y plonger la viande et la laisser mariner 24 h environ.

2. Le lendemain, préparer un levain : verser la farine dans un saladier, creuser un petit puits et y déposer la levure, le sucre et 5 cl de lait. Pétrir le tout afin d'obtenir un levain et le laisser reposer dans un endroit chaud environ 15 à 20 mn.

3. Battre avec une fourchette le reste de lait, le beurre, l'œuf et un peu de sel. Malaxer cette préparation au levain et la pétrir de façon à obtenir une pâte lisse et bien homogène. L'étaler au rouleau à pâtisserie et la diviser en deux morceaux, l'un au tiers, l'autre aux deux tiers. Étaler ce dernier dans un moule démontable graissé et façonner un rebord pour que le moule soit parfaitement recouvert.

4. Retirer la viande de la marinade, la sécher et la mélanger rapidement à la chair à saucisse. Saler, poivrer si nécessaire. Répartir cette masse sur la pâte, verser la crème liquide au-dessus.

5. Former avec le reste de la pâte un cercle plus large que le moule, rabattre les bords sur la viande et presser légèrement pour bien fermer le tout.

6. Former une cheminée sur le couvercle ainsi façonné, et badigeonner d'un jaune d'œuf. Mettre le pâté au four préchauffé à 180° et laisser cuire environ 1 h 30. Après une heure de cuisson, couvrir avec du papier sulfurisé.

Galettes de pommes de terre

Ingrédients
(pour 4 personnes)

1,5 kg de pommes de terre

2 oignons

2 œufs, sel, poivre

un peu de beurre clarifié

Préparation

1. Laver, éplucher, râper finement les pommes de terre et les presser dans un torchon. Peler les oignons, les hacher finement et les mélanger aux pommes de terre. Ajouter les œufs, mélanger, saler, poivrer.

2. Faire chauffer le beurre clarifié dans une poêle. À l'aide de deux cuillers à soupe, disposer le mélange par petits tas dans la poêle, les aplatir et les faire dorer sur leurs deux faces.

3. Laisser égoutter les galettes sur du papier de cuisine, maintenir au chaud jusqu'à ce que toutes les galettes soient cuites. Les servir, accompagnées de compote de pommes.

Pfälzer Schales

(« Soufflé » du Palatinat)

Ingrédients
(pour 4 personnes)

2 kg de pommes de terre

1 botte d'oignons nouveaux

250 g de lard fumé maigre

de la graisse pour le moule

4 œufs

sel

poivre

Préparation

1. Laver, éplucher et râper les pommes de terre. Laver les oignons et les couper en fines rondelles. Détailler le lard en petits dés.

2. Mélanger tous les ingrédients préparés et verser le mélange dans un plat à soufflé graissé. Battre les œufs, saler, poivrer et les verser sur le mélange. Laisser cuire au four préchauffé à 180° environ 1 h 30.

Soupe au vin

Ingrédients
(pour 4 personnes)

3/4 l de vin blanc (par exemple
du Riesling)
1/8 l d'eau
1 morceau de zeste de citron non
traité
1 morceau de bâton de cannelle
100 g de sucre
4 jaunes d'œufs
1 dl de crème fraîche liquide
sel
poivre blanc
noix de muscade
40 g de beurre froid en copeaux
quelques brins de cerfeuil
4 tranches de pain blanc

Préparation

1. Mélanger dans une casserole le vin blanc, l'eau, le
zeste de citron, la cannelle
et le sucre, porter le liquide
à ébullition. Le passer au
chinois et le reverser dans
la casserole.
2. Battre les jaunes d'œufs
avec la crème et verser lentement la préparation dans la
soupe sans cesser de tourner. La soupe ne doit plus
bouillir. Ajouter du sel, du
poivre et de la muscade.
3. Au dernier moment, ajouter le beurre en copeaux
dans la soupe chaude et
battre au fouet. Répartir la
soupe dans des assiettes
creuses préchauffées et parsemer de cerfeuil ciselé. Servir avec du pain blanc grillé.

Krautwickel (Petits choux farcis)

Quiche aux oignons

Ingrédients
(pour 4 personnes)

200 g de farine
4 œufs
sel
100 g de beurre
de la graisse pour le moule
150 g de lard fumé
250 g d'oignons
poivre
150 g de fromage râpé

Préparation

1. Pétrir rapidement une
pâte avec la farine, 1 œuf,
du sel et le beurre, l'étaler et
l'étendre dans un moule
démontable de 28 cm de
diamètre.
2. Couper le lard en dés et
le faire fondre dans une
poêle graissée. Peler les
oignons, les détailler en
petits dés et les ajouter au
lard. Faire blondir le tout et
laisser refroidir.
3. Battre les œufs restants et
les mélanger au contenu de
la poêle. Saler, poivrer.
4. Répartir cette préparation
sur la pâte et parsemer de
fromage râpé. Mettre au
four préchauffé à 200°
et laisser cuire environ 25
à 30 mn.

Ingrédients
(pour 4 personnes)

1 chou blanc
200 g de bœuf haché
200 g de porc haché
1 oignon (finement haché)
2 œufs
sel
poivre
noix de muscade
4 tranches de lard
2 cuil. à soupe de beurre clarifié
1,5 dl de bouillon de viande
1 dl de crème liquide

Préparation

1. Faire blanchir le chou
dans de l'eau bouillante et
en détacher les feuilles. Les
répartir, par trois ou par
quatre, sur du papier de
cuisine.

2. Mélanger les viandes
hachées, l'oignon, les œufs
et assaisonner avec le sel, le
poivre et la muscade. Garnir
chaque petit groupe de
feuilles de chou de 100 g de
farce. Rabattre les côtés des
feuilles de chou, les rouler
dans la longueur, poser les
tranches de lard au-dessus
et attacher le tout avec du fil
de cuisine.
3. Faire revenir les rouleaux
dans du beurre clarifié, verser le bouillon de viande et
laisser cuire à l'étouffée environ 1 h.
4. Retirer les rouleaux et lier
le fond de sauce avec la
crème. La sauce ne doit plus
bouillir. Assaisonner de sel,
de poivre et de muscade.
Servir la sauce séparément.
Accompagner les rouleaux
de purée de pommes de
terre.

Gâteau aux pommes en trompe-l'œil

Ingrédients
(pour 8 personnes)

pour la pâte :
00 g de farine
50 g de beurre
0 g d'eau
jaune d'œuf
pincée de sel

pour la farce :
50 g de chou frisé haché
50 g de boudin
50 g de saucisse de foie
pommes (Boskoop)
e la chapelure

pour la sauce :
échalotes
/2 l de fond de volaille
dl de vin blanc

1 feuille de laurier
100 g de crème double
50 g de beurre froid
du raifort frais râpé
sel, poivre, un peu de crème

D'autre part :
de la graisse pour le moule
quelques légumes secs pour la cuisson
un peu de sucre en poudre
un peu de confiture d'abricot

Préparation

1. Pétrir rapidement tous les ingrédients de la pâte et en former une pâte brisée. Couvrir et laisser reposer environ 1 h.
2. Dérouler en une pâte fine et étendre celle-ci sur un moule démontable à bords hauts (Kouglof) de 12 cm de diamètre, en laissant dépasser le bord de 3 cm au moins. Répartir des légumes secs sur la pâte, la mettre au four préchauffé à 180° et laisser cuire 12 à 14 mn à sec.
3. Faire blanchir le chou. Couper le boudin et les saucisses en tranches de 1 cm d'épaisseur. Éplucher les pommes, les épépiner et les couper en fines lamelles.
4. Parsemer la pâte précuite de chapelure. Déposer en couches successives le chou, la saucisse de foie, les lamelles de pommes et le boudin. Parsemer de chapelure. Terminer par une rosace de tranches de pommes. Remettre au four pendant environ 18 mn.
5. Peler les échalotes, les hacher finement, y ajouter le fond de volaille, le vin blanc et la feuille de laurier, porter à ébullition et laisser réduire de moitié.
6. Passer la sauce au chinois. Ajouter la crème double, mélanger et porter de nouveau brièvement à ébullition. Ajouter le beurre en copeaux, battre et assaisonner en ajoutant le raifort, le sel, le poivre et la crème.
7. Juste avant la fin de la cuisson, saupoudrer le gâteau de sucre en poudre et laisser légèrement caraméliser. Glacer les pommes avec de la confiture d'abricot.
8. Démouler le gâteau et égaliser les bords. Passer la sauce au mixer afin d'obtenir une mousse bien veloutée.
9. Découper le gâteau en morceaux à l'aide d'un couteau électrique. Disposer chacun des morceaux au milieu d'une assiette et garnir de sauce. Décorer selon les goûts avec des airelles rouges.

Kartäuserklöße

(« Boulettes » des Chartreux)

Ingrédients
(pour 4 personnes)

250 g de mie de pain
/8 l de lait
annelle
paquet de sucre vanillé
el
hapelure
un peu de beurre pour la cuisson
un peu de sucre

Préparation

1. Couper la mie de pain en gros cubes égaux. Aromatiser le lait de cannelle, de sucre vanillé et de sel.
2. Tremper les dés de pain dans le lait, presser légèrement et les rouler dans la chapelure.
3. Faire fondre du beurre dans une poêle et faire revenir brièvement les cubes de pain. Placer la poêle dans le four préchauffé à 200° et laisser roussir environ 5 mn. Mélanger le sucre et la cannelle et rouler les cubes de pain dans cette poudre.
4. Servir les « boulettes » accompagnées d'un sabayon ou d'une glace au sabayon.

Sabayon

Ingrédients
(pour 4 à 6 personnes)

4 dl de vin blanc
8 jaunes d'œufs
320 g de sucre
un filet de jus de citron

Préparation

Battre au fouet tous les ingrédients dans un saladier en métal placé dans un bain-marie frémissant jusqu'à ce que le mélange devienne mousseux et bien homogène.

Glace au sabayon

Ingrédients
(pour 4 à 6 personnes)

1,3 l de vin,
10 jaunes d'œufs, 600 g de sucre,
500 g de beurre froid

Préparation

1. Porter le vin à ébullition, battre les jaunes d'œufs et le sucre jusqu'à ce que le mélange devienne mousseux et l'incorporer au vin.
2. Passer le tout au mixer. Ajouter peu à peu le beurre coupé en petits morceaux.
3. Verser le mélange dans un saladier et laisser refroidir. Placer le saladier au congélateur. Rebattre de temps en temps le mélange afin d'obtenir une masse congelée bien homogène.

Crème caramel

Ingrédients
(pour 4 personnes)

50 g de sucre
5 jaunes d'œufs
1/4 l de crème fraîche
1/8 l de lait

Préparation

1. Verser le sucre dans une casserole et le faire caraméliser. Attention, le caramel est très chaud.
2. Battre les jaunes d'œufs avec la crème fraîche et le lait et verser cette préparation sur le caramel.
3. Battre le mélange dans un bain-marie bien chaud sans cesser de tourner jusqu'à ce que le caramel se soit complètement dissous et que la crème épaississe. En remplir des petites coupes à dessert et laisser refroidir complètement.

Crêpes aux framboises

(photo ci-dessus)

Ingrédients
(pour 4 personnes)

200 g de farine
1 pincée de sel
230 g de sucre
10 œufs
1/2 l de lait
70 g de beurre fondu
3 cuil. à soupe d'eau-de-vie de framboise
un peu de beurre pour la poêle et le moule
1/2 l de Sylvaner
1/2 cuil. à café de cannelle
500 g de framboises
un peu de sucre pour le moule
2 dl de lait
100 g de macarons aux amandes émiettées
80 g de beurre

Préparation

1. Bien mélanger à la spatule la farine, le sel, 80 g de sucre, 6 œufs, et le lait. Ajouter peu à peu le beurre coupé en petits copeaux en remuant. Laisser reposer la pâte 1 h.
2. Verser l'eau-de-vie de framboise en tournant toujours. Beurrer une poêle à revêtement anti-adhésif, la placer sur le feu et y verser un peu de pâte. Faire dorer les crêpes une à une, sur leurs deux faces et les maintenir au chaud au fur et à mesure de leur confection.
3. Mélanger le vin avec 50 g de sucre, ajouter la cannelle et porter à ébullition ; hors du feu, laisser macérer les framboises dans le mélange pendant 8 mn.
4. Fourrer les crêpes avec les framboises, les plier et les disposer dans un moule à gratin beurré et saupoudré de sucre.
5. Battre les œufs restants avec le reste de sucre. Ajouter le lait, mélanger et verser sur les crêpes. Parsemer de miettes de macarons et verser uniformément au-dessus le beurre fondu. Mettre au four préchauffé à 180° et laisser gratiner 10 mn.

Kerscheplotzer

(Clafoutis aux cerises)

Ingrédients
(pour 4 personnes)

4 petits pains au lait (de la veille)
3/8 l de lait tiède
50 g de beurre
60 g de sucre
3 jaunes d'œufs
750 g de cerises (non dénoyautées)
le zeste râpé de 1 citron non traité
20 g d'amandes hachées
3 blancs d'œufs
du gras pour le moule

Pour le glaçage :
2 cuil. à soupe de sucre
1 cuil. à café de cannelle

Préparation

1. Gratter la croûte brune des petits pains. Les couper en fines tranches et les arroser de lait.
2. Battre le beurre, le sucre et les jaunes d'œufs jusqu'à ce que le mélange soit mousseux et l'incorporer aux tranches de pain imbibées. Laver les cerises, les sécher et les ajouter avec le zeste de citron et les amandes.
3. Monter les œufs en neige ferme et les mélanger délicatement à la préparation. Verser le tout dans un plat à gratin (ou à soufflé) préalablement graissé. Faire cuire dans le four préchauffé à 200° pendant environ 45 mn. Saupoudrer de sucre et de cannelle. Servir immédiatement.

Bavarois au cidre sur anneaux de pommes

Ingrédients

(pour 4 personnes)

Pour le bavarois :

2 jaunes d'œufs, 60 g de sucre

7 dl de crème

20 g de sucre vanillé

5 feuilles de gélatine blanche

2 pommes douces (Golden Delicious ou Cox Orange)

1 pincée de clou de girofle en poudre

1,25 dl de cidre doux

Pour les anneaux de pommes :

2 pommes mûres (par exemple, des Boskoop ou des Jonagold)

2 cuil. à soupe d'amandes effilées

2 cuil. à soupe de sucre brun

1,5 dl de cidre brut

2 cl d'eau-de-vie de pomme (Calvados)

4 feuilles de citronnelle (ou de menthe)

Préparation

1. Pour le bavarois : battre les jaunes d'œufs et 30 g de sucre jusqu'à ce que le mélange devienne mousseux. Faire chauffer dans une casserole 1/2 l de crème, le reste du sucre et le sucre vanillé jusqu'à ce que le mélange frémisse.

2. Retirer la casserole du feu et battre au fouet. La replacer sur le feu et continuer de fouetter jusqu'à ce que le mélange épaississe. La crème ne doit pas bouillir.

3. Mettre la gélatine à ramollir dans de l'eau froide, la laisser égoutter et l'incorporer en remuant à la crème chaude. Retirer de nouveau la casserole du feu.

4. Éplucher les pommes, les épépiner et les passer au mixer fin. Battre le reste de la crème jusqu'à ce qu'elle épaississe en Chantilly. Mélanger la purée de pommes, le clou de girofle en poudre et le cidre dans la crème encore chaude en remuant sans cesse, laisser refroidir. Avant que le mélange ne prenne, incorporer délicatement la crème Chantilly et verser la préparation obtenue dans des petits moules individuels. Laisser refroidir au réfrigérateur puis démouler en retournant les moules sur des assiettes à dessert.

5. Pour les anneaux de pommes : éplucher les pommes, ôter le cœur à l'aide d'un vide-pomme, et les couper en anneaux. Griller les amandes effilées, saupoudrer de sucre et laisser légèrement caraméliser.

6. Déglacer d'abord avec le cidre, puis avec l'eau-de-vie de pomme. Ajouter les anneaux de pommes et laisser un peu ramollir.

7. Dresser les anneaux de pommes, les amandes effilées et la sauce autour des petits bavarois. Décorer de feuilles de citronnelle.

Strudel [1] en pâte de pommes de terre (photo ci-dessus)

Ingrédients

(pour 4 personnes)

300 g de pommes de terre

250 g de farine

1 paquet de levure en poudre

125 g de sucre

100 g de beurre

1 paquet de sucre vanillé

2 œufs, 750 g de pommes

65 g de raisins secs

65 g de sucre

1 cuil. à café de cannelle en poudre

un peu de beurre fondu

Préparation

1. La veille, faire bouillir les pommes de terre dans une grande quantité d'eau salée, les peler immédiatement et les laisser refroidir.
2. Le lendemain, râper les pommes de terre et les mélanger avec la farine et la levure. Ajouter le sucre, le beurre, le sucre vanillé et les œufs. Pétrir avec énergie jusqu'à ce que la pâte soit bien ferme. Si la pâte est trop molle, rajouter un peu de farine.
3. Dérouler la pâte de pommes de terre en un grand rectangle de 30 cm x 40 cm. Éplucher les pommes, les couper en petits morceaux et mélanger avec les raisins secs, le sucre et la cannelle.
4. Répartir le mélange sur la pâte et la rouler dans le sens de la longueur. Badigeonner de beurre, mettre au four préchauffé à 200-225° et laisser cuire pendant 30 mn jusqu'à ce que la pâte soit bien dorée. Servir avec une crème à la vanille.

1. Le terme de « Strudel » (ici « Kartoffelstrudel », Strudel en pâte de pommes de terre) désigne en Allemagne du Sud et en Autriche des chaussons allongés qui se découpent comme un gros saucisson fourré généralement aux pommes et aux graines de pavot.

Gâteaux de pommes de terre (sur coulis de framboises)

Ingrédients

(pour 4 personnes)

Pour le coulis de framboises :

400 g de framboises fraîches ou surgelées

5 dl de vin rouge

70 g de sucre

2 cl d'eau-de-vie de framboise

Pour les gâteaux de pommes de terre :

400 g de pommes de terre bouillies

20 g de sucre vanillé

1 zeste de citron non traité

75 g de sucre

1 pincée de sel

1 œuf

du beurre pour le moule

2 cuil. à soupe de chapelure

D'autre part :

2 cuil. à soupe de crème double

Préparation

1. Laver les framboises et les laisser ramollir dans le vin rouge. Les passer au chinois et presser légèrement. Ajouter le sucre au coulis et remuer l'ensemble jusqu'à la dissolution complète du sucre. Aromatiser le coulis avec l'eau-de-vie de framboise.
2. Peler les pommes de terre, les râper finement, ajouter le sucre vanillé, le zeste de citron, le sucre, le sel, l'œuf et mélanger parfaitement le tout.
3. Enduire de beurre 4 petits ramequins à soufflé et saupoudrer de chapelure. Verser le mélange dans les ramequins, mettre au four préchauffé à 240° et laisser cuire environ 30 mn.
4. Retirer les ramequins du four et laisser refroidir 5 mn. Démouler les gâteaux et dresser sur le coulis de framboises. Garnir de crème double.

Gaufres aux œufs et aux pommes de terre (photo ci-dessous)

Ingrédients
(pour 8 portions)

2,5 kg de pommes de terre
2 poireaux, 5 œufs
5 à 6 cuil. à soupe de farine
sel, poivre, 15 g de levure
de l'huile pour la cuisson

Préparation

1. Éplucher les pommes de terre, les râper et les presser dans un linge. Laver les poireaux et les couper en fines lanières. Les mélanger aux pommes de terre avec les œufs et la farine, saler, poivrer.
2. Délayer la levure dans un peu d'eau tiède et l'ajouter. Faire chauffer un gaufrier et l'enduire d'huile. Verser de la pâte dans le gaufrier au fur et à mesure et laisser dorer. Servir les gaufres bien chaudes.

Versoffene Schwestern

Ingrédients
(pour 4 personnes)

125 g de farine, 1/8 l de lait, 1 œuf
50 g de beurre
1 l de Riesling du Palatinat
1 bâton de cannelle
3 clous de girofle

Préparation

1. Battre au fouet la farine, le lait et l'œuf. Laisser reposer la pâte 1 h.
2. Faire fondre le beurre dans une poêle. Confectionner avec un peu de pâte 2 ou 3 fines crêpes et les couper en lanières.
3. Faire chauffer le vin avec la cannelle et les clous de girofle, sans porter à ébullition. Retirer le bâton de cannelle et plonger les crêpes dans le vin aromatisé.

Boulettes aux quetsches du Palatinat

Ingrédients

(pour 4 personnes)

1 kg de pommes de terre qui restent fermes à la cuisson

300 g de farine, 2 petits œufs

sel, 1 pincée de muscade

500 g de quetsches

du sucre en morceaux (petits cubes de préférence)

6 à 8 cuil. à soupe de chapelure

50 g de beurre, du sucre et de la cannelle pour saupoudrer

Préparation

1. Faire cuire les pommes de terre la veille de préférence. Le lendemain, les peler et les écraser. Ajouter la farine, les œufs, 1 pincée de sel et la muscade ; pétrir jusqu'à ce que la pâte soit bien lisse.

2. Former avec la pâte un rouleau d'environ 7 cm de diamètre et le couper en grosses tranches.

3. Dénoyauter les quetsches et fourrer chacune d'elles d'un morceau de sucre. Poser les quetsches fourrées au milieu des tranches de pâte à pomme de terre et former une petite boulette.

4. Faire bouillir une grande quantité d'eau salée. Réduire la température, plonger les boulettes dans l'eau, une portion après l'autre, et laisser pocher à feu doux 10 à 15 mn. L'eau ne doit pas bouillir.

5. Faire fondre le beurre et faire griller la chapelure. Laisser égoutter les boulettes dans une passoire et les rouler dans la chapelure. Saupoudrer de sucre et de cannelle, servir immédiatement.

Le vin : choisir en fonction de ses goûts

Hannelore Kohl :
Je cherche un vin pour accompagner des rôtis de bœuf. Que pensez-vous de le « Bourgogne gris »[1] ?

Alfons Schuhbeck :
Il convient parfaitement en toutes circonstances. La devise : « Est permis tout ce qui plaît » s'est depuis long-temps imposée. La règle : « Du vin rouge pour les viandes rouges, du vin blanc pour les viandes blanches et le poisson » n'est plus en vigueur car elle limite trop les choix de chacun.

Hannelore Kohl :
À quoi doit-on particulièrement prendre garde pour entreposer son vin ?

Alfons Schuhbeck :
Le lieu de conservation doit être un endroit frais et sombre. Le vin prend facilement des odeurs au travers du bouchon : des oignons ou des pots de peinture mal fermés lui sont un envi-ronnement particulièrement défavo-rable. Les variations de température peuvent également nuire au vin. De plus, il est important d'entreposer le vin dans des bouteilles couchées pour que le bouchon ne se dessèche pas, sinon le vin peut s'oxyder et perdre de sa saveur.

Hannelore Kohl :
Quel assortiment recommandez-vous pour une cave de particulier ?

Alfons Schuhbeck :
Il ne faudrait jamais acheter un quelconque « vin à la mode » mais plutôt prendre son temps pour essayer

Voici un « Bourgogne gris » de la Route des Vins méridionale.
En fait de cépage, de terroir ou d'année, c'est le goût personnel qui prévaut.

en toute tranquillité et à loisir ce qui correspond le mieux à la personnalité de chacun. L'idéal serait d'avoir toujours chez soi des « Schoppen-weine » — des vins simples qui peu-vent se débiter par carafons, par « chopines » — et qui sont parfaits pour la consommation quotidienne. On peut y ajouter, selon la nature du repas, un vin de chaque sorte, un vin blanc sec, un demi-sec et un rouge. Et peut-être aussi un « vendanges tardives » et un cru sélectionné pour les grandes occasions. Plutôt que n'importe quel assortiment de vins différents, il est préférable d'avoir une petite réserve de crus que vous aimez vraiment. Elle permet de parer à toute éventualité si une soirée agréable entre invités se prolonge plus longtemps que prévu.

1. Grauburgunder : vin blanc de type bour-gogne qui est cultivé et récolté principale-ment dans le pays de Bade.

Entre le Main et la Werra [1]

Par Helmut Kohl

Je suis un lecteur acharné et je me sens, de ce fait, tout naturellement attiré par Francfort et sa Foire du Livre. Cette ville a tant de choses à offrir, elle a été un foyer central de l'histoire et elle est aujourd'hui l'un des centres bancaires et commerciaux les plus importants du monde. Ici, les Empereurs allemands étaient élus et couronnés, mais je pense aussi à un homme tel que Meyer Amschel Rothschild qui, issu d'un milieu très humble, devint il y a plus de deux cents ans le symbole de l'émancipation juive en Allemagne, et fonda l'une des plus grandes banques privées internationales.

▶

Entre le Main et la Werra

La rotonde de l'église Saint-Paul nous rappelle pour sa part la tradition libérale et démocratique de notre pays [2].

À proximité se dressent aujourd'hui d'audacieux gratte-ciel qui ont valu à Francfort le surnom de « Mainhattan ». C'est ce voisinage du traditionnel et de la modernité qui saisit immédiatement les millions de visiteurs étrangers en Allemagne. « Typiquement allemand », voilà ce que pensent les touristes et les hommes d'affaires venant d'Asie, d'Amérique latine et des États-Unis, en débarquant dans la ville des foires au bord du Main. Ensuite ils iront peut-être faire une petite excursion dans les environs, pour voir la pittoresque « Bergstraße », la « Route des Monts » (sur la rive droite du Rhin, entre Heidelberg et Darmstadt) ou pour visiter les pentes couvertes de vigne du « Rheingau » (le « pays » du Rhin, sur la rive droite entre l'embouchure du Main et les collines en face de Coblence), ou encore les monts du Spessart avec leurs forêts profondes au nord du Main inférieur, ou ceux de l'Odenwald au sud. Dans ces pays, ma femme et moi aimons — nous aussi — faire des randonnées.

Les soldats américains stationnés en Hesse depuis un demi-siècle ont également découvert et apprécié les usages de la région, et certains les ont emportés avec eux en retournant dans leur patrie. Ce n'est pas un hasard si les États-Unis sont le plus gros importateur au monde de saucisses de Francfort ! Dans le monde entier, ces saucisses sont le symbole de l'hospitalité allemande, au même titre que les côtes de porc fumées à la choucroute ou la « Couronne de Francfort » (« Frankfurter Kranz ») fort appréciée par les amateurs de gâteaux. Pour concocter la fameuse « sauce verte » il ne faut — à en croire les maîtresses de maison hessoises — pas moins de neuf herbes différentes. On la mange de préférence avec du bœuf bouilli, mais le Vendredi saint, tout simplement avec des pommes de terre nouvelles. Ce fut là un des mets préférés de Johann Wolfgang von Goethe.

Une autre spécialité hessoise prouve que la vie économique du pays a influencé sa culture gastronomique. C'est vers 1840 que furent servis pour la première fois dans le salon du banquier et échevin Moritz von Bethmann les « Bethmännchen », les « petits bonshommes Bethmann », concoctés par la maîtresse de maison pour accompagner le café du goûter. Conçu dans une des familles les plus estimées de Francfort, ce mets délicieux trouva vite de nombreux imitateurs. Jusqu'à nos jours les petites pyramides de massepain ornées de chaque côté d'une moitié d'amande, comptent, à côté des « Printen » d'Aix-la-Chapelle et des pains d'épice de Nuremberg, parmi les pâtisseries allemandes typiques du temps de l'Avent.

Entre les mois d'avril et de juin, on peut aussi assister à Rüdesheim, à Johannisberg, à Eltville (ville du « Rheingau »), à Gensenheim près de Mayence et au monastère d'Eberbach, à des ventes de vins aux enchères qui attirent connaisseurs et amateurs du monde entier. La popularité de ces grands vins n'est pourtant pas beaucoup plus grande que celle de l'« Ebbewoi » (« Apfelwein », vin de pommes), le fameux cidre que l'on sert dans des cruches en terre cuite. En Hesse on le boit accompagné de « fromage à la main avec musique » (« Handkäse mit Musik »), un fromage bien relevé avec une marinade de vinaigre et d'huile.

1. Rivière hessoise qui se dirige vers le nord pour s'unir à la Fulda et former la Weser.
2. C'est dans l'église Saint-Paul de Francfort que se réunit en 1848 la première Assemblée nationale allemande.

Les berges de la Fulda à Melsungen en Hesse. Cette localité pittoresque se trouve sur la « Route allemande des vacances ».

Pâté de foie aux herbes, en croûte

Ingrédients
(pour 6 à 8 personnes)

300 g de farine
1 œuf, 150 g de beurre froid
3 à 5 cuil. à soupe d'eau, sel
1 petit pain de la veille
1 dl de crème fraîche liquide
500 g de porc haché
100 g d'un talon de jambon
250 g de foie de porc
1 œuf
1 botte de persil ciselée, poivre
2 cl de kirsch
1 branche de thym
1 filet mignon de porc
(environ 400 g)
1 jaune d'œuf pour badigeonner
400 g de baies mélangées
(groseilles, framboises et mûres)
3 cuil. à soupe de gelée de groseille
2 cuil. à soupe de moutarde demi-forte

Préparation

1. Pétrir la farine, l'œuf, le beurre coupé en copeaux, l'eau et le sel pour former une pâte brisée et la laisser reposer.
2. Couper le petit pain en dés, faire chauffer la crème fraîche liquide et les en arroser. Passer au mixer fin le porc haché, le talon de jambon, le foie, le pain mouillé et l'œuf jusqu'à obtention d'une fine purée. Y ajouter les feuilles de persil ciselé, un peu de sel, du poivre, le kirsch et le thym émietté. Bien mélanger la masse.
3. Dérouler la pâte brisée en une pâte fine et l'étaler dans un moule à cake (moule à pâté d'environ 27 cm x 10 cm). Piquer le fond à la fourchette. Y répartir la moitié de la farce, ajouter le filet de porc salé et poivré et recou-vrir du reste de farce en égalisant bien la surface. Façonner un couvercle avec la pâte et le déposer par-dessus. Faire deux chemi-nées dans la pâte à l'aide d'un dé à coudre. Façonner avec le reste de la pâte des motifs et en garnir le pâté. Badigeonner du jaune d'œuf battu. Mettre au four préchauffé à 180° et laisser cuire environ 1 h 10. Laisser refroidir dans le four puis démouler.
4. Pour la sauce : écraser un tiers des baies dans une passoire, ajouter au jus ainsi obtenu la gelée de groseille et la moutarde, mélanger jusqu'à obtention d'une sauce lisse et ajouter les baies restantes. Saler, poivrer la sauce et la servir avec le pâté de foie.

Pommes de terre farcies au four

Ingrédients

(pour 4 personnes)

4 belles pommes de terre

100 g de jambon cru

1 oignon

1 cuil. à soupe de beurre clarifié

125 g de crème fraîche

2 œufs (jaunes et blancs séparés)

sel

poivre

50 g de beurre

2 cuil. à soupe de ciboulette

Préparation

1. Laver les pommes de terre et les envelopper dans du papier en aluminium. Les placer dans le four préchauffé à 250° et laisser cuire environ 45 mn. Couper le jambon cru et l'oignon pelé en dés, les faire revenir dans le beurre clarifié, ajouter la crème et porter à ébullition. Retirer le plat du feu et incorporer les jaunes d'œufs. Monter les blancs d'œufs en neige, les incorporer, saler, poivrer.
2. Retirer le papier aluminium des pommes de terre, découper un couvercle et les évider. Ecraser en purée la chair des pommes de terre obtenue et la porter sur feu doux en ajoutant du beurre sans cesser de tourner. Saler, poivrer, ajouter la ciboulette. Incorporer peu à peu le mélange crémeux à la purée et en farcir les pommes de terre. Mettre à gratiner au four à 180°.

Terrine de foie de bœuf au filet de porc *(photo ci-dessus)*

Ingrédients

(pour 6 à 8 personnes)

750 g de foie de bœuf

1/2 l de lait

1 filet de porc (environ 500 g)

beurre clarifié pour rôtir

375 g de panse de porc fraîche (à commander la veille chez votre tripier)

3 oignons pelés et coupés en 2

3 cuil. à soupe de pâte d'anchois en tube

sel

thym émietté

poivre noir

8 cl de Porto

150 g de crème fraîche

Pour la garniture :
feuilles de laurier, cerises à cocktail et thym frais

Préparation

1. Couper le foie de bœuf en cubes d'environ 3 cm de côté et laisser mariner dans le lait pendant 1 h.
2. Entre-temps, faire revenir le filet de porc sur tous ses côtés dans du beurre fondu. Le retirer et laisser refroidir. Passer à la grille fine d'un hachoir le foie de bœuf avec la panse de porc coupée en morceaux et les oignons préparés. Ajouter la pâte d'anchois et les épices à la masse obtenue.
3. Mélanger le tout en ajoutant le Porto et la crème. Bien épicer. Etaler le tiers du mélange de foie sur le fond d'un moule à terrine, disposer le filet de porc par-dessus et recouvrir du reste du mélange de foie. Egaliser la surface.
4. Placer la terrine dans un bain-marie à 180°, couvrir et laisser cuire pendant 1 h. Laisser refroidir dans le four éteint en laissant la porte légèrement entrouverte.
Retirer la terrine du four et la décorer des éléments de la garniture. Laisser raffermir dans le réfrigérateur. Servir accompagné de baguette fraîche ou de pain aux noix.

Poitrine de bœuf, sauce aux herbes *(photo ci-dessous)*

Ingrédients
(pour 4 personnes)

800 g de poitrine de bœuf

1 oignon

2 feuilles de laurier

2 baies de genièvre

2 clous de girofle

sel

1,5 l d'eau

1 bouquet garni (oseille, pimprenelle, cresson, cerfeuil, fenouil, persil)

150 g de yaourt

2 dl de crème liquide

4 cuil. à soupe de mayonnaise

2 œufs durs

poivre, sel

Préparation

1. Plonger dans l'eau frémissante la viande avec l'oignon, les feuilles de laurier, les baies de genièvre, les clous de girofle et le sel. Laisser cuire à petit feu environ 1 h 30.
2. Pour la sauce : mélanger les herbes hachées, le yaourt, la crème liquide, la mayonnaise et les œufs durs hachés. Saler, poivrer en abondance. Couper la viande en tranches, les disposer sur un plat de service et l'accompagner de sauce aux herbes.

Salade de filet de bœuf

Ingrédients
(pour 4 personnes)

1 petite trévise

100 g de mâche

150 g de champignons de Paris roses et blancs

1 petit oignon rouge pelé

1 steak dans le filet (environ 250 g)

20 g de beurre

sel, poivre

Pour la « vinaigrette » :

2 à 3 cuil. à soupe de vinaigre

sel, poivre

1/2 cuil. à café de sucre

6 cuil. à soupe d'huile

Préparation

1. Laver les salades et les champignons et laisser égoutter. Détacher les feuilles de la trévise, couper les champignons et l'oignon en lamelles.
2. Faire revenir le steak 4 à 6 mn de chaque côté dans du beurre chaud. Assaisonner en sel et en poivre et le couper en lanières.
3. Mélanger tous les ingrédients de la « vinaigrette », en assaisonner la salade et recouvrir des lanières de filet de bœuf.

Velouté de pommes de terre

Ingrédients
(pour 4 personnes)

100 g de lard maigre fumé

5 oignons

1 poireau

1/2 céleri-rave

2 carottes

500 g de pommes de terre farineuses à la cuisson

1 cuil. à soupe de saindoux

1 l de bouillon de bœuf

1 feuille de laurier

4 baies de genièvre

sel

poivre

1 pincée de sucre

2 tranches de pain blanc

1 cuil. à café de beurre

1 dl de crème fraîche liquide

Préparation

1. Couper le lard en dés. Peler les oignons, en couper trois en dés et deux en anneaux. Laver les légumes et les couper en dés. Laver les pommes de terre, les éplucher et les couper en tranches.
2. Faire chauffer le saindoux, y faire revenir le lard, ajouter les légumes et les oignons coupés en dés et faire brièvement rissoler. Ajouter les pommes de terre et verser le bouillon. Ajouter la feuille de laurier et les baies de genièvre. Assaisonner la soupe avec du sel, du poivre et une pincée de sucre. Couvrir et laisser cuire environ 30 mn.
3. Pendant ce temps, couper le pain en dés et le faire dorer à la poêle. Faire blondir les rondelles d'oignons dans un peu de beurre.
4. Battre la soupe au fouet, ajouter la crème fraîche et porter brièvement à ébullition. Verser la soupe dans une soupière préchauffée et parsemer de rondelles d'oignons et de croûtons grillés. Accompagner selon les goûts de saucisses de Francfort, de saucisses de bœuf grillées ou encore de viande fumée, viande des Grisons par exemple.

Sauce verte à la manière de Francfort (photo page de droite)

Ingrédients
(pour 4 personnes)

2 œufs durs

3 cuil. à soupe d'huile

150 g de yaourt

1,5 dl de crème liquide

1 bouquet garni

(bourrache, cresson, cerfeuil, ciboulette, oseille, pimprenelle, persil)

1 gousse d'ail

le jus de 1/2 citron

1 cuil. à café de moutarde

sel, poivre

1 pincée de sucre

1 cornichon

1 petit oignon

Préparation

1. Écaler les œufs, les couper en deux, retirer les jaunes et les écraser avec l'huile jusqu'à ce que le mélange soit lisse. Ajouter le yaourt et la crème. Laver les herbes et les hacher finement. Peler la gousse d'ail, l'écraser et l'ajouter au mélange. Assaisonner avec le jus de citron, la moutarde, le sel, le poivre et le sucre.
2. Hacher menu les blancs d'œufs et le cornichon, peler l'oignon, le râper et incorporer le tout à la sauce. Cette sauce accompagne très bien les œufs durs, par exemple.

« Betteraves rouges »

Ingrédients
(pour 4 portions)

500 g de betteraves rouges

sel

2 oignons

1 cuil. à café de raifort râpé finement

4 à 6 cuil. à soupe de vinaigre

sucre selon les goûts

1/2 cuil. à café de cumin

Préparation

1. Ne couper aux betteraves ni la racine ni la queue afin qu'elles ne perdent pas trop leur goût à la cuisson. Bien les laver à l'aide d'une brosse sous l'eau courante. Les plonger dans de l'eau bouillante salée et laisser cuire environ 1 h à 1 h 30.
2. Jeter l'eau de cuisson, passer les betteraves sous l'eau froide afin que leur peau s'en détache plus facilement. Peler les betteraves encore tièdes et les couper en tranches. Peler les oignons, les couper en anneaux et les mélanger aux betteraves avec le raifort. Mélanger le vinaigre et un peu d'eau avec le sel, le sucre et le cumin et verser sur la salade. Placer le tout dans un récipient en verre ou dans un saladier, couvrir et laisser mariner 2 à 3 jours. Servir pour accompagner du bœuf cuit, des saucisses grillées ou des boulettes de viande.

Hannelore Kohl

« Pour le velouté de pommes de terre, il est important d'utiliser des pommes de terre farineuses à la cuisson, telles que les Bindge par exemple. C'est la condition sine qua non pour obtenir un beau velouté bien crémeux. »

Potée de bœuf aux oignons (photo ci-dessous)

Ingrédients
(pour 4 personnes)

500 g de bœuf dans les basses-côtes
125 g de lard maigre
1 kg d'oignons
30 g de beurre clarifié
sel
poivre
1 cuil. à café de cumin
1/2 cuil. à café de paprika doux en poudre
1/2 l de bouillon de viande
1/2 l de vin blanc
500 g de pommes de terre
120 g de fromage à fondre
(genre Mozzarella)

Préparation

1. Couper la viande en cubes et le lard en petits dés. Peler les oignons et les couper en anneaux.
2. Faire chauffer le beurre clarifié et faire revenir le lard puis la viande. Ajouter les oignons, assaisonner de sel et de poivre et laisser étuver brièvement. Arroser de bouillon et de vin, couvrir et laisser de nouveau mijoter pendant 50 mn.
3. Incorporer les pommes de terre épluchées et coupées en dés et laisser cuire pendant 30 à 40 mn. Juste avant de servir, ajouter le fromage et le laisser fondre dans la potée.

Carré de porc braisé

Ingrédients
(pour 4 personnes)

1,5 kg de carré de porc
(côtes non désossées d'un seul tenant)
1 carotte
1 oignon piqué de deux clous de girofle
3 gousses d'ail
1 poireau (ne prendre que la partie blanche)
1/2 tige de céleri
sel
1 cuil. à soupe de saindoux

Préparation

1. Inciser en losanges la couche de graisse de la rangée de côtes de porc. Plonger la viande et les légumes coupés en petits morceaux dans une cocotte remplie d'eau de façon à ce que la viande soit recouverte d'environ 3 cm d'eau. Saler, porter à ébullition et écumer de temps à autre. Laisser mijoter à petit feu environ 45 mn. Retirer la viande du feu et laisser égoutter.
2. Disposer la viande de nouveau dans la cocotte, recouvrir de saindoux fondu, la placer au four préchauffé à 240° et laisser dorer quelques minutes. Servir accompagné des légumes cuits égouttés et maintenus au chaud.

Côtelettes d'agneau aux herbes fines

Ingrédients

(pour 4 personnes)

8 côtelettes d'agneau
(de 80 g chacune)
sel, poivre blanc
100 g de beurre
1 petite gousse d'ail
1/8 l de vin blanc
1 botte de persil
1/2 cuil. à café de cerfeuil haché
1/2 cuil. à café de basilic finement ciselé
le jus et le zeste de 1/2 citron non traité
1/8 l de bouillon de viande très chaud
2 tomates
1 brin d'estragon effeuillé

Préparation

1. Inciser la couche de graisse autour des côtelettes. Saler, poivrer.
2. Faire chauffer la moitié du beurre avec la gousse d'ail écrasée et y faire revenir les côtelettes à feu doux 5 mn de chaque côté. Retirer du feu et maintenir au chaud.
3. Déglacer le fond de cuisson de la viande avec le vin blanc. Ajouter les herbes hachées, le jus et le zeste du citron finement râpé. Arroser du bouillon de viande et laisser réduire 10 mn. Couper le beurre restant en petits copeaux et les incorporer en battant au fouet. Verser la sauce sur les côtelettes. Garnir de tomates pelées et coupées en deux et de feuilles d'estragon.

Côtelettes d'agneau à la menthe

Ingrédients

(pour 4 personnes)

8 côtelettes d'agneau
(de 80 g chacune)
du beurre clarifié
sel
poivre vert moulu
100 g de feuilles de menthe fraîche
50 g de sucre
2 dl d'eau
le jus de 1 citron

Préparation

1. Pour la sauce : couper grossièrement les feuilles de menthe. Porter un peu d'eau à ébullition avec le sucre, y jeter les feuilles de menthe et laisser infuser 1 h. Passer le liquide obtenu au chinois, y verser le jus de citron et laisser réduire la sauce, sur feu moyen.
2. Inciser la couche de graisse autour des côtelettes. Les faire revenir sur leurs deux faces dans le beurre clarifié chaud, saler, poivrer. Les napper d'un peu de sauce et les servir avec des pommes de terre sautées.

Hannelore Kohl

« Les herbes fraîches apportent toujours l'ultime touche raffinée à bien des plats. Un petit potager d'herbes — cultivées même sur le rebord de la fenêtre — garantit un approvisionnement bien utile à l'année. »

Rôti de veau au cidre

(photo ci-dessus)

Ingrédients
(pour 4 personnes)

1 kg de poitrine de veau
(ou d'épaule de veau)
sel
poivre
1 belle pomme acide
1 carotte
1/4 céleri-rave
2 oignons
1 gousse d'ail
30 g de beurre
1/2 l de cidre
2 cl d'eau-de-vie de pomme
(Calvados)
3 cuil. à café de marjolaine en poudre
4 cuil. à soupe de crème fraîche
un trait de sauce Worcester

Préparation

1. Saler et poivrer la viande.
Éplucher la pomme, la couper en deux et l'épépiner.
Laver la carotte et le céleri-
rave, peler les oignons et
l'ail et hacher le tout assez
grossièrement.
2. Faire chauffer le beurre
dans une cocotte et y faire
revenir la viande sur tous
ses côtés. Arroser de cidre
et d'eau-de-vie de pomme,
ajouter les légumes et la
marjolaine, couvrir et
laisser étuver à feu doux
environ 2 h.
3. Retirer la viande de la
cocotte et la maintenir au
chaud. Passer le fond de
cuisson du rôti au tamis,
lier avec la crème fraîche
et la sauce Worcester, saler,
poivrer. Servir accompagné
de pommes de terre cuites
à l'eau salée et de céleri
en branches.

Rôti de bœuf mariné

Ingrédients
(pour 4 personnes)

1,2 kg de bœuf dans le filet ou dans
le faux-filet
sel
poivre
beurre clarifié
1 cuil. à soupe de moutarde en grains
1/2 botte de sarriette émiettée
1/2 botte de thym émietté
100 g de bacon maigre coupé en
fines tranches
6 à 8 belles feuilles de vigne fraîches
ou macérées
1/4 l de vin blanc sec
200 g de raisins épépinés

Préparation

1. Saler et poivrer la viande.
La faire revenir vivement sur
tous ses côtés dans le beurre
clarifié bien chaud. Mélanger la moutarde et la sarriette et en badigeonner la
viande. Recouvrir de thym et
de bacon. Étaler les feuilles
de vigne lavées sur une surface plane en les laissant
dépasser largement, disposer
le rôti au milieu et refermer
les feuilles de vigne sur la
viande.
2. Attacher le tout avec du
fil de cuisine, placer dans
une cocotte et verser le vin
blanc. Couvrir, placer au
four à 190° et laisser étuver
en comptant 15 mn par cen-
timètre d'épaisseur de la
viande. Vingt minutes avant
la fin de la cuisson, ajouter
les raisins.
3. Retirer les feuilles de
vigne. Disposer le rôti garni
de raisins sur un plat de service et l'arroser de son
propre jus.

Poitrine de bœuf, sauce à la ciboulette *(photo ci-dessus)*

Ingrédients
(pour 4 personnes)

- 750 g de poitrine de bœuf
- 3 clous de girofle
- 1 feuille de laurier
- 1,5 cuil. à soupe de poivre en grain
- 1 bouquet garni

Pour la sauce :

- 150 g de mayonnaise
- 150 g de yaourt
- le jus de 1 citron
- sel
- poivre blanc
- sel de céleri
- 1 petit oignon
- 2 bottes de ciboulette
- quelques feuilles de cresson
- 2 cornichons
- 1 œuf dur

Préparation

1. Plonger la viande dans de l'eau bouillante salée avec les clous de girofle, la feuille de laurier et le poivre en grain, couvrir et laisser cuire 1 h 30. Ajouter le bouquet garni et laisser cuire de nouveau avec la viande environ 30 mn. Couvrir et laisser refroidir la viande dans le bouillon de cuisson.
2. Pour la sauce : mélanger la mayonnaise, le yaourt et le jus de citron, bien assaisonner avec du sel, du poivre et du sel de céleri. Peler l'oignon, le hacher menu et l'ajouter à la sauce avec les herbes finement hachées.
3. Couper la viande froide en tranches, la dresser sur un plat de service. La napper d'un peu de sauce, servir le reste séparément en saucière. Décorer le plat avec les cornichons et l'œuf dur coupé en huit et accompagner de pain de campagne.

Rôti de bœuf à la moutarde

Ingrédients
(pour 4 personnes)

- 800 g de bœuf dans l'aloyau
- 200 g d'emmental en un seul morceau
- 2 carottes
- 1 tranche de pain noir
- 30 g de beurre clarifié
- 6 grains de poivre
- sel
- 3 cuil. à soupe de moutarde demi-forte
- 1/4 l de bouillon de viande
- 2 dl de crème liquide

Préparation

1. Couper l'emmental en bâtonnets et les piquer dans le bœuf assez proches les uns des autres. Éplucher les carottes et les couper en rondelles, émietter le pain.
2. Faire chauffer le beurre clarifié dans une cocotte, y faire revenir brièvement les carottes, la moitié des miettes de pain et les grains de poivre. Saler la viande et la badigeonner généreusement de moutarde. La placer dans la cocotte et l'arroser de bouillon de viande. Mettre au four préchauffé à 175° et laisser étuver pendant environ 2 h en l'arrosant de temps à autre.
3. A la fin de la cuisson, retirer la viande du four et la maintenir au chaud. Affiner la sauce avec la crème liquide et le reste des miettes de pain. Accompagner de pommes de terre cuites à l'eau salée et de chou frisé étuvé.

Petit déjeuner paysan de la Hesse *(photo page de droite)*

Ingrédients
(pour 4 personnes)

1 kg de pommes de terre

60 g de beurre

3 cuil. à soupe d'oignons coupés en dés

1/4 l de crème, 1 cuil. à café de jus de citron, sel, poivre

1 botte de cerfeuil ou de persil haché

200 g de jambon cru en tranches

Préparation

1. Faire cuire les pommes de terre, les éplucher et les couper en tranches. Faire fondre le beurre dans une sauteuse et y faire revenir les oignons. Ajouter les pommes de terre et les faire dorer sur toutes leurs faces.
2. Verser la crème sur les pommes de terre, arroser du jus de citron. Saler, poivrer. Saupoudrer de cerfeuil ou de persil et présenter directement dans la sauteuse. Juste avant de servir, disposer les tranches de jambon en rouleaux sur le dessus.

Épaule de porc rôtie *(photo ci-dessus)*

Ingrédients
(pour 4 personnes)

1,2 kg d'épaule de porc avec sa couenne

2 cuil. à soupe de beurre mou

2 gousses d'ail écrasées

2 cuil. à café de moutarde demi-forte

sel

poivre

1/2 botte de citronnelle hachée

1/8 l de bouillon

3/8 l de cidre

750 g de petites pommes de terre rondes

250 g de petits oignons pelés

750 g de pommes

8 cuil. à soupe de crème fraîche battue

Préparation

1. Inciser la couenne de la viande de porc en losanges. Mélanger le beurre, l'ail, la moutarde, le sel, le poivre et la citronnelle et en badigeonner la viande – pas la couenne – avec le mélange obtenu à l'aide d'un pinceau par exemple. Placer la viande dans une cocotte, verser un peu de bouillon chaud sur la viande et laisser rôtir à feu doux jusqu'à ce que le jus soit entièrement évaporé. Déglacer avec un peu de cidre.
2. Une heure plus tard, ajouter les pommes de terre épluchées et les liquides restants. Vingt minutes plus tard, ajouter les oignons, attendre encore 20 mn et ajouter les pommes épépinées et coupées en quartiers. Laisser étuver 10 mn supplémentaires puis retirer la viande de la cocotte et la couper en tranches.
3. Entourer celles-ci de pommes de terre, d'oignons et d'une partie des pommes, lier le fond de sauce de cuisson avec le reste des pommes passées au mixer. Affiner la sauce avec de la crème battue.

« Escalopes » d'agneau marinées

Ingrédients
(pour 4 personnes)

5 cuil. à soupe d'huile

1 gousse d'ail hachée

2 cuil. à soupe de sauce au soja

poivre

4 « escalopes » d'agneau dans le gigot, de 150 g chacune

beurre clarifié pour rôtir

1 poivron jaune

2 tomates charnues

3 échalotes

sel

paprika

1 cuil. à soupe d'herbes mélangées (thym, estragon, basilic)

2 cl de vin blanc

Préparation

1. Mélanger l'huile, l'ail haché, la sauce de soja et le poivre ; y laisser mariner les « escalopes » pendant 3 h.
2. Retirer les « escalopes » de leur marinade, égoutter et les faire revenir 5 à 6 mn dans le beurre clarifié sur leurs deux faces.
3. Laver le poivron, le couper en deux, l'épépiner et le couper en lanières. Faire blanchir les tomates, les peler, les épépiner et les couper en rondelles. Peler les échalotes et les couper en quatre.
4. Retirer la viande du feu et la maintenir au chaud. Faire cuire les légumes avec le paprika et les herbes hachées dans le jus de cuisson de la viande sans cesser de remuer de façon à ce qu'ils gardent leur croquant. Verser le vin et laisser un peu réduire.
5. Servir les « escalopes » garnies de leurs légumes.

Jambon au cidre

Ingrédients

(pour 4 personnes)

1,5 kg de jambon en saumure avec
sa couenne
1 l de bouillon de viande
2 l de cidre
3 feuilles de laurier
3 baies de genièvre
quelques grains de poivre
1 bouquet garni
60 g de beurre
60 g de sucre
4 pommes
1/4 l de crème fraîche liquide
poivre, sel

Préparation

1. Inciser la couenne en forme de croix à l'aide d'un couteau bien aiguisé. Placer le jambon dans un faitout et le recouvrir de bouillon de viande et de cidre. Compléter avec de l'eau si nécessaire. Ajouter les feuilles de laurier, les baies de genièvre, les grains de poivre et le bouquet garni. Porter brièvement à ébullition puis couvrir et laisser mijoter encore pendant 2 h à feu doux. Faire fondre le beurre doucement et ajouter le sucre en tournant.
2. Retirer le jambon de son jus de cuisson et badigeonner la couenne du mélange beurre-sucre. Laisser caraméliser cinq bonnes minutes sous le gril.
3. Pour la sauce : éplucher les pommes, les couper en deux, les épépiner et les couper en morceaux. Porter 1/2 l de jus de cuisson à ébullition avec un peu de sucre et y laisser fondre les pommes jusqu'à ce qu'elles soient molles. Ajouter la crème, porter brièvement à ébullition puis passer la sauce au chinois. Assaisonner avec du sel, du poivre et du sucre. Servir accompagné de choucroute à la crème et de pommes de terre.

Rognonnade de veau aux légumes *(photo ci-dessus)*

Ingrédients

(pour 4 personnes)

2 kg de veau enroulé avec ses
rognons
sel
poivre
250 g d'os de veau finement hachés
1 carotte
1 oignon
2 tomates
1 botte de persil
6 feuilles de sauge
1 brin d'estragon
2 clous de girofle
4 cuil. à soupe de beurre clarifié
1/8 l de vin blanc sec
2 cuil. à soupe de crème fraîche

Préparation

1. Bien saler et poivrer la viande. Placer les os de veau dans une cocotte, disposer la viande au-dessus. Laver et couper en petits morceaux la carotte, l'oignon et les tomates ; les répartir autour du rôti avec les herbes et les clous de girofle.
2. Faire fondre le beurre clarifié et verser sur le rôti. Recouvrir avec du papier sulfurisé, fermer avec un couvercle, placer au four préchauffé à 200° et laisser rôtir pendant 1 h 45. Ajouter de temps à autre un peu d'eau.
3. Retirer le couvercle et le papier sulfurisé. Laisser brunir le rôti encore 10 mn. Le retirer de la cocotte et le débarrasser du papier sulfurisé ; le maintenir au chaud. Déglacer le fond de cuisson avec 1/8 l d'eau chaude. Verser le vin blanc, laisser réduire et passer la sauce au chinois. Lier la sauce avec la crème fraîche et laisser encore légèrement réduire.

Échine de porc sur lit de poireaux

Ingrédients

(pour 4 personnes)

800 g d'échine de porc (sans os)
sel
poivre
3 ou 4 gousses d'ail
8 poireaux moyens
1 cuil. à soupe d'huile d'olive
20 g de beurre
1/8 l de vin blanc sec
1 cuil. à soupe de persil haché

Préparation

1. Bien sécher la viande avec du papier absorbant, saler, poivrer. Peler les gousses d'ail et les couper en julienne. Piquer la viande avec un couteau pointu et enfoncer l'ail dans les petites entailles.

2. Ôter la racine et les extrémités vertes des poireaux et les couper en deux ; bien les laver afin que toutes les zones sablonneuses disparaissent.

3. Faire chauffer l'huile et le beurre dans une cocotte et faire bien revenir la viande sur tous ses côtés. La retirer du plat et y faire revenir les poireaux.

4. Replacer la viande sur les légumes, arroser de vin, couvrir, placer au four préchauffé à 180° et laisser étuver pendant 1 h 20.

5. Retirer la viande de la cocotte et la laisser un peu reposer. Disposer les poireaux sur un plat préchauffé. Laisser un peu réduire le jus de cuisson si nécessaire.

6. Couper la viande en tranches et la disposer sur les poireaux. Saupoudrer de persil et arroser du jus de cuisson du rôti de porc.

Rôti de bœuf braisé au vin rouge

Ingrédients
(pour 4 personnes)

1 kg de bœuf dans l'aloyau

3/4 l de vin rouge corsé

(par exemple un Bourgogne tardif ou du Rioja)

6 grains de poivre concassés

2 branches de romarin

1 branche de thym

1 feuille de laurier

le zeste de 1 orange non traitée

sel

poivre

4 cuil. à soupe d'huile

2 cuil. à soupe de vinaigre balsamique

1 bouquet garni

1 oignon

2 tomates

1 os de veau

2 cuil. à soupe de crème double

2 cl d'Armagnac

Préparation

1. Faire une marinade avec le vin rouge, les grains de poivre, les herbes et le zeste d'orange, y plonger la viande, couvrir et laisser mariner pendant au moins 2 jours.

2. Le jour de la préparation, retirer la viande de la marinade, l'éponger, et lui donner la forme d'un rôti à l'aide de fil de cuisine. Saler, poivrer.

3. Faire chauffer l'huile dans un grand plat et y faire revenir la viande sur tous ses côtés.

4. Déglacer le jus de cuisson avec un peu de vinaigre et laisser réduire. Ajouter le bouquet garni, l'oignon pelé et coupé en quatre, les tomates pelées et épépinées et l'os de veau. Verser la marinade dans le jus de cuisson du rôti en la passant au travers d'un chinois. Porter le tout à ébullition, couvrir et mettre au four préchauffé à 160°.

5. Laisser étuver environ 3 h. Retourner la viande de temps à autre en la mouillant de son propre jus de cuisson.

6. Retirer la viande du plat et la laisser reposer quelques instants. Ôter l'os et passer le jus au chinois. Incorporer la crème double et l'Armagnac et laisser réduire brièvement.

7. Couper la viande en tranches. Servir accompagné de tagliatelles ou de croquettes de pommes de terre avec la sauce de cuisson.

Poitrine de bœuf, sauce au raifort *(photo page de droite)*

Ingrédients
(pour 6 personnes)

1 bouquet garni

1 l de bouillon de viande

1 kg de poitrine de bœuf

1 petit morceau de raifort

1 cuil. à café de jus de citron

100 g de raisins de Smyrne

50 g de beurre

2 cuil. à soupe de farine

1/8 l de lait

sel

1 cuil. à café de sucre

1 kg de pommes de terre

Préparation

1. Porter de l'eau à ébullition et y ajouter le bouquet garni. Y plonger la viande et laisser frémir à petit feu pendant 1 h 30 à 2 h.

2. Éplucher le raifort, le râper et l'humecter du jus de citron. Le verser dans une petite casserole avec les raisins, mouiller de 1/2 l du bouillon de cuisson de la viande et laisser mijoter.

3. Faire fondre le beurre dans une casserole, ajouter la farine et, tout en mélangeant, verser du bouillon de cuisson de la viande nécessaire pour obtenir une sauce un peu épaisse. Ajouter le mélange raifort-raisins, verser le lait, saler, sucrer au goût.

4. Éplucher les pommes de terre, les couper en quatre, et les faire cuire à la vapeur. À la fin du temps de leur cuisson, les arroser d'autant de bouillon qu'elles peuvent en absorber.

5. Découper la viande en tranches minces, les disposer sur les pommes de terre et les accompagner de la sauce au raifort.

Hannelore Kohl

« Pour réussir un bœuf braisé bien moelleux, il ne faut pas que le morceau de viande soit trop petit. Un kilogramme est un poids minimum. »

Hannelore Kohl

« Si vous n'avez pas de raifort frais sous la main, vous pouvez utiliser 1 à 2 cuillerées à soupe de raifort en poudre vendu au rayon "épices" des grandes surfaces. »

Ragoût de queue de bœuf

Ingrédients
(pour 4 personnes)

1,5 kg de queue de bœuf
(demander au boucher de la
découper en tronçons de 5 cm)
40 g de beurre clarifié
1 bouquet garni (à défaut, 1 carotte,
1 poireau, 1 morceau de céleri)
300 g d'oignons
1/2 l de vin rouge
2 cuil. à café de bouillon en cube
1 cuil. à soupe de concentré de
tomate
1 cuil. à soupe de crème fraîche
sel
poivre
2 à 3 branches de thym

Préparation

1. Faire chauffer le beurre
clarifié et y faire bien revenir
la viande sur tous ses côtés.
Ajouter le bouquet garni,
peler les oignons, les couper
en dés et les faire revenir
avec la viande. Verser le vin
rouge et le bouillon et laisser
cuire pendant 2 h.
2. Incorporer le concentré
de tomate et la crème
fraîche, assaisonner avec du
sel, du poivre émietté. Servir
accompagné de Spätzle.

Mänzer Handkäs mit Musik

Ingrédients
(pour 4 personnes)

4 petits fromages au lait caillé du
Hartz [1], bien faits
1 gros oignon
2 cuil. à soupe de vinaigre de pomme
3 cuil. à soupe d'huile
cumin
poivre

_____

1. Moyenne montagne relativement peu
peuplée située entre la Basse-Saxe, la Hesse
et la Marche de Brandebourg.

Préparation

1. Couper le fromage en
grosses tranches. Peler
l'oignon, l'émincer aussi finement que possible avec une
râpe à concombre et répartir
les anneaux d'oignon sur les
tranches de fromage.
2. Battre le vinaigre avec
l'huile, assaisonner de cumin
et de poivre. Verser la vinaigrette sur le fromage et laisser mariner quelques
instants. Déguster avec du
pain complet et du cidre.

Hannelore Kohl

_« Les fromages au lait caillé comme ceux du Hartz ou de
Mayence sont très pauvres en calories. Le "Handkäs mit Musik"
est par conséquent un dîner idéal et savoureux pour ceux qui
veulent mincir. »_

Couronne de Francfort

Ingrédients
(pour environ 12 parts)

Pour la pâte :
125 g de beurre, 4 jaunes d'œufs,
125 g de sucre, le zeste râpé de
1 citron non traité, 150 g de farine,
100 g de fécule, 1/2 paquet de
levure, 4 blancs d'œufs

Pour la crème au beurre :
1/2 l de lait, 100 g de sucre, 1 petit
sachet de flan à la vanille, 250 g de
beurre mou, 100 g de sucre en poudre,
2 cuil. à soupe de rhum, du pralin pour
saupoudrer, grossièrement concassé (à
défaut : amandes, noisettes ou noix
concassées), 12 cerises confites

Préparation

1. Battre à la fourchette le
beurre, les jaunes d'œufs
et le sucre jusqu'à ce que le
mélange devienne mousseux.
Mélanger le zeste de citron,
la farine, la fécule et la levure,
les ajouter à la masse précé-
dente et tourner le tout jusqu'à
obtention d'une pâte lisse. Battre les blancs d'œufs en neige
ferme et les incorporer délicatement en soulevant la masse.
2. Graisser un moule en
forme de couronne et y verser
la pâte, mettre au four préchauffé à 200° et laisser cuire
30 mn. Démouler la couronne
en la retournant sur une grille
à gâteaux et laisser refroidir.
3. Pour la crème au beurre :
faire une crème vanillée en
faisant cuire le mélange lait,
sucre et flan en poudre. Pendant que le mélange refroidit, remuer souvent pour
éviter la formation d'une
peau en surface. Mélanger le
beurre et le sucre en poudre
pour former une pommade
homogène, incorporer cuillerée par cuillerée la crème
vanillée refroidie et arroser
de rhum.
4. Couper la couronne de
façon à avoir trois couches
superposées, enduire cha-
cune des couches de crème
au beurre et reconstituer la
couronne. L'enduire de la
même manière à l'extérieur.
Saupoudrer tous les côtés
de pralin, garnir de petites
rosettes de crème au beurre
et de cerises confites.

Clafoutis aux cerises de la Hesse *(photo ci-dessus)*

Ingrédients

(pour 4 personnes)

5 petits pains (ou 1 baguette coupée en fines tranches)
100 g de beurre mou
3/8 l de lait chaud
125 g de sucre
4 jaunes d'œufs
1/2 cuil. à café de cannelle
le zeste râpé de 1 citron non traité
4 blancs d'œufs
1 kg de griottes dénoyautées (en bocal)
2 cl de kirsch
100 g d'amandes finement hachées

Préparation

1. Couper les petits pains en fines tranches et les faire dorer dans 30 g de beurre. Arroser de lait et laisser les pains s'en imbiber. Malaxer le reste du beurre mou avec le sucre, les 4 jaunes d'œufs, la cannelle et le zeste de citron jusqu'à ce que la pâte soit bien homogène. Incorporer le pain légèrement essoré.
2. Battre les blancs d'œufs en neige ferme avec une pincée de sel et les incorporer délicatement à la préparation avec les griottes et le kirsch.
3. Graisser un moule à gratin, le saupoudrer des amandes hachées et y verser le mélange. Mettre au four à 180° et laisser dorer environ 1 heure.

Soufflé aux pommes de Rüdesheim [1] *(photo page de droite)*

Ingrédients

(pour 4 personnes)

1 l de lait
1 pincée de sel
8 cuil. à soupe de sucre
1 sachet de sucre vanillé
125 g de semoule
1 kg de pommes
2 dl de vin blanc
le jus de 1 citron
50 g de raisins de Smyrne
4 blancs d'œufs
4 cuil. à soupe de crème fraîche
4 jaunes d'œufs

D'autre part :
du beurre pour le moule, 1/2 cuil. à café de cannelle en poudre, 50 g de sucre

Préparation

1. Porter à ébullition le lait, le sel, 4 cuillerées à soupe de sucre et le sucre vanillé, verser, en pluie, la semoule sans cesser de remuer et faire gonfler à petit feu. Laisser refroidir.
2. Éplucher les pommes, les couper en quatre, les épépiner et les couper en tranches. Les mélanger avec le vin, le jus de citron, le reste du sucre et les raisins secs.
3. Battre les blancs en neige bien ferme, y incorporer délicatement la crème fraîche et les jaunes d'œufs battus ensemble. Verser cette masse mousseuse dans le mélange de semoule en soulevant bien le tout. Disposer les pommes et verser le tout dans un moule beurré allant au four. Mettre au four préchauffé à 180° et laisser dorer pendant environ 40 mn. Saupoudrer de cannelle et de sucre.

---

1. Ville du Rheingau, près de Wiesbaden, célèbre pour ses vins blancs.

Pommes au vin du Rheingau

Ingrédients

(pour 4 personnes)

3 jaunes d'œufs, 10 g de fécule, 100 g de sucre, 1/2 l de lait, 1/2 gousse de vanille, 4 belles pommes, 50 g de noix ou de noisettes hachées, 4 cuil. à café de raisins de Smyrne, 1/2 cuil. à café de sucre brun , 10 g de beurre 1/2 l de Riesling du Rheingau

Préparation

1. Fouetter les jaunes d'œufs, la fécule, le sucre et 4 cuil. à soupe de lait jusqu'à obtention d'une pâte lisse. Faire chauffer le reste de lait avec le suc de vanille gratté dans la gousse. Ajouter au lait bouillant le mélange œufs-fécule et porter à ébullition sans cesser de remuer. Laisser refroidir.
2. Éplucher les pommes et les épépiner à l'aide d'un vide-pomme. Elles doivent rester entières. Disposer les pommes dans un moule à gratin. Réduire en pommade les noix ou les noisettes, les raisins secs, le sucre et le beurre et fourrer les pommes avec le mélange ainsi obtenu. Arroser de vin et mettre au four préchauffé à 180°. Laisser cuire jusqu'à ce que les fruits soient fondants. Servir accompagné de la crème à la vanille.

Gâteau aux pommes de terre de la Hesse

Ingrédients

(pour 8 parts)

500 g de pommes de terre, farineuses à la cuisson de préférence

9 œufs (séparer les jaunes des blancs)

250 g de sucre

2 dl de jus de citron

le zeste râpée de 1 citron 1/2 non traité

50 g d'amandes hachées

1 cuil. à soupe bien bombée de semoule

du beurre pour le moule

1 à 2 cuil. à soupe de panure ou d'amandes hachées

du sucre glace

Préparation

1. Éplucher les pommes de terre et les faire cuire à mi-cuisson, dans de l'eau bouillante. Les laisser refroidir et les râper finement.
2. Battre les blancs d'œufs en neige avec la moitié du sucre. Battre les jaunes d'œufs avec le reste du sucre jusqu'à ce que le mélange devienne mousseux. Ajouter le zeste et le jus de citron, les amandes hachées et la semoule ; bien remuer le tout jusqu'à obtention d'une masse homogène. Y incorporer les blancs d'œufs en neige, délicatement, et enfin les pommes de terre râpées. Mélanger une dernière fois.

3. Graisser un moule à manqué (de 26 cm de diamètre) et saupoudrer de panure ou d'amandes hachées. Verser la pâte dans le moule, égaliser la surface, mettre au four préchauffé à 180° et laisser cuire environ 1 h 30.
4. Retourner le gâteau sur une grille à gâteau après l'avoir laissé tiédir légèrement dans son moule de cuisson et le laisser complètement refroidir. Découper un pochoir dans du papier sulfurisé, le poser sur le gâteau, saupoudrer de sucre glace, secouer et retirer le pochoir.

« *Wurst sollte keinem "wurscht" sein* » [1]
la saucisse ne devrait laisser personne indifférent

Hannelore Kohl :

J'ai découvert que le mot « Wurst » (saucisse) est un des plus anciens mots de notre langue. Il vient de l'indo-européen « uers » et de l'ancien haut allemand « werram », et signifie « tourner, mélanger ».

Alfons Schuhbeck :

Je ne le savais pas. Ce que je sais, en revanche, c'est que l'Allemagne est le paradis du saucisson et de la saucisse : chez nous il en existe plus de 1 500 variétés. Aucun autre pays ne peut rivaliser avec nous dans ce domaine. Beaucoup sont étroitement liées à la tradition culinaire régionale. La saucisse de Francfort par exemple...

Hannelore Kohl :

...ou bien encore la saucisse grillée de Nuremberg, la saucisse à chair fine de Rügenwalde [2], la saucisse de viande et de foie de Thuringe, la saucisse blanche de Munich. À propos de la saucisse blanche : je dois avouer qu'il lui arrive assez souvent d'éclater pendant la cuisson. Avez-vous un conseil pour éviter cela ?

Alfons Schuhbeck :

L'eau ne doit pas bouillir. Bien sûr, c'est facile à dire ! Il suffit que le téléphone sonne juste à ce moment-là ou que le facteur soit à la porte... La manière la plus sûre est la suivante : porter de l'eau à ébullition dans une casserole, retirer du feu et y plonger les saucisses. Les laisser dans l'eau de 10 à 15 minutes.

Hannelore Kohl :

Et pouvez-vous me donner des conseils pour les saucisses grillées ?

Alfons Schuhbeck :

Plongez les saucisses quelques minutes dans l'eau bouillante, afin

Même en moindre quantité que sur la photo, les cervelas de Westphalie sont un vrai régal. Chaque région d'Allemagne a ses propres spécialités de saucisses.

qu'elles gonflent, puis piquez-les avec une fourchette. Faites griller à feu doux. De cette manière, la saucisse n'éclate pas et ne gicle pas et il n'y a pas de jet désagréable quand on y plante la fourchette...

Hannelore Kohl :

D'après les statistiques chacun de nous consomme 25 kg de charcuterie par an et pour 88 % des ménages, la charcuterie fait partie du repas du soir [3].

Alfons Schuhbeck :

La raison en est simple. Nous avons

des saucisses pour tous les goûts, même pour ceux qui font attention aux calories : du jambon cuit au pâté de viande et de foie, en passant par le corned beef et la panse de couenne. D'autre part, notre législation alimentaire est, en ce qui concerne la charcuterie, particulièrement sévère : la composition d'une saucisse ne devrait jamais nous « laisser indifférents ». L'ingrédient de base doit toujours être de première qualité, c'est-à-dire de la viande autant que possible sans gras, ni tissu conjonctif, ni tendon. Afin de

préserver ces principes de qualité et de pureté, les producteurs de charcuterie sont constamment soumis à de sévères contrôles.

1. Jeu de mots intraduisible... Mot à mot : « La saucisse ne devrait laisser personne à l'état de saucisse. » En allemand populaire, on dit « Das ist mir wurscht », cela m'est égal, cela me laisse indifférent. Par ailleurs, le mot « Wurst » désigne selon le cas le saucisson ou la saucisse.
2. Petite ville en Poméranie.
3. Dans le texte « Abendbrot » : signifie littéralement pain du soir et correspond au souper habituel des Allemands constitué de pain, fromage et charcuterie.

De la Suisse franconienne aux Alpes

Par Helmut Kohl

J e me sens proche des Franconiens, ne fût-ce qu'à cause de l'origine de mon père qui venait de la Basse-Franconie [1]. Mais je ne suis pas sûr de pouvoir pour autant me qualifier de Bavarois. Il est certain toutefois qu'en 1930 mon lieu de naissance dans le Palatinat appartenait encore à la Bavière [2]. Ramassée sur un espace des plus restreints, la Franconie offre une incroyable multiplicité : costumes régionaux et traditions, confessions religieuses, dialectes et cuisine varient d'une localité à l'autre. Les nombreuses petites villes de la Franconie recèlent des beautés cachées, mais un peu plus loin se dressent des monuments très connus comme la cathédrale de Bamberg ou la vieille ville libre de Nuremberg. Celle-ci fut la patrie d'Albrecht Dürer et le sculpteur Veit Stoß qui avait travaillé pendant plus de vingt ans à Cracovie, alors capitale de la Pologne, a ensuite orné de ses œuvres les églises nurembergeoises.

▶

De la Suisse franconienne aux Alpes

Un écrivain franconien a écrit très justement qu'en Franconie « les vents se rencontrent ». En effet, cette région a toujours été un paysage ouvert sur le monde.

La cuisine franconienne, comme celle de la Haute-Bavière, passe pour solide et goûteuse. Son évocation fait d'abord penser aux saucisses à rôtir de Nuremberg (« Bratwürste ») qu'on appelle aussi « pointes bleues » (« Blaue Zipfel ») dans leur version cuites au vinaigre, aux roulades de choux farcies de viande hachée, au rôti de porc avec sa croûte bien dorée et aux boulettes de toute sorte. Mais ce n'est pas tout : l'art culinaire allemand ne connaît guère de plus grands délices qu'un plat d'asperges du « Pays de l'ail » (« Knoblauchland ») près de Nuremberg ou qu'une truite pêchée dans un clair ruisseau de la Suisse

franconienne. Par ailleurs, un noble vin de Franconie, présenté dans sa bouteille au ventre arrondi, appelée « outre de bouc » (« Bocksbeutel » — cette bouteille rappelle en effet les gourdes en peau de bouc des soldats romains qui introduisirent le vin en Allemagne), prouve qu'au sud du Main l'on ne sert pas que des mets qui « tiennent au ventre ».

Cette variante « qui tient au ventre », j'ai eu l'occasion de l'apprécier quand, à quinze ans, je suivais une formation agricole en Basse-Franconie. À la ferme, j'étais, parmi d'autres activités, responsable des vaches à lait. Je tenais le livret où étaient inscrits tous les animaux nouveau-nés, et il n'était pas rare que je donne un coup de main pour aider à la naissance d'un veau. J'ai dû travailler dur à cette époque, mais j'étais heureux. J'aimais le travail à l'étable et aux

champs, la compagnie des animaux et, surtout, il y avait à manger en suffisance. Pour un garçon en pleine croissance qui avait toujours faim, c'était plutôt rare en 1945 !

Quand on évoque Munich et la Haute-Bavière, les nombreux non-Bavarois (qui à ce titre sont bien à plaindre) pensent d'abord aux saucisses blanches (« Weißwürste »). La règle stricte veut qu'elles soient consommées avant que les clochers sonnent le douzième coup de midi. Aujourd'hui, cette loi n'est plus aussi scrupuleusement respectée, mais il est toujours de règle que seules les meilleures viandes de veau et des épices bien adaptées entrent dans la préparation de ce mets.

Ces paysages méridionaux de l'Allemagne n'usurpent pas leur réputation de paradis des vacanciers. Après avoir escaladé une montagne, celui qui a goûté à la collation qu'on appelle ici « Obatzda » n'oubliera jamais ce mets composé de lard, de saucisse fumée, de pain de campagne et de fromage blanc bien relevé. Mais il ne faut pas oublier non plus que l'État libre de Bavière est en même temps l'un des hauts lieux d'implantation des industries technologiques de pointe en République fédérale. La manière de vivre bavaroise se manifeste aussi d'une manière très caractéristique dans les « jardins à bière »

(« Biergärten ») dont les ombrages accueillent, dans un tableau idyllique presque méridional, des familles entières avec leurs bambins. Certains consommateurs apportent avec eux des paniers de pique-nique bien remplis, au grand étonnement des non-Bavarois ; dans les « jardins à bière » on peut apporter sa collation pourvu qu'on commande sur place la bière qui doit l'accompagner.

Certes, ce ne sont pas les Bavarois qui ont inventé la bière : on la trouve déjà représentée sur les peintures murales des tombes de l'ancienne Égypte. Mais c'est bien aux Bavarois que nous devons la Loi impériale de 1516 concernant la pureté de la bière : en vertu de ce texte, seuls le malt d'orge, le houblon et l'eau doivent entrer dans la composition de cette boisson. Cette rigueur sans compromis contribue sans aucun doute à la renommée mondiale de la bière allemande. Et c'est pour cette raison aussi que nous avons lutté avec tant d'acharnement, au cours des discussions sur la réglementation concernant les produits alimentaires au sein de la Communauté européenne, pour obtenir la reconnaissance de ce label de pureté en vigueur en Allemagne depuis près de cinq siècles.

Le grand marché de Munich : le « Virktualienmarkt ».

1. Région dont Würzburg est le chef-lieu.
2. Après 1945 le Palatinat a formé un nouveau Land avec le sud de la Rhénanie ex-prussienne.

Consommé aux boulettes

Ingrédients

(pour 4 personnes)

4 petits pains (ou 3/4 de baguette)

1/8 l de lait bien chaud

1 petit oignon

1 bouquet de persil

1 cuil. à soupe de beurre

250 g de foie de bœuf passé à la moulinette

sel

poivre

marjolaine

2 œufs

1 l de bouillon de viande ou de volaille

Préparation

1. Couper le pain en fines tranches, l'arroser de lait bien chaud et laisser ramollir pendant 30 mn.

2. Peler l'oignon et le détailler en petits dés. Laver le persil, le hacher assez finement. Faire fondre le beurre dans une poêle. Y faire ramollir les dés d'oignons avec la moitié du persil. Mélanger les petits pains ramollis et légèrement essorés avec le foie réduit en purée. Hors du feu, malaxer tous les ingrédients : oignon, persil, farce de pain et de foie, œufs, sel, poivre et marjolaine, et travailler le mélange pour former une pâte malléable.

3. Avec les mains humides, façonner des boulettes de cette pâte et les plonger dans le consommé frémissant ; laisser cuire pendant 20 à 25 mn. Saupoudrer, au moment de servir, le persil restant.

Velouté au fromage de l'Allgäu *(photo ci-dessus)*

Ingrédients
(pour 4 personnes)

50 g de beurre
50 g de farine
1 l de bouillon de bœuf ou de volaille bien chaud
200 g d'Emmenthal de l'Allgäu (ou d'une autre région) râpé
1 jaune d'œuf
2 cuil. à soupe de crème fraîche
poivre
2 tranches de pain blanc
1 oignon
10 g de beurre clarifié

Préparation

1. Faire fondre le beurre dans une casserole et y laisser revenir la farine. Verser le bouillon dans la casserole en remuant continuellement et le laisser frémir 15 mn sur feu doux.
2. Ajouter le fromage petit à petit, laisser reprendre l'ébullition un court instant et éteindre le feu.
3. Battre au fouet le jaune d'œuf et la crème fraîche, en lier la soupe et poivrer.
4. Couper le pain blanc en petits dés et les faire rôtir, peler l'oignon, le couper en anneaux, les faire dorer dans le beurre clarifié et en garnir la soupe avec les petits croûtons.

Soupe aux boulettes de poulet

Ingrédients
(pour 4 personnes)

4 petits pains de la veille
1/4 l de lait bouillant
1 cuil. à soupe de dés d'oignon
2 œufs
250 g de chair de poulet crue finement hachée
sel
poivre
noix de muscade
1 bouquet de persil haché
2 l de bouillon de volaille

Préparation

1. Découper les petits pains en dés, les arroser de lait et laisser tremper 15 mn.
2. Mélanger les dés d'oignons, les œufs et la chair hachée du poulet, les travailler en une pâte molle avec les petits pains essorés. Assaisonner de sel, de poivre, de muscade et ajouter le persil haché.
3. Porter le bouillon de volaille à ébullition. Façonner avec la pâte des petites boulettes et les plonger dans le bouillon ; laisser cuire jusqu'à ce qu'elles remontent en surface.

« Chaussons » de pommes de terre fourrés à la choucroute

Ingrédients

(pour 4 personnes)

Pour la pâte de pommes de terre :

1 kg de pommes de terre

2 cuil. à café de sel

de la muscade

2 à 3 œufs

200 g de farine

300 g de beurre clarifié pour

la cuisson

Pour la garniture :

750 g de choucroute crue

2 oignons moyens

200 g de lard fumé

60 g de saindoux

1 gousse d'ail

2 cuil. à café de genièvre

3 feuilles de laurier

2 cuil. à café de cumin

1 cuil. à café de poivre

3 cuil. à café de sel

1/4 l de vin blanc ou de bouillon

de bœuf

Préparation

1. Faire cuire les pommes de terre, les peler et les réduire en purée, laisser refroidir. Battre le sel, la muscade et les œufs. Ajouter la farine, mélanger et travailler le tout rapidement en une pâte avec la purée de pommes de terre froide.

2. Dérouler cette pâte sur un plan de travail fariné et former une abaisse de 5 mm d'épaisseur. Découper des carrés de 12 cm de côté. Les faire dorer sur leurs deux faces dans du beurre clarifié préalablement chauffé et les poser sur du papier absorbant.

3. Rincer la choucroute. Peler les oignons et les coupés en petits dés. Détailler le lard également en dés et faire revenir le tout dans du saindoux. Ajouter la choucroute mélangée aux épices et aux herbes et verser le vin ou le bouillon. Laisser mijoter selon le degré de cuisson désiré (de 20 à 45 mn) dans la cocotte couverte. Pour lier la choucroute, on peut ajouter une pomme de terre crue râpée juste avant la fin du temps de cuisson. Rectifier l'assaisonnement si nécessaire.

4. Répartir la choucroute sur les carrés de pâte à la pomme de terre, replier en forme de chaussons et servir aussitôt.

Rôti de porc aux cèpes

Ingrédients
(pour 4 personnes)

15 g de cèpes séchés
1/8 l d'eau chaude pour le trempage
1 kg de rôti de porc dans l'épaule
sel
poivre
40 g de beurre clarifié
1/4 l de vin blanc sec
150 g de crème fraîche

Préparation

1. Bien laver les cèpes et les laisser ramollir dans l'eau chaude. Saler et poivrer le rôti de porc et le faire revenir de tous côtés dans le beurre chaud. Retirer la viande de la cocotte et la maintenir au chaud.
2. Déglacer le fond de sauce avec le vin, y ajouter les champignons et leur eau de trempage. Replacer le rôti dans la cocotte, couvrir et laisser mijoter 1 h 15 dans le four préchauffé à 180°. Ajouter éventuellement un peu de vin ou d'eau en cours de cuisson. Assaisonner et affiner avec un peu de crème fraîche juste au moment de servir.

Pot-au-feu en gelée *(photo à gauche)*

Ingrédients
(pour 4 personnes)

2 oignons
1 carotte
1 petit concombre du jardin de 100 g
100 g de céleri-rave
1 céleri en branche
2 tomates
1 gousse d'ail
1 kg de bœuf dans la culotte
2 cuil. à soupe de cerfeuil frais
1 cuil. à café de livèche (facultatif)
1 cuil. à café de marjolaine
2 feuilles de laurier
1 cuil. à soupe de poivre blanc en grains
sel, poivre, sucre, vinaigre
12 feuilles de gélatine
1 oignon rouge coupé en dés
300 g de carottes coupées en dés
300 g de courgettes coupées en dés
1 bouquet de cerfeuil finement ciselé

Préparation

1. La veille : nettoyer les oignons, la carotte, le concombre, le céleri-rave et le céleri en branches ; les couper en dés. Couper les tomates en quatre, peler l'ail, et l'émincer finement. Placer la viande dans une grande cocotte avec les légumes ainsi préparés, les fines herbes, les feuilles de laurier et les grains de poivre, recouvrir d'environ 1,5 l d'eau. Laisser reposer au réfrigérateur, cocotte ouverte, pendant environ 24 h.

2. Retirer la viande de son jus de macération, étendre celui-ci avec 1 l d'eau et le porter à ébullition. Ajouter 2 cuil. à soupe de sel. Plonger le pot-au-feu dans le liquide bouillant et laisser cuire à feu moyen 3 bonnes heures. Écumer de temps à autre.
3. Retirer la viande à l'aide d'une écumoire et la maintenir au chaud. Passer le bouillon au chinois, le recueillir dans une casserole et le laisser réduire à 1 l de liquide. Assaisonner généreusement avec du sel, du poivre, du sucre et un peu de vinaigre. Faire dissoudre dans ce liquide, feuille par feuille, la gélatine ramollie.
4. Découper la viande en fines tranches. Faire blanchir les dés de carottes et de courgettes. Placer dans un moule des couches alternées de viande, de dés de légumes et de cerfeuil ciselé, recouvrir chaque couche avec de la gélatine liquide et laisser raffermir légèrement dans un endroit frais. A ce moment, garnir le moule avec les oignons rouges et le reste de feuilles de cerfeuil. Recouvrir avec le reste de la gélatine. Mettre à refroidir complètement le pot au feu en gelée dans son moule plusieurs heures avant de le servir.

Hannelore Kohl

« Essayez ce rôti de porc en automne, avec des cèpes frais. En toutes saisons, il sera également succulent avec un mélange de champignons sauvages. »

Hannelore Kohl

« Le pot-au-feu en gelée est particulièrement appétissant s'il est servi en parts individuelles dans des petits ramequins, démoulés juste au moment de servir. »

Jambon aromatisé en croûte

Ingrédients

(pour 4 personnes)

*1 kg de jambon avec sa couenne
des clous de girofle pour piquer la
viande
3 cuil. à soupe de sucre brun
3 cuil. à soupe de rhum
1/2 cuil. à café de poudre de
gingembre
1/4 cuil. à café de poivre blanc
1/2 cuil. à café de sel
40 g de beurre, 1 bouquet garni
500 g d'oignons pelés*

Préparation

1. Inciser en croix la couenne du jambon. Piquer les clous de girofle dans les entailles. Faire dissoudre le sucre brun dans le rhum tiède et y ajouter toutes les autres épices. Frotter le jambon du côté opposé à la couenne avec la moitié de ce mélange aromatique.
2. Faire fondre le beurre dans une cocotte. Placer le côté sans couenne du jambon vers le haut. Ajouter le bouquet garni et les oignons grossièrement hachés. Faire cuire sans couvrir sur la grille du bas dans le four préchauffé à 200° pendant 1 h 15 environ. Après 20 mn de cuisson, frotter la viande avec le reste du mélange aromatique. Renouveler plusieurs fois l'opération jusqu'à la fin des ingrédients.
3. Retirer le jambon de la cocotte. Déglacer le fond de cuisson avec un peu d'eau chaude. Retirer le bouquet garni et écraser les oignons dans le fond de cuisson. Rectifier l'assaisonnement et faire réchauffer la sauce. Découper le jambon en tranches et les napper de sauce. Accompagner de choux de Bruxelles et de pommes de terre cuites à l'eau salée.

Fricassée de porc à la bière *(photo ci-dessus)*

Ingrédients

(pour 4 personnes)

*600 g de porc dans la noix
poivre, sel
1/2 cuil. à café de marjolaine
1/2 cuil. à café de thym
1/2 cuil. à café de romarin
2 oignons, 30 g de beurre clarifié
1 cuil. à soupe de cumin, 1/2 l de
bière blonde, 2 tranches de pain noir*

Préparation

1. Couper le porc en cubes de 3 cm de côté, poivrer, saler et les rouler dans les herbes ; laisser macérer 30 minutes.
2. Peler les oignons et les couper en quatre. Mettre à chauffer le beurre clarifié dans une cocotte et y faire dorer les oignons. Ajouter les cubes de viande et faire revenir le tout brièvement.

Ajouter le cumin et 1/4 l de bière ; laisser cuire 30 mn à feu moyen cocotte ouverte.
3. Juste avant la fin du temps de cuisson, émietter le pain noir et l'ajouter au contenu de la cocotte, rectifier la consistance de la sauce avec le reste de bière. Accompagner de pommes de terre au cumin.

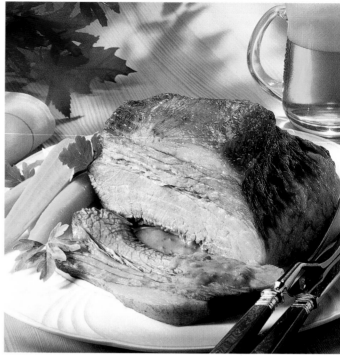

Quenelles bavaroises à la choucroute

Ingrédients
(pour 4 personnes)

1 paquet de quenelles de pommes de
terre crues (voir recette p. 68)
150 g de choucroute crue
150 g de lard ou de côte de porc
fumée (Kasseler)
1 cuil. à soupe de saindoux
1 oignon finement haché
1 gousse d'ail écrasée
1/8 l de vin blanc sec
1 cuil. à café de moutarde forte
1 baie de genièvre
1 grain de piment
2 clous de girofle
sel
poivre

Préparation

1. Démêler la choucroute, la
passer sous l'eau fraîche et
la laisser égoutter dans une
passoire.
2. Détailler le lard ou la côte
de porc en petits dés et les
faire rissoler dans le saindoux. Ajouter l'oignon et la
gousse d'ail. Faire revenir
rapidement la choucroute
dans ce mélange, y verser
le vin blanc, ajouter la moutarde, la baie de genièvre,
le grain de piment, les clous
de girofle, le sel et le poivre.
Laisser mijoter environ
20 mn et laisser tiédir le tout.
3. Façonner avec les mains
humides 8 boulettes avec la
pâte à quenelles et les farcir
en leur milieu de 1 cuil. à
soupe du mélange chou-
croute/côte de porc.
4. Faire cuire 20 mn dans
de l'eau salée juste frémissante.

Poitrine de bœuf braisée

Ingrédients
(pour 4 personnes)

1,5 kg de poitrine de bœuf sans os
40 g de beurre clarifié
100 g de carottes en rondelles
250 g de céleri-rave coupé en dés
1 racine de persil coupée en rondelles
(facultatif)
3/4 l de bière
sel
poivre
noix de muscade
1 bouquet de persil

Préparation

1. Faire revenir la poitrine
de bœuf dans une cocotte
de tous côtés à feu vif dans
du beurre clarifié très chaud.
Ajouter les carottes et le
céleri (éventuellement la
racine de persil) et faire
revenir le tout rapidement.
Verser la bière et couvrir le
récipient. Faire mijoter à feu
très doux pendant 1 h 30.
2. Retirer la viande à l'aide
d'une écumoire et la maintenir au chaud. Réduire en
purée les légumes cuits dans
la bière. Assaisonner la
sauce avec du sel, du poivre
et de la muscade ; laisser
reprendre l'ébullition. Hacher
le persil et en saupoudrer la
préparation.

Paupiettes de veau (photo ci-dessous)

Ingrédients

(pour 4 personnes)

*0 g de morilles séchées
*/2 l de lait
*0 à 60 g de moelle de veau
*à commander chez votre boucher
*la veille)
*petits oignons coupés en dés
*gousse d'ail finement hachée
*cuil. à soupe de crème liquide
*/2 cuil. à café de feuilles de thym
*rais ou séché
*le zeste râpé de 1/2 citron non traité
*el, poivre blanc
*belles escalopes de veau
*50 g de beurre clarifié
*/8 l de bouillon de bœuf
*n peu de fécule
*/8 l de crème fraîche
*e jus de 1/2 citron

Préparation

1. Laver les morilles séchées et les faire tremper pendant 30 mn dans 1/2 l de lait étendu de 1/2 l d'eau. Faire égoutter et les couper en fines lamelles. Laisser fondre la moelle finement découpée dans une poêle, ajouter les oignons et la gousse d'ail et faire rissoler 4 mn. Ajouter les morilles et faire revenir en remuant pendant 5 mn supplémentaires. Déglacer avec la crème liquide et assaisonner de thym et du zeste de citron. Porter à ébullition, faire mijoter pendant environ 15 mn, saler et poivrer. Laisser refroidir au réfrigérateur.

2. Étaler cette pâte aux morilles refroidie sur les escalopes bien aplaties, les rouler sur elles-mêmes pour former des roulades et lier avec du fil de cuisine. Faire revenir vivement de tous côtés dans du beurre clarifié très chaud mis à fondre dans une cocotte en fonte. Verser le bouillon de bœuf et laisser mijoter 15 mn supplémentaires.

3. Retirer les paupiettes de la cocotte et les maintenir au chaud. Déglacer le fond de cuisson avec de la fécule et de la crème fraîche, porter à ébullition et assaisonner de sel, de poivre et du jus de citron. Accompagner ces paupiettes d'une purée de pommes de terre ou de riz avec des haricots verts.

Poitrine de veau farcie

Ingrédients

(pour 6 à 8 personnes)

2 kg de poitrine de veau
2 cuil. à café de sel
1 cuil. à café de poivre blanc

Pour la farce :

5 petits pains écroûtés
200 g d'amandes émondées hachées grossièrement
100 g de pistaches hachées grossièrement
le zeste râpé de 2 citrons non traités
6 cuil. à soupe de persil finement haché
2 pincées de noix de muscade râpée
1 cuil. à café de sel
2 pincées de poivre
6 œufs
150 g de foie de veau coupé en dés
2 cuil. à café de paprika fort

Pour le rôti :

250 g de lard maigre coupé en dés
100 g de beurre en copeaux
1/4 l de vin blanc sec ou d'eau

Préparation

1. Faire pratiquer par votre boucher une entaille dans la poitrine de veau. Saler et poivrer à l'intérieur comme à l'extérieur.

2. Faire tremper les petits pains dans de l'eau froide puis les essorer et en faire une pâte lisse. Ajouter les amandes, les pistaches et le persil ; assaisonner avec le zeste de citron, la muscade, le sel et le poivre. Incorporer les jaunes d'œufs et les dés de foie de veau, puis les blancs d'œufs battus en neige ferme.

3. Remplir la poche avec cette farce, mais ne pas tasser pour lui laisser la place de lever. Fermer l'ouverture avec du fil de cuisine et frotter la poitrine de paprika.

4. Faire fondre le lard dans une cocotte et y faire revenir la poitrine de tous côtés. Ajouter des copeaux de beurre. Faire cuire la viande environ 2 h dans le four préchauffé à 180° en l'arrosant de temps en temps avec son jus de cuisson, allonger avec le vin ou l'eau.

5. Retirer la poitrine farcie de la cocotte, enlever les fils de cuisine et découper la viande en belles tranches. Les napper du jus de cuisson. Accompagner de Spätzle et de salade de mâche.

Pot-au-feu en sauce au raifort

Ingrédients
(pour 4 personnes)

2 l d'eau

1 cuil. à café de sel

800 g de bœuf (gîte, macreuse ou jumeau)

3 carottes

1 poireau

150 g de céleri

1 racine de persil (facultatif)

1 oignon

Pour la sauce au raifort :

30 g de beurre

3 cuil. à soupe de farine

1/4 l de bouillon de viande chaud

sel

3 cuil. à soupe de crème fraîche

1 petite tige de raifort râpée

1/2 pomme râpée

Préparation

1. Faire bouillir l'eau salée dans un grand récipient. Y déposer la viande et laisser cuire à petits bouillons pendant 2 h à feu doux. Nettoyer les légumes, les couper en petits morceaux et les joindre à la viande environ 30 mn avant la fin du temps de cuisson.
2. Faire fondre le beurre et préparer un roux avec la farine et le bouillon. Saler, ajouter la crème fraîche et porter à ébullition ; mélanger à la fin le raifort et une pomme râpée. Découper la viande en belles tranches, la servir sur un plat creux entourée de ses légumes, arroser d'un peu de bouillon de cuisson. Servir la sauce au raifort séparément. Accompagner de pommes de terre persillées.

Rôti de bœuf

Ingrédients
(pour 4 personnes)

100 g de lard gras coupé en fines lanières

1 kg de viande de bœuf dans la tranche ou le rond

sel

poivre

une pincée de girofle moulue

1 cuil. à soupe d'herbes de Provence

1 cuil. à soupe de crème fraîche

50 g de beurre clarifié

1/2 l de bouillon

200 g de poireaux

250 g de céleri-rave

1 gros oignon

100 g de petits champignons de Paris

3 cuil. à soupe de crème liquide

1 cuil. à café de fécule

Préparation

1. Larder la viande à intervalles réguliers avec une aiguille à larder de préférence. À défaut, piquer la viande en divers endroits et enfoncer les lardons dans les entailles. Saler et poivrer. Mélanger la crème fraîche et toutes les épices, en frotter la viande de toutes parts.
2. Faire chauffer le beurre clarifié dans une cocotte et laisser revenir la viande sur tous ses côtés.
3. Couvrir et faire cuire le rôti de bœuf dans le four préchauffé à 200° pendant environ 2 h en l'arrosant de temps en temps avec la graisse de cuisson.
4. Pendant ce temps, nettoyer les légumes et les laver. Couper les poireaux en rondelles, le céleri et l'oignon en dés. Après 1 h 15 de cuisson, répartir les légumes autour de la viande, couvrir et continuer la cuisson. Ajouter les champignons nettoyés quinze minutes avant la fin du temps de cuisson.
5. Sortir le rôti et les champignons de la cocotte et les maintenir au chaud. Passer le fond de cuisson au chinois et faire reprendre brièvement l'ébullition. Battre au fouet la crème liquide et la fécule et en lier le fond de cuisson pour former une sauce bien veloutée. Servir le rôti coupé en tranches avec ses légumes et sa sauce, séparément.

Hannelore Kohl

« Râpé frais, le raifort est particulièrement fort, il donc conseillé de ne pas le mettre en une seule fois dans la sauce, mais de la goûter de temps à autre. »

Jarrets de porc et salade de céleri

Ingrédients

(pour 4 personnes)

2 jarrets de porc arrière (ou jambonneaux)

1 l de bouillon de viande

poivre, sel, 1 bouquet garni

1 oignon, 1 céleri-rave, 4 carottes

2 cuil. à soupe d'huile

2 cuil. à soupe de vinaigre

Préparation

1. Précuire pendant 15 mn les jarrets dans le bouillon de viande en ébullition. Les retirer à l'aide d'une écumoire, inciser la peau en forme de croix et frotter de sel et de poivre sur tous les côtés.

2. Les placer, avec le bouquet garni, dans un plat à rôtir et faire dorer environ 45 mn au four préchauffé à 220°. Arroser de temps à autre avec le bouillon de viande.

3. Éplucher le céléri-rave et les carottes, couper le céleri en quatre et le faire cuire avec les carottes dans le bouillon restant.

4. Retirer les légumes avec l'écumoire et les couper en rondelles. Émulsionner l'huile, le vinaigre, un peu de bouillon, le sel et le poivre, faire mariner les légumes dans ce mélange.

5. Couper les jarrets en deux, les arroser du jus de cuisson et servir avec les légumes en salade. Accompagner de boulettes de petits pains blancs.

Jarret de veau bouilli *(photo ci-dessus)*

Ingrédients

(pour 4 personnes)

1 jarret de veau sans sa peau

1,5 l de bouillon de viande

sel

poivre

1 bulbe de fenouil

1/4 de chou frisé

500 g de petites pommes de terre

250 g de carottes

1 poireau

1 chou-rave (facultatif)

3 cuil. à soupe de cerfeuil haché

1 pincée de coriandre pilée

Préparation

1. Porter le bouillon à ébullition, et le laisser cuire au moins 2 h à feu doux. Passer le bouillon au chinois, assaisonner de poivre et éventuellement d'un peu de sel. Placer le jarret de veau dans le bouillon et laisser cuire à feu doux.

2. Nettoyer les légumes. Couper le fenouil et le chou en lanières, gratter les pommes de terre, peler les carottes et les couper en rondelles, couper le poireau et le chou-rave en tranches. Une heure après le début de la cuisson, ajouter les légumes à la viande. Assaisonner de poivre et de coriandre et saler modérément. Laisser cuire à petits bouillons 15 à 20 mn supplémentaires.

3. Retirer le jarret cuit de son jus de cuisson et le découper en belles tranches. Retirer les légumes avec une écumoire et les dresser sur un plat de service ; poser au-dessus les tranches de jarret.

Épaule d'agneau farcie

Ingrédients

(pour 4 personnes)

1 kg d'épaule d'agneau désossée

sel, poivre

250 g de foie de porc

1 bouquet de persil

1 oignon

1 œuf

3 cuil. à soupe de panure

30 g de beurre clarifié

1/2 l de bouillon de viande

1 dl de crème fraîche

Préparation

1. Saler et poivrer l'intérieur de l'épaule d'agneau. Préparer la farce : découper le foie de porc en petits dés. Laver le persil, le sécher et le hacher. Peler l'oignon et le couper en petits dés. Battre l'œuf et la panure et mélanger intimement tous ces ingrédients pour former une pâte destinée à en farcir l'épaule d'agneau. Rouler l'épaule sur elle-même et la coudre avec du fil de cuisine.

2. Faire chauffer du beurre clarifié dans une cocotte et y faire revenir la viande sur tous ses côtés. Déglacer avec un peu de bouillon de viande et faire mijoter environ 1 h 30 dans le four préchauffé à 220°. Retirer la viande du four et la maintenir au chaud.

3. Déglacer le fond de sauce avec le reste du bouillon, la passer au chinois et l'affiner avec de la crème fraîche. Porter à ébullition et assaisonner de poivre et de sel. Accompagner de brocolis avec des dés de tomates et des pommes de terre.

Leberkäse [1] en croûte à la bière *(photo ci-dessous)*

Ingrédients

(pour 4 personnes)

125 g de farine, 1 œuf

sel, 1/8 l de bière

1 bouquet de ciboulette

1 petit oignon coupé en dés

4 tranches de Leberkäse de 125 g

(peut être remplacé par du cervelas)

50 g de beurre clarifié

1 poivron rouge, 2 tomates rondes

2 bottes de cresson

Préparation

1. Mélanger la farine, l'œuf, le sel et la bière pour en former une pâte épaisse. Couper la ciboulette en fins anneaux et les mélanger avec les dés d'oignons ; les ajouter à la pâte. Laisser lever 10 mn.

2. Faire chauffer du beurre clarifié dans une poêle. Plonger les tranches de Leberkäse dans la pâte à la bière et les faire revenir pendant environ 4 mn sur leurs deux faces dans le beurre très chaud.

3. Couper le poivron en deux, l'épépiner et le détailler en lanières, couper les tomates en huit. Ciseler le cresson et le disposer en litière sur 4 assiettes, y dresser le Leberkäse. Décorer avec les légumes préparés.

---

1. Fort prisé en Bavière pour le casse-croûte de la fin de la matinée, il se présente sous la forme de gros pains de saucisson et n'a rien à voir avec le fromage (« Käse »).

« Petite palette » de Nuremberg

Ingrédients

(pour 4 personnes)

1 kg à 1,5 kg de Schäufele

(morceau d'épaule de porc avec son os et sa couenne)

sel, poivre,

1 cuil. à café de marjolaine

30 g de beurre clarifié

2 oignons, 2 carottes, 1/2 poireau

1/2 l de bouillon de viande

Préparation

1. Frotter la viande avec la marjolaine, le sel et le poivre. Faire chauffer le beurre clarifié dans une cocotte et faire revenir la viande sur tous ses côtés. Placer ensuite 5 mn dans le four préchauffé à 200°.

2. Pendant ce temps, éplucher les oignons et les carottes, nettoyer et laver le poireau. Couper les oignons en huit, les carottes en fins bâtonnets et couper le poireau en tronçons de 2 cm.

3. Retirer la viande du four et faire revenir les légumes dans la graisse de cuisson de la viande. Inciser la couenne en croix. Poser le rôti sur les légumes et l'arroser de bouillon de viande.

4. Le placer à nouveau dans le four chaud et pendant au moins 2 h, faire dorer la croûte en arrosant de temps à autre avec le jus de cuisson. Accompagner de quenelles de pommes de terre et de salade verte.

Rouleaux d'épinards d'Augsbourg

Ingrédients
(pour 4 personnes)

16 grandes feuilles d'épinards

400 g de bœuf haché

1 petit pain trempé dans du lait

1 œuf

1/2 oignon finement haché

2 brins de persil finement haché

sel

poivre

noix de muscade

80 g de beurre

1 tasse de bouillon de viande

Préparation

1. Faire blanchir les feuilles d'épinard dans de l'eau bouillante, les retirer avec une écumoire et les passer sous l'eau froide. Les étaler sur une planche à découper et les sécher dans du papier absorbant.
2. Bien mélanger la viande hachée avec l'œuf, l'oignon, le petit pain essoré et le persil. Assaisonner de sel, de poivre et de muscade.
3. Poser deux feuilles d'épinard l'une sur l'autre, répartir régulièrement le hachis sur le dessus et enrouler les feuilles sur elles-mêmes ; au besoin, fermer avec du fil de cuisine. Faire revenir brièvement les rouleaux d'épinard dans le beurre très chaud, verser le bouillon, couvrir et laisser étuver environ 20 mn sans retourner les rouleaux.

Potée de Pichelstein [1]

Ingrédients
(pour 4 personnes)

50 g de moelle de bœuf

150 g de porc dans le paleron

150 g de bœuf dans le haut de côtes

150 g d'agneau dans l'épaule

150 g de veau dans l'épaule

2 oignons

4 carottes

1/2 céleri-rave

600 g de pommes de terre

1 poireau

300 g de chou blanc

300 g de haricots verts

1 bouquet de persil

sel

poivre

1/2 l de bouillon de viande

200 g de petits pois surgelés

1. Déformation du nom d'un bourg de la forêt de Bavière, sur la frontière de Bohême, appelé Büchelstein.

Préparation

1. Couper la moelle de bœuf en tranches et les différentes viandes en cubes de 3 cm de côté. Éplucher les oignons, les carottes, le céleri et les pommes de terre, nettoyer le poireau, retirer la tige du chou blanc et effiler les haricots. Détailler finement les légumes sauf les pommes de terre qui peuvent être coupées en rondelles, casser les haricots en morceaux et hacher le persil.
2. Tapisser une cocotte avec les tranches de moelle. Disposer une première couche de cubes de viandes, puis une couche de légumes, de rondelles de pommes de terre, de persil et ainsi de suite jusqu'à la fin des ingrédients ; saler et poivrer entre chaque couche. Arroser de bouillon et laisser mijoter à feu doux pendant environ 2 h. Ajouter les petits pois 20 mn avant la fin du temps de cuisson.

Cuisses de dinde farcies

Blaue Zipfel

(Petites saucisses de Nuremberg [1])

Ingrédients

(pour 4 personnes)

800 g de cuisses de dinde

sel, poivre,

curry, paprika

4 petits pains de la veille (ou

1/2 baguette légèrement rassise)

1/2 l de lait chaud ou de crème

fraîche liquide

1 cuil. à soupe de dés d'oignon

1 cuil. à soupe de dés de jambon

1/2 cuil. à café de marjolaine

1 cuil. à soupe de persil haché

1 œuf

10 g de beurre clarifié

200 g de cèpes frais

1 petit oignon

20 g de beurre

2 cuil. à soupe de crème fraîche

1 cuil. à soupe de fines herbes

hachées (ciboulette, estragon, cerfeuil)

Préparation

1. De préférence, demander à votre boucher de désosser la viande et d'y pratiquer une poche. Assaisonner avec du sel, du poivre, du curry et du paprika.

2. Arroser les petits pains avec le lait ou la crème fraîche liquide et les laisser imbiber 15 mn. Les essorer et y ajouter les dés d'oignons et de jambon, la marjolaine, le persil et l'œuf ; travailler le tout en une pâte compacte.

3. Farcir la volaille désossée de ce mélange, fermer l'ouverture avec du fil de cuisine.

4. Faire revenir les cuisses de dinde de tous côtés dans le beurre clarifié très chaud, mouiller d'un peu d'eau et faire rôtir 40 mn dans le four préchauffé à 180° en les arrosant de temps à autre avec leur jus de cuisson.

5. Nettoyer les champignons et les couper en lamelles, peler l'oignon, le couper en dés et faire étuver le tout dans le beurre fondu. Saler légèrement ; incorporer la crème fraîche liquide et les herbes, bien remuer et servir cet accompagnement avec les cuisses de dinde coupées en tranches. Garnir de carottes nouvelles à la vapeur et de brocolis.

Ingrédients

(pour 4 personnes)

2 dl de vinaigre

3 gros oignons coupés en anneaux

3 dl de vin de Franconie

2 clous de girofle

2 feuilles de laurier

10 grains de poivre

10 baies de genièvre

8 grains de moutarde

1 pincée de sel

1 pincée de sucre

100 g de dés de carottes et de céleri

18 petites saucisses à rôtir de Nuremberg

---

1. Cf. p. 174. Les saucisses de Nuremberg fortement épicées sont à rôtir alors que les saucisses blanches doivent être cuites à l'eau.

Préparation

1. Dans un grand récipient, porter à ébullition le vinaigre étendu d'environ 2 l d'eau. Y plonger les rondelles d'oignons et laisser ramollir.

2. Ajouter ensuite le vin, les épices et les dés de légumes. Laisser mijoter le tout environ 15 mn à feu doux.

3. Ajouter les saucisses et laisser frémir doucement. Le liquide ne doit pas bouillir ! Les Blaue Zipfel sont cuites quand elles sont fermes au toucher. Les servir arrosées de leur jus de cuisson et les accompagner de pain de campagne et de beurre.

Hannelore Kohl

« La réussite de cette spécialité de Franconie dépend avant tout de la qualité des saucisses. »

Poêlée de bœuf aux légumes

Ingrédients
(pour 4 personnes)

600 g de filet de bœuf

Pour la marinade :
1/8 l de bouillon de viande
2 cuil. à soupe de Cognac et de jus de citron
2 cuil. à soupe d'huile
sel
poivre blanc
1 petite gousse d'ail

En outre :
2 poireaux
4 carottes moyennes
200 g de champignons frais
50 g de beurre
1/2 l de bouillon de viande chaud
1 cuil. à café de sauce de rôti de viande (facultatif, peut être remplacé par du Viandox)
1 cuil. à café d'estragon en poudre et de citronnelle séchée

Préparation

1. Envelopper le filet de bœuf dans une feuille d'aluminium, le placer pendant 20 mn au congélateur et le laisser congeler légèrement.
2. Pour la marinade : mélanger tous les ingrédients dans un grand saladier. Couper la viande réfrigérée dans le sens des fibres avec un trancheur électrique de préférence pour que les tranches soient aussi fines que du papier à cigarette. Les placer dans la marinade et laisser macérer couvert pendant 1 h. Les retourner une fois.
3. Pendant ce temps, nettoyer les poireaux, les carottes et les champignons et les laver abondamment. Couper les poireaux en petits anneaux, les carottes en très fines rondelles et les champignons en minces lamelles.
4. Laisser bien égoutter la viande. Réserver la marinade. Faire chauffer le beurre dans une grande poêle et y faire revenir les tranches de viande sur leurs deux faces. Ajouter les légumes les uns après les autres et laisser ramollir pendant 5 mn en tournant sans cesse. Mélanger la marinade, le bouillon de viande chaud et le Viandox et verser le tout sur la viande. Ajouter l'estragon et la citronnelle, couvrir et laisser mijoter le tout pendant 15 à 20 mn à feu doux. Bien relever l'assaisonnement. Accompagner d'une purée de pommes de terre.

Galettes de pommes de terre farcies

Ingrédients
(pour 4 personnes)

1 kg de pommes de terre farineuses à la cuisson
1 œuf
2 jaunes d'œufs
sel
poivre
noix de muscade
un peu de fécule
150 g de lard gras fumé
500 g de porc haché
250 g de bœuf haché
2 oignons
2 tomates
1 cuil. à soupe de persil haché

Préparation

1. Faire cuire les pommes de terre, les peler et les passer aussitôt au presse-purée. Incorporer l'œuf entier et les jaunes d'œufs aux pommes de terre encore chaudes et assaisonner de sel, de poivre et de muscade. Ajouter assez de fécule pour pouvoir former une pâte malléable. Façonner cette pâte en un gros rouleau de 4 cm de diamètre, couvrir et laisser reposer 30 mn environ.
2. Découper le lard en dés et en faire rissoler la moitié dans une poêle jusqu'à transparence. Ajouter le hachis de porc et de bœuf, les oignons pelés et coupés en dés, les tomates détaillées en morceaux, épépinées et pelées et laisser cuire jusqu'à complète évaporation du liquide rendu par la cuisson. Retirer la poêle du feu et laisser refroidir son contenu.
3. Découper le rouleau de pâte de pommes de terre en tranches de 2 cm d'épaisseur, les aplatir légèrement, déposer un peu de farce en leur milieu et recouvrir d'une deuxième tranche de pâte. Bien appuyer sur les bords et procéder de la sorte jusqu'à épuisement des ingrédients.
4. Laisser fondre le reste de lard dans une poêle et y faire dorer les galettes de pommes de terre sur leurs deux faces.
5. Empiler les galettes dans un plat allant au four et laisser terminer la cuisson encore 10 mn dans le four préchauffé à 180°. Servir avec une belle salade verte.

Hannelore Kohl

« Au printemps et en été, vous pouvez raffiner ce plat avec de l'estragon frais et des feuilles de mélisse. Dans ce cas, ne pas faire cuire les herbes dans la poêlée, mais les mélanger à la sauce en fin de cuisson. »

Panse de porc fourrée aux pommes *(photo ci-dessus)*

Ingrédients
(pour 4 personnes)

1,5 kg de panse de porc sans os (à commander chez votre boucher, la veille), sel, poivre, 2 petits pains
1/4 l de jus de pommes
70 g de beurre fondu, 3 cuil. à soupe de sucre, 1 pincée de sel
2 œufs, 1 pomme (d'environ 150 g)
le jus de 1/2 citron
2 cuil. à soupe bombées de panure
2 cuil. à soupe de beurre clarifié
1/2 l de bouillon de viande
200 g de pommes
4 cuil. à soupe de crème fraîche

Préparation

1. Pratiquer une poche dans la viande et inciser la couenne. Assaisonner l'intérieur et l'extérieur de poivre et de sel.

2. Faire ramollir les petits pains dans le jus de pommes. Les essorer légèrement et y ajouter le beurre, le sucre, le sel et les œufs. Râper grossièrement la pomme préalablement épluchée et épépinée et la mélanger avec la panure et le jus de citron aux autres ingrédients de la farce. En fourrer la poche, recoudre l'ouverture et la placer dans un plat à rôtir. Arroser de beurre fondu et faire cuire 1 h 15 au four préchauffé à 200°, en arrosant de temps en temps avec le bouillon de viande.
3. Laver les pommes, les couper en quatre, ne pas les peler, les épépiner, et les répartir autour de la viande 20 mn avant la fin du temps de cuisson.
4. Retirer la viande et les pommes de leur plat de cuisson et les poser sur un plat de service préchauffé ; déglacer le fond de sauce avec la crème fraîche, porter brièvement à ébullition et rectifier l'assaisonnement.

Roulé de porc au lait

Ingrédients
(pour 4 personnes)

1 kg de porc dans la palette, sous forme d'une grande escalope
sel, poivre,
1 gousse d'ail finement râpée
8 grains de coriandre
40 g de beurre clarifié
1,5 l de lait
1/2 cuil. à café de fenouil pilé
1 cuil. à café de marjolaine émiettée
1 feuille de laurier

Préparation

1. Saler et poivrer la viande ; la frotter avec l'ail et les grains de coriandre, en faire une roulade et la lier avec du fil de cuisine. Faire chauffer le beurre clarifié dans une cocotte en fonte et faire revenir le roulé sur toutes ses faces.

2. Porter le lait à ébullition et le verser sur le rôti jusqu'à l'en recouvrir presque entièrement. Laisser frémir environ 1 h, ajouter alors les épices. Le retourner de temps à autre.
3. Après une quarantaine de minutes de cuisson, sortir la viande et la maintenir au chaud. Laisser réduire le jus de moitié en remuant sans cesse et le passer au tamis. Laisser plus ou moins épaissir la sauce et en napper la viande coupée en tranches. Accompagner de croquettes de pommes de terre et d'une salade de saison bien fraîche.

« Casse-croûte » bavarois

Ingrédients

(pour 4 personnes)

Pour la salade au cervelas :

250 g de cervelas

150 g de petits oignons

200 g de tomates

5 cuil. à soupe d'huile

1 cuil. à soupe de moutarde

4 cuil. à soupe de vinaigre de vin blanc

4 cuil. à soupe d'eau minérale

poivre

Pour la salade de chou :

750 g de chou blanc, sel

100 g de lard maigre

4 cuil. à soupe de vinaigre

sucre

2 cuil. à soupe de dés d'oignons

Préparation

1. Pour la salade au cervelas : couper le cervelas en tranches un peu épaisses et celles-ci en belles lanières ; peler les oignons et les détailler en anneaux, laver les tomates et les couper en morceaux.

2. Fouetter l'huile, la moutarde, le vinaigre, l'eau minérale et le poivre et verser cette préparation sur les ingrédients de la salade. Bien mélanger le tout.

3. Pour la salade de chou : couper le chou blanc en quatre, retirer le tronc. Râper le chou en lanières et les faire blanchir pendant 5 mn dans de l'eau salée bouillante, laisser égoutter, recueillir l'eau de cuisson.

4. Couper le lard en petits dés et les faire rissoler dans une poêle. Fouetter le vinaigre, 1/8 l d'eau de cuisson du chou, le sucre, et l'oignon coupé en dés et verser cette préparation sur le chou encore chaud. Répartir alors les dés de lard en surface. Rectifier l'assaisonnement si nécessaire et servir chaud ou froid.

Salade de radis « bleu-blanc »

Ingrédients

(pour 4 personnes)

2 beaux radis blancs (à défaut, des radis noirs épluchés)

sel, 2 pommes rouges

1/2 concombre de jardin (de préférence)

2 tranches épaisses de Leberkäse (peut être remplacé par du cervelas)

1 bouquet d'aneth, 1 dl de crème fraîche, 200 g de yaourt, poivre, sucre, le jus de 1 citron

Préparation

1. Éplucher les radis blancs (ou noirs), les râper en fines rondelles, saler et laisser dégorger environ 10 mn.

2. Laver les pommes et le concombre de jardin, les couper en deux et les épépiner. Détailler les moitiés de pommes en fines lamelles et le concombre en minces rondelles.

3. Couper le Leberkäse (ou le cervelas) en lanières. Laisser égoutter les rondelles de radis, les mélanger aux lamelles de pommes, aux rondelles de concombre et aux lanières de Leberkäse, saupoudrer d'aneth finement ciselé. Mélanger la crème fraîche et le yaourt avec le sel, le poivre, le sucre et le jus de citron et verser le mélange sur la salade.

Hannelore Kohl

« Chaque fois que je suis en Bavière, j'ai grand plaisir à manger les délicieuses spécialités de cette région et particulièrement ses fameuses saucisses blanches, les "Weißwurst", à base de veau, de bœuf et de persil. »

Obatzda [1]

Ingrédients

250 g de camembert allemand bien fait

1 cuil. à soupe de beurre

100 g de fromage blanc au lait entier

1 oignon finement haché

sel, poivre

paprika fort, cumin

4 cuil. à soupe de bière

4 tranches de pain de seigle

1 bouquet de ciboulette

1 botte de radis roses

1 radis noir

Préparation

1. Écraser le camembert à la fourchette. Mélanger les oignons avec le beurre et le fromage frais, et les ajouter à la pâte de camembert. Assaisonner de sel, de poivre, de cumin et de paprika, verser la bière et mélanger bien le tout.

2. Laisser reposer environ 1 h. Étaler cette pâte sur le pain de seigle et servir avec la ciboulette, les radis roses et le radis noir ciselé en spirales pour garniture.

1. Ce casse-croûte est présenté par Helmut Kohl dans son introduction au chapitre.

Boulettes fourrées aux prunes

Ingrédients

(pour 4 personnes)

350 g de pommes de terre farineuses
à la cuisson
125 g de farine
20 g de beurre
1 pincée de sel
1 œuf
800 g de quetsches
du sucre en petits cubes
du beurre « noisette » pour le
nappage (beurre clarifié et chauffé
couleur noisette)
de la cannelle et du sucre glace
mélangés pour le saupoudrage

Préparation

1. Faire cuire les pommes de terre, les peler et les passer aussitôt au presse-purée. Laisser refroidir. Ajouter la farine, le beurre, le sel et l'œuf ; pétrir rapidement l'ensemble en une pâte malléable. La laisser reposer 10 mn.
2. Dénoyauter les quetsches et placer un morceau de sucre dans le creux laissé par le noyau.
3. Former un rouleau avec la pâte aux pommes de terre, le débiter en fins tronçons. Sur chacun d'eux, poser une quetsche et les envelopper complètement de pâte. Façonner en forme de boulettes et plonger celles-ci dans de l'eau frémissante pour les faire cuire jusqu'à ce qu'elles remontent à la surface.
4. A ce moment, les retirer avec une écumoire et les napper de beurre « noisette » ; saupoudrer de sucre à la cannelle au moment de servir.

Crème bavaroise

Ingrédients

(pour 4 personnes)

1/2 l de lait
1 pincée de sel
1 gousse de vanille fendue en deux
10 feuilles de gélatine
4 jaunes d'œufs
100 g de sucre semoule
1/2 l de crème fouettée
350 g de baies diverses fraîches ou
surgelées

Préparation

1. Porter le lait à ébullition avec le sel et la gousse de vanille ; après la première ébullition, retirer la gousse et la gratter, replacer la pulpe dans le lait et le retirer du feu. Faire tremper les feuilles de gélatine dans de l'eau tiède pour qu'elles ramollissent.
2. Battre ensemble au bain-marie les jaunes d'œufs et le sucre semoule jusqu'à obtenir une pâte crémeuse. Incorporer à cette crème le lait à la vanille encore chaud et remuer l'ensemble jusqu'à ce que la crème épaississe. Diluer dans ce mélange la gélatine bien pressée. Mettre la crème dans un bain-marie froid et continuer à battre jusqu'à léger refroidissement.
3. Battre la crème fouettée jusqu'à ce qu'elle devienne une « Chantilly » et l'incorporer à la crème avant que celle-ci ne soit trop prise. Verser la préparation obtenue dans des petits ramequins et laisser prendre au réfrigérateur toute une nuit. Les démouler et servir avec la garniture de baies fraîches ou décongelées.

Butternockerl [1] *(Petites quenelles aux fruits)*

Ingrédients

(pour 6 personnes)

500 g de farine
1 cuil. à café de levure
150 g de sucre
1 sachet de sucre vanillé
le zeste de 1/2 citron non traité,
râpé finement
3 œufs
4 cl d'eau-de-vie de prune
150 g de beurre bien froid, en copeaux
du beurre clarifié pour la cuisson

3 cuil. à soupe de sucre en poudre
1/2 cuil. à café de cannelle en
poudre
125 g de pruneaux secs
125 g de pommes séchées
125 g de poires séchées
3 clous de girofle
1 bâton de cannelle
1 l d'eau
80 g de sucre

Préparation

1. Passer au tamis la farine et la levure. Pétrir rapidement le mélange avec le sucre, le sucre vanillé, le zeste de citron, les œufs, l'eau-de-vie de prune et les copeaux de beurre pour former une pâte bien lisse. À l'aide de deux cuillères à soupe, façonner des petites quenelles avec la pâte et les faire dorer dans le beurre clarifié très chaud. Saupoudrer aussitôt généreusement les petites quenelles du sucre en poudre mélangé à la cannelle. Laisser reposer 24 heures.

2. Laisser tremper les fruits secs et les épices toute une nuit dans l'eau. Le lendemain, porter cet ensemble à ébullition, avec le sucre, et laisser refroidir. Retirer les épices du sirop et le servir avec les petites quenelles de la veille.

---

1. Terme de patois bavarois.

Petits pâtés au Sylvaner de Franconie

Ingrédients

(pour 6 personnes)

Pour la pâte :
250 g de farine de froment
125 g de beurre, 1 œuf, 1 pincée de
sel, 1 à 2 cuil. à soupe d'eau

Pour la farce :
la mie de 2 petits pains
1/4 l de Sylvaner sec
50 g d'amandes moulues
1 œuf, 1 jaune d'œuf
30 g de moelle de bœuf
2 cuil. à soupe de gouda jeune râpé
1 petite gousse d'ail, 1/2 cuil. à café
de sel, poivre blanc, muscade
1 cuil. à soupe de persil plat haché
1 jaune d'œuf pour le badigeon
du poivre moulu gros pour saupoudrer

Préparation

1. Façonner avec les ingrédients indiqués une pâte brisée et la réserver pendant 2 heures au froid.
2. Faire ramollir les petits pains dans le vin. Mélanger les amandes avec l'œuf entier, le jaune d'œuf, la moelle de bœuf coupée en dés, le fromage, la gousse d'ail écrasée, et les aromates. Presser les petits pains et les travailler en une pâte molle avec les autres ingrédients.
3. Graisser 6 moules à tartes individuels (d'environ 2 cm de haut et 11 cm de diamètre). Étaler la pâte sur une épaisseur de 2 mm. Découper 12 rondelles avec l'un des moules à tarte et remplir les moules d'une rondelle de pâte. Garnir avec la farce et recouvrir des 6 rondelles de pâte restantes en appuyant bien sur les bords pour fermer hermétiquement. Creuser un trou dans chacun d'eux. Passer le jaune d'œuf au pinceau et parsemer de poivre. Faire cuire 20 à 25 mn dans le four préchauffé à 200°

Tarte du Prince-Régent [1]

(photo ci-dessus)

Ingrédients

(pour 16 parts)

Pour la pâte :
375 g de beurre mou
275 g de sucre
2 sachets de sucre vanillé
4 œufs
2 pincées de levure
375 g de farine

Pour la garniture :
200 g de chocolat amer
500 g de beurre ramolli
350 g de sucre en poudre
6 jaunes d'œufs
125 g de confiture d'abricots
250 g de glaçage au chocolat

Préparation

1. Battre le beurre et les sucres en une pâte crémeuse. Séparer les blancs des jaunes de deux des œufs et incorporer les deux jaunes ainsi que les deux autres œufs entiers à ce mélange. Ajouter progressivement le mélange levure-farine. Battre les blancs d'œufs en une neige bien ferme et l'incorporer délicatement à la pâte.
2. Partager la pâte en 7 portions et les étaler au rouleau à pâtisserie ; les faire dorer l'une après l'autre dans un moule revêtu de papier sulfurisé au four préchauffé à 180° pendant environ 8 mn. Laisser refroidir sur une grille.

3. Briser le chocolat et le faire fondre au bain-marie. Battre le beurre en pommade et incorporer progressivement le sucre en poudre, les jaunes d'œufs et à la fin le chocolat refroidi.
4. Enduire 6 fonds de tarte de cette crème et les assembler les unes sur les autres. Réserver un peu de crème. Tartiner le 7e fond de tarte de la confiture d'abricots et enrober le tout avec le glaçage fondu. Attendre qu'il prenne et le décorer avec la crème restante, à l'aide d'une poche à douille.

---

1. Luitpold de Bavière, oncle du malheureux roi Louis II et de son frère Otton Ier, très populaire gouverneur de Bavière de 1886 à 1912.

« *Des idées pour une jolie décoration de vos tables* »

La magie d'une ambiance dépend souvent de peu de chose. En matière de décoration de table, la renommée de Erhard Priewe a depuis longtemps dépassé les frontières de l'Allemagne. Il vous recommande d'abord de penser au motif de votre invitation, à la personnalité de vos invités et de laisser jouer votre imagination.
Voici quelques-uns de ses conseils :

« Vous avez invité vos amis pour regarder les photos de leurs dernières vacances à la mer ? Disposez sur la table une poignée de sable blanc (on le trouve en accessoires d'aquarium chez les marchands d'animaux), quelques coquillages et des bougies flottantes dans une coupe remplie d'eau. Cela leur donnera aussitôt l'envie de reprendre des vacances.

La table des amateurs de skat [1] sera décorée avec des cartes à jouer. Celles des amies du club de couture seront ornées de bobines de fil à coudre de toutes les couleurs et un mètre de couturier, les serviettes seront maintenues par des épingles à nourrice. Un bouquet de fleurs pourrait être remplacé par des corbeilles de légumes divers, qui — bien disposés — sont très décoratifs. Pour une soirée italienne, un assortiment de pâtes peut être aussi d'un effet amusant.

Pour les mélomanes, écrivez le menu sur des portées. En automne, les feuilles de marronniers séchées font des marque-places idéals sur lesquels vous porterez les inscriptions avec des

« Cette somptueuse décoration de table est réservée à des occasions exceptionnelles. Mais certaines petites choses ont parfois un résultat tout à fait spectaculaire. » Erhard Priewe règne en maître sur cet art.

crayons or ou argent. Pendant la période de l'Avent, quelques noix et des pains d'épice en forme de cœur mettent dans l'ambiance... Des branches coupées dans le jardin ou rapportées de promenade, réparties sur la table, font souvent plus d'effet

qu'un bouquet composé... Des rubans accrochés aux serviettes et aux bougies font miracle et peuvent être réutilisés inlassablement.
Vous remarquerez qu'il n'y a pas de bornes à votre imagination. Quand on a fait l'expérience d'une décoration de

table non conventionnelle, on trouve de plus en plus de plaisir à gâter ses invités et on devient chaque fois plus imaginatif. »

1. Écarte ou skat : jeu de cartes aussi répandu en Allemagne que la belote en France.

Du Neckar au lac de Constance

Par Helmut Kohl

L es ducs de Wurtemberg et la dynastie des Hohenzollern, dont le château ancestral se dresse à Sigmaringen, ont écrit d'importants chapitres de l'histoire allemande. Leurs forteresses, buts très appréciés des touristes, donnent aujourd'hui encore une idée impressionnante du rôle capital que joua et que joue toujours cette région. Ici l'histoire est parfaitement en accord avec une culture et un art culinaire raffiné formant un ensemble harmonieux.

Ma propre prédilection pour les châteaux, les forteresses et leur histoire a sans doute été éveillée par un cadeau de Noël que je reçus dans ma prime jeunesse. Auparavant, je ne trouvais au pied de l'Arbre que des objets utiles : un pull-over, un foulard ou un pantalon chaud, mais ce jour-là je reçus en cadeau un véritable château de chevaliers.

▶

Du Neckar au lac de Constance

Pendant des heures, je pouvais désormais y organiser des tournois passionnants, et durant de nombreuses années encore je demandais qu'on m'offre des accessoires pour mon château fort. Quand je fus assez grand pour que mes parents m'autorisent à partir à bicyclette pendant les vacances en emportant ma tente, j'ai exploré assidûment la région qui entoure la forteresse de Dilsberg près de Heidelberg. Peut-être ma décision, plus tard, de faire mes études à l'Université de Heidelberg est-elle en partie venue de là.

Mais les princes et leurs châteaux forts ne sont pas les seuls éléments typiques de ces paysages. Depuis l'époque de la Réforme c'est ici, précisément, que s'est manifestée — parfois même de façon violente — la volonté de liberté chez les paysans comme chez les citadins. Très tôt s'est développée ici une tradition libérale ; elle anima le Parlement qui siégea à l'église Saint-Paul de Francfort[1], et de nos jours encore elle a donné à la nouvelle démocratie allemande avec Theodor Heuss, né près de Heilbronn et qui fut de 1949 à 1959 le premier Président de la République fédérale d'Allemagne, un grand représentant de la pensée libérale.

Aux yeux de beaucoup de connaisseurs, l'art culinaire badois a la réputation d'être le plus raffiné d'Allemagne. Cela est sûrement dû en partie au fait que cette région a toujours été ouverte à l'influence française. Comme tant d'autres régions frontalières le pays de Bade est encore une charnière entre l'Allemagne et la France.

Bien qu'on attribue aux habitants de la Souabe un sens proverbial de l'économie, leur cuisine, fort différente de celle du pays de Bade, montre qu'ils sont aussi un peuple de gourmets. Les « Souabes amateurs de soupe » commencent toujours leur repas par un bouillon servi avec des « Fädle » (des « petits fils »), c'est-à-dire des lamelles de crêpes coupées très fin) ou avec des quenelles faites avec du foie, de la semoule ou de la moelle. Connaissant la prédilection des Souabes pour leurs « Spätzle », on ne s'étonnera pas en apprenant que la fabrication allemande de pâtes alimentaires a son siège principal en Souabe.

La légende raconte comment les Souabes ont inventé leur plat national, les « Maultaschen », les « sacs de gueule ». Ce fut, dit-on, l'invention d'un « Petit Malin » qui eut l'idée de fabriquer ces « poches » de pâte à nouilles farcies de viande, sous le prétexte qu'ainsi le Bon Dieu ne remarquerait pas que l'on mangeait quand même de la viande le Vendredi saint... Que cette anecdote soit vraie ou non, elle correspond fort bien à l'esprit aigu des Souabes, et les bonnes « Maultaschen » valent bien un petit péché. On les sert accompagnées d'une salade de pommes de terre tiède, accommodée de bouillon et de farine, mélangés à du beurre fondu.

Dans l'Allgäu souabe[2] l'économie laitière prédomine, et la région autour de Wangen est devenue l'un des centres de la fabrication fromagère allemande. Dans le monde entier, l'Allemagne est aujourd'hui appréciée comme « pays à fromages » à cause de la grande variété de ses produits : en 1984 nous avons exporté 365 000 tonnes de fromage, c'est-à-dire plus que ce que nous avons importé en provenance d'autres pays. À ceux qui passent leurs vacances dans l'Allgäu, je recommande vivement de visiter une fromagerie car les procédés (très coûteux) de fabrication qui y sont utilisés relèvent d'une véritable science particulièrement intéressante.

À l'ouest ou à l'est de la Forêt Noire, la viticulture est la richesse dominante. Le massif du Kaiserstuhl jouit d'un climat particulièrement favorable, celui du « fossé » du Rhin supérieur, ainsi que dans la Franconie badoise, située plus au nord, on trouve des raisins merveilleux qui donnent des crus très réputés, tels le « Weißherbst » et le « Trollinger ».

1. C'est là que s'est réunie la première Assemblée nationale allemande librement élue au suffrage universel, en 1848-1849.
2. L'Allgäu est un coin de hautes vallées et montagnes alpestres qui s'enfonce dans le Tyrol autrichien au sud-ouest de la Bavière. Historiquement et par sa population, cette région appartient à la Souabe.

Lindau sur le lac de Constance : c'est une des localités les plus méridionales de notre itinéraire culinaire.

Poivrade de porc

Ingrédients
(pour 4 personnes)

*800 g d'épaule de porc (désossée et
découennée)*
1 boudin frais
1/2 l de vin rouge
5 cl de vinaigre de vin rouge
2 cl de kirsch
*1 oignon, 1 carotte, 2 gousses d'ail,
2 branches de thym, 1 branche de
romarin, 1 clou de girofle, 1/4 de
feuille de laurier, 8 grains de poivre*
3 échalotes, 10 g de beurre
*2 cuil. à soupe de concentré de
tomate*
*30 g de beurre clarifié, 1 cuil. à café
de farine, sel, poivre*

Préparation

1. Couper la viande en gros
cubes. Pour la marinade :
écraser le boudin après en
avoir enlevé la peau et le
mélanger au vin, au vinaigre
et au kirsch. Peler l'oignon,
la carotte et une gousse d'ail,
les couper en petits morceaux
et les ajouter avec les herbes
et les épices à la marinade.
Y plonger les cubes de
viande, couvrir et laisser
mariner 2 jours au frais.
2. Peler les échalotes et la
gousse d'ail restante, les couper en dés et les faire fondre
dans le beurre. Ajouter
1 cuil. à soupe de concentré
de tomate, porter à ébullition
et éteindre aussitôt le feu.
3. Retirer la viande de la
marinade, la sécher et la
faire revenir vivement dans
le beurre clarifié très chaud.
Saupoudrer de farine, incorporer le reste de concentré
de tomate et faire étuver.
Ajouter la sauce aux échalotes et petit à petit la marinade. Verser au besoin un
peu d'eau et laisser frémir 50
à 60 mn à petits bouillons.
4. Disposer la viande dans
un plat de service pré-
chauffé, à l'aide d'une écumoire. Passer la sauce au
chinois et la verser sur la
viande. Accompagner de
boulettes de petits pains
ramollis au lait.

Filet de porc
aux lentilles

Ingrédients

(pour 4 personnes)

600 g de filet de porc

1 poireau, 2 carottes

2 cuil. à soupe de beurre

250 g de lentilles cuites

1/4 l de bouillon de volaille

sel, poivre

400 g de petites pommes de terre

nouvelles

20 g de beurre clarifié

sel, poivre

1/8 l de vin blanc demi-sec

1/8 l du jus de la viande rôtie

(à compléter au besoin par du fond

de sauce)

10 g de beurre

Préparation

1. Retirer la peau et les tendons du filet de porc. Bien nettoyer le poireau, éplucher les carottes et couper le tout en petits dés.

2. Faire chauffer le beurre et y faire ramollir les légumes. Ajouter les lentilles, verser le bouillon de volaille et assaisonner de poivre et de sel.

3. Faire cuire les pommes de terre dans leur peau.

4. Faire chauffer le beurre clarifié et y faire revenir le filet sur tous ses côtés environ 20 mn. Le retirer de la poêle, saler, poivrer et le laisser reposer quelques minutes enveloppé dans une feuille d'aluminium. Déglacer le fond de cuisson avec le vin blanc et le jus rendu par la viande et laisser réduire de moitié.

5. Peler les pommes de terre cuites et les faire bien dorer dans le beurre fondu.

6. Découper la viande en tranches, les disposer sur les légumes, napper de sauce et servir avec les pommes de terre.

Pâté de porc
et salade de mâche

Ingrédients

(pour 4 personnes)

4 tranches de rôti de porc froid

400 g de côtes de porc désossées

4 pommes acidulées

1 carotte, 100 g de céleri-rave

300 g de viande de porc haché

3 cuil. à soupe de sucre

de la sauce au soja

1/2 cuil. à café de paprika fort

1 prise de girofle moulue

sel, poivre

300 g de pâte feuilletée surgelée

1/2 tasse de bouillon de légumes

1 jaune d'œuf

Préparation

1. Couper le rôti et les côtes de porc en lanières de l'épaisseur d'un crayon. Éplucher les pommes, la carotte et le céleri-rave et les couper en petits dés. Faire blanchir les légumes rapidement dans de l'eau bouillante.

2. Mélanger la viande de porc hachée avec les épices, les dés de légumes et de pommes, ajouter les lanières de viandes.

3. Étaler la pâte feuilletée, aussi finement que possible, découper une plaque de 28 cm et une autre de 22 cm de diamètre. Garnir un moule à tarte de 28 cm de diamètre avec la plus grande des deux plaques, et façonner un bord de 3 cm de hauteur. Répartir la farce sur cette pâte et la recouvrir avec la deuxième plaque. Bien appuyer sur les bords pour fermer hermétiquement. Creuser des trous ici et là dans la pâte du dessus.

4. Battre au fouet le bouillon et les jaunes d'œufs et enduire le pâté de ce mélange. Faire cuire environ 10 mn au four préchauffé à 225° et 40 mn supplémentaires à 175°. Accompagner d'une salade de mâche à la tomate.

« Marche » de Gaisburg [1]

(photo ci-dessous)

Ingrédients

(pour 4 personnes)

500 g d'os pour le bouillon

500 g de poitrine de bœuf

100 g de céleri-rave

2 carottes (environ 100 g)

1 petite racine de persil (facultatif)

1 poireau d'environ 100 g

1/2 oignon

1 feuille de laurier

2 clous de girofle

quelques grains de poivre, du sel

500 g de pommes de terre

En outre :

3 oignons, 30 g de beurre

150 g de Spätzle (recette p. 215)

déjà cuits

Préparation

1. Faire cuire dans de l'eau froide les os pour le bouillon. Porter à ébullition et écumer souvent. Pendant ce temps, nettoyer les légumes, les couper en morceaux et les ajouter à la viande, avec les épices dans le bouillon bien chaud. Saler, couvrir et laisser cuire environ 1 h 30.
2. Éplucher les pommes de terre, les laver, les couper en petits dés et les faire cuire environ 20 mn dans de l'eau salée. Retirer la viande de son bouillon après 1 h 30 de cuisson et la découper en morceaux de la taille d'une bouchée. Passer le bouillon au chinois.
3. Peler les oignons et les couper en anneaux, les faire dorer dans le beurre chaud. Pour servir, disposer la viande, les pommes de terre et les Spätzle cuits dans une soupière et les arroser du bouillon. Parsemer les oignons bien dorés.

1. Gaisburg est une petite ville dans le voisinage de Stuttgart.

Roulades du vendangeur

Ingrédients

(pour 4 personnes)

350 à 400 g de viande de bœuf coupée en 8 lamelles,

8 feuilles de vignes conservées dans le vinaigre, 1,5 à 3 dl de vin rouge

1 feuille de laurier, sel, poivre

8 tranches fines de lard gras fumé

4 à 5 cuil. à soupe de beurre clarifié

2 dl de bouillon de viande

1 à 2 cuil. à soupe de concentré de tomate, 150 g de petits oignons au vinaigre, de la moutarde

Préparation

1. Envelopper chaque tranche de viande dans les feuilles de vignes, les ranger dans un récipient plat, arroser de vin rouge, ajouter la feuille de laurier, couvrir et laisser mariner au frais toute une nuit.
2. Retirer délicatement les lamelles de viande de leur feuille de vigne, les saler et poivrer, les remettre dans les feuilles de vigne et les enrouler dans les tranches de lard. Attacher les roulades avec du fil de cuisine.
3. Faire dorer ces roulades de tous les côtés dans le beurre clarifié très chaud. Mouiller progressivement avec la marinade et porter à ébullition à feu moyen. Retirer la feuille de laurier. Ajouter le bouillon de viande. Couvrir et laisser mijoter environ 25 à 30 mn. Retirer les roulades de leur jus de cuisson. Détacher le fil et les maintenir au chaud. Passer le fond de cuisson au chinois, le mélanger au concentré de tomate et aux oignons égouttés, porter à ébullition. Déposer les roulades dans la sauce, bien faire réchauffer, assaisonner avec du sel, du poivre et de la moutarde. Accompagner avec de la purée de pommes de terre et de la salade de céleri parsemée de grains de raisins.

Ragoût de bœuf

Ingrédients
(pour 4 personnes)

750 g de haut de côtes (désossé)
80 g de lard maigre
4 petits oignons
1 bouquet garni
1 sachet de cèpes séchés
250 g de tomates en boîte
1 cuil. à café de concentré de tomate
sel
poivre blanc
1/4 l de vin rouge
1/4 l de bouillon de viande chaud
3 poivrons rouges et 3 verts
220 g de champignons de Paris en boîte
de l'eau-de-vie (Cognac, par exemple)
1 pincée de sucre
3 cuil. à soupe de crème fraîche

Préparation

1. Couper la viande en cubes de 3 cm de côté. Détailler le lard en petits dés. Peler les oignons, les hacher finement. Faire rissoler les dés de lard dans une casserole. Ajouter les cubes de viande, le bouquet garni et les cèpes séchés. Faire braiser pendant 10 mn.
2. Réduire les tomates en purée, la laisser bien égoutter (recueillir le jus de tomate) et l'ajouter à la viande en même temps que le concentré de tomate, le sel et le poivre. Laisser étuver 10 mn. Déglacer avec le vin rouge, le bouillon et le jus de tomate recueilli.
3. Laver les poivrons, les couper en quatre, les épépiner et les couper en lanières. Ajouter cette « effilochée » de poivrons à la viande avec les champignons bien égouttés. Couvrir et laisser étuver 10 mn supplémentaires.
4. Assaisonner avec l'eau-de-vie, le sel et le poivre et affiner avec la crème fraîche. Accompagner de pâtes au beurre et de salade verte.

Poitrine de bœuf du pays de Bade

(photo page de droite)

Ingrédients
(pour 4 personnes)

1 kg de poitrine de bœuf conservée dans le sel (la commander à l'avance chez votre boucher)
3 à 5 feuilles de laurier
quelques baies de genièvre ou grains de piment
1 poireau
3 grosses carottes
1 petit céleri-rave avec ses fanes
sel
1 bouquet de persil plat finement ciselé

Préparation

1. Porter à ébullition 1,5 l d'eau. Y placer la poitrine de bœuf et toutes les épices ; laisser frémir à petits bouillons 1 h à 1 h 20 (selon l'épaisseur).
2. Pendant ce temps, nettoyer, laver et couper les légumes en gros morceaux. Les ajouter à la viande et laisser cuire 20 mn supplémentaires.
3. Découper la viande en belles tranches et les disposer avec les légumes sur un plat de service. Saler le bouillon si nécessaire, parsemer de persil et le servir séparément de la viande en soupière. Accompagner de pain de campagne et de pommes de terre persillées.

Hannelore Kohl

« La viande de bœuf est plus goûteuse quand elle est persillée de petites fibres de gras. Si tel est le cas, vous pourrez réduire alors la quantité de graisse pour la cuisson. »

Émincé de bœuf
à la crème *(photo ci-dessus)*

Ingrédients

(pour 4 personnes)

400 g de viande de bœuf dans le
paleron
2 à 3 tomates
1 oignon
2 cornichons russes (Molossol)
1 gousse d'ail
1 cuil. à soupe de beurre clarifié
sel, poivre
150 g de crème fraîche
1 cuil. à café de concentré de tomate
1 cuil. à café de moutarde
2 dl de crème fleurette

Préparation

1. Couper la viande en fines
tranches puis en lanières.
Peler les tomates et l'oignon
et les couper en petits dés
ainsi que les cornichons
égouttés.

2. Peler la gousse d'ail, la
partager en deux, en frotter
une poêle et y faire chauffer
le beurre clarifié. Faire revenir les lanières de viande,
assaisonner de poivre et de
sel, retirer la poêle du feu,
et maintenir la viande au
chaud dans le four pré-
chauffé.
3. Faire rissoler les dés
d'oignon dans la graisse de
cuisson. Ajouter les dés de
tomates et de cornichons et
faire mijoter l'ensemble brièvement. Verser la crème
fraîche, le concentré de
tomate, la moutarde et la
crème fleurette dans la poêle
et mélanger vivement le tout.
Assaisonner de poivre et
de sel, y ajouter l'émincé
de bœuf et servir aussitôt.
Accompagner de tagliatelles
cuites « al dente ».

Assiette souabe

Ingrédients

(pour 4 personnes)

250 g d'aloyau
250 g de filet de veau
250 g de filet de porc
50 g de beurre clarifié
sel
poivre
1 oignon finement haché
1/2 cuil. à café de paprika doux en
poudre
200 g de crème fraîche épaisse
3 cuil. à soupe de crème liquide
(fleurette)
1 bouquet de ciboulette ciselée

Préparation

1. Couper les différentes
sortes de viandes en
tranches et les faire revenir
3 mn sur leurs deux faces
dans du beurre clarifié très
chaud ; saler, poivrer, retirer
la viande du feu et la maintenir au chaud.
2. Faire fondre l'oignon
dans le jus de cuisson rendu
par la viande. Ajouter le
paprika, saler et lier le tout
avec la crème fraîche
épaisse ; laisser réduire pour
velouter la sauce et incorporer alors la crème liquide.
Parsemer de ciboulette et
napper la viande avec cette
sauce. Accompagner de préférence d'une salade composée et de Spätzle.

Goulasch de bœuf aux champignons

Ingrédients
(pour 4 personnes)

1 kg de viande de bœuf dans les basses-côtes

120 g de beurre clarifié

500 g d'oignons

un peu de farine

3/4 l de bouillon de viande

sel, poivre

1 bouquet de thym haché

750 g d'un mélange de champignons frais (champignons de Paris, girolles, pleurotes)

2,5 dl de crème fraîche liquide

2 bouquets de ciboulette

Préparation

1. Couper la viande de bœuf en gros cubes. Faire chauffer le beurre clarifié dans une cocotte et y faire revenir vivement la viande. Peler les oignons et les couper en petits dés, les ajouter au contenu de la cocotte et les faire également revenir. Saupoudrer d'un peu de farine et détendre au bouillon de viande. Assaisonner de poivre et de sel et laisser cuire 1 h 15 à feu doux.
2. Dix minutes avant la fin du temps de cuisson, ajouter les champignons nettoyés et coupés en lamelles, verser la crème liquide, laisser bouillonner quelques minutes et servir après avoir saupoudré de ciboulette finement ciselée.

Rôti de bœuf aux marrons

Ingrédients
(pour 4 personnes)

800 g de bœuf dans la culotte

sel, poivre

1 cuil. à café de thym séché

300 g d'oignons

50 g de beurre clarifié

1/4 l de vin rouge

1/4 l de bouillon de viande

250 g de marrons (châtaignes)

250 g de carottes

2 cuil. à soupe de crème fraîche

1 cuil. à soupe de gelée de groseille

Préparation

1. Frotter la viande avec le sel, le poivre et le thym. Peler les oignons et les couper en dés. Faire revenir la viande sur tous ses côtés dans le beurre clarifié. Ajouter les oignons et faire rissoler le tout. Verser le vin rouge et le bouillon et laisser mijoter environ 1 h 30.
2. Inciser en croix la pointe des marrons et les faire cuire au four 15 mn à 250°. Les éplucher. Laver les carottes, les gratter et les couper en rondelles. Ajouter les marrons et les carottes à la viande et laisser mijoter doucement 30 mn de plus. Assaisonner la sauce avec la crème fraîche et la gelée de groseille. Découper la viande en belles tranches et les servir nappées de sauce avec les carottes et les marrons. Accompagner de croquettes de pommes de terre.

Rôti de bœuf lardé

Ingrédients

(pour 4 personnes)

Pour le rôti :

70 g de lard fumé gras

750 g de bœuf pris dans la culotte

sel

poivre blanc

40 g de saindoux

3 oignons

3/8 l de bouillon de viande chaud

Pour la sauce :

250 g de concombre

1 bouquet d'aneth

3 cuil. à café de moutarde demi-forte

250 g de crème fraîche

le jus de 1/2 citron

Préparation

1. Couper le lard en lanières de 1 cm d'épaisseur. Les couvrir et les mettre 20 mn au congélateur. Enfiler le lard sur une aiguille à larder et piquer la viande dans le sens des fibres. La frotter de poivre et de sel.
2. Faire chauffer le saindoux dans une cocotte. Y faire revenir la viande de tous les côtés. Peler les oignons, les couper en gros dés et les ajouter à la viande. Mouiller avec un peu de bouillon chaud et laisser mijoter 2 h dans le récipient fermé.
3. Retourner le rôti à plusieurs reprises. Ôter le couvercle et laisser dorer la viande encore 25 à 30 mn en la retournant de temps à autre. La retirer ensuite du feu et la garder au chaud.
4. Déglacer le fond de cuisson avec le reste de bouillon et laisser réduire encore 10 mn en tournant continuellement avec une spatule.
5. Laver le concombre et le couper en petits dés. Hacher l'aneth et ajouter le tout à la sauce. Mélanger la moutarde et la crème fraîche et les verser dans cette sauce. Découper la viande en belles tranches, les dresser sur un plat de service préchauffé et les napper d'un peu de sauce. Servir le reste dans une saucière séparément. Accompagner de pommes de terre cuites à l'eau salée et, éventuellement, d'une salade composée.

Rôti de bœuf à la manière souabe

Ingrédients

(pour 4 personnes)

1,5 kg de bœuf dans la culotte

du poivre blanc

500 g de carottes

8 racines de persil (peuvent être remplacées par du céleri-rave)

1 oignon blanc

3 clous de girofle

1/2 l de bière brune

50 g de beurre clarifié

sel, poivre

1/4 l de bouillon de viande

1 pincée de sucre

6 cuil. à soupe de crème liquide

Préparation

1. Frotter le rôti avec le poivre et le placer dans un faitout. Nettoyer les légumes, les laver, couper les carottes, les racines de persil ou le céleri en petits morceaux et l'oignon blanc en dés. Ajouter le tout à la viande avec les clous de girofle. Arroser le tout de bière, couvrir et laisser macérer deux jours en retournant la viande plusieurs fois par jour.
2. Retirer la viande de la marinade, la sécher, la poser dans une cocotte et l'arroser de beurre clarifié très chaud. Saler, couvrir et faire cuire 1 h dans le four préchauffé à 220°.
3. Ajouter ensuite les légumes et une partie de la marinade passée au chinois. Laisser cuire une heure supplémentaire.
4. Sortir la viande et les légumes du fond de cuisson et les maintenir au chaud. Détendre la sauce avec la marinade restante et le bouillon de viande jusqu'à obtenir 1/2 l de liquide. Assaisonner de sel, de poivre et de sucre. Laisser réduire un peu. Incorporer à la fin la crème liquide et ne plus faire bouillir. Découper la viande en belles tranches et les napper d'un peu de sauce ; servir avec les légumes de cuisson et accompagner de tagliatelles.

Médaillons de veau

Ingrédients

(pour 4 personnes)

500 g d'asperges vertes
750 g d'asperges blanches
sel, 1 cuil. à café de sucre
le jus de 1/2 citron
8 médaillons de veau de
80 g chacun
poivre, 20 g de beurre clarifié
1 dl de vin blanc sec
1 dl de bouillon de viande
1 dl de crème fraîche
20 g de beurre

Préparation

1. Couper l'extrémité dure des asperges vertes (il est inutile de les peler) et éplucher soigneusement les asperges blanches sur toute leur longueur. Porter à ébullition de l'eau avec du sel, du sucre et le jus du citron et y faire cuire les asperges vertes 10 mn, et les blanches, 15 mn.

2. Assaisonner les médaillons de sel et de poivre et les faire rôtir dans le beurre clarifié chaud envi-ron 3 mn de chaque côté. Retirer la viande du feu et la maintenir au chaud.

3. Déglacer le fond de cuisson avec le vin blanc, verser le bouillon et laisser un peu réduire. Ajouter la crème fraîche et laisser à nouveau réduire un peu. Assaisonner avec le sel et le poivre.

4. Faire revenir les asperges cuites et égouttées dans le beurre fondu et dresser avec les médaillons de veau sur des assiettes préchauffées. Accompagner d'un gratin de pommes de terre.

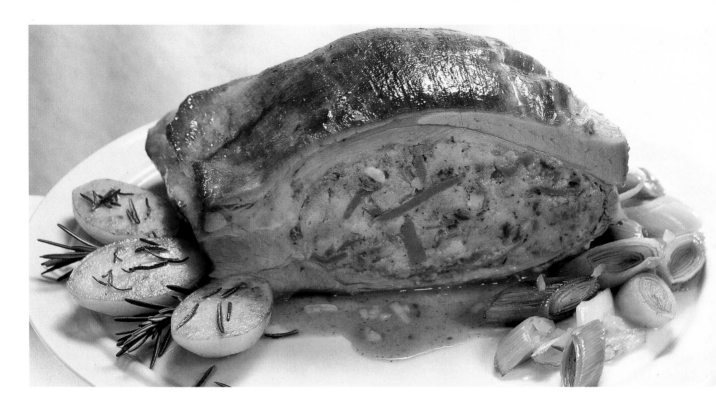

Poitrine de veau farcie du pays de Bade *(photo ci-dessus)*

Ingrédients
(pour 4 personnes)

30 g de cèpes séchés, 1/8 l de lait
2 kg de poitrine de veau
sel, poivre, 200 g de carottes
1/4 de céleri-rave, 2 oignons
100 g de champignons de Paris
1/2 bouquet de persil
300 g de pain de mie, 50 g de beurre, 3 œufs, 1 pincée de muscade
4 cuil. à soupe de beurre clarifié
1/2 l de bouillon de viande
1 branche de thym
1 branche de marjolaine

Préparation

1. Faire gonfler les cèpes environ 3 h dans le lait. Découper une poche dans la poitrine de veau, saler et poivrer à l'intérieur et à l'extérieur. Éplucher les carottes, le céleri-rave et les oignons ; les couper en gros morceaux. Ôter le bout terreux des champignon, les essuyer dans du papier absorbant et les couper en quatre, hacher grossièrement le persil. Prélever la mie des toasts, les couper en petits dés et les placer dans un saladier. Y ajouter les cèpes dans leur lait. Faire fondre 20 g de beurre dans une poêle, ajouter les carottes, les champignons et le persil. Faire étuver quelques minutes. Laisser refroidir. Ajouter les œufs entiers aux dés de pain et assaisonner en sel et en poivre. Pétrir
le tout en une pâte un peu molle. Mettre cette farce dans la poitrine et en recoudre l'ouverture.
2. Faire chauffer le beurre clarifié dans une cocotte, y faire revenir la poitrine de veau sur tous ses côtés, ajouter les dés de légumes refroidis, et faire rôtir environ 1 h 30 au four préchauffé à 200°.
3. Dès que la viande est bien dorée, arroser avec le bouillon, ajouter les herbes émiettés et laisser cuire encore 1 h en l'arrosant de temps à autre.
4. Retirer le rôti cuit de la cocotte et le maintenir au chaud. Passer le fond de sauce au chinois, lier éventuellement avec le beurre restant coupé en copeaux.

Paupiettes de veau farcis aux épinards

Ingrédients
(pour 4 personnes)

4 fines escalopes de veau de 200 g chacune
1 cuil. à soupe de moutarde
4 tranches de jambon cuit
250 g de feuilles d'épinards
4 œufs durs écalés
sel, poivre
4 cuil. à soupe de beurre
3/8 l de bouillon de veau
1 cuil. à soupe de concentré de tomate
4 cuil. à soupe de crème fouettée

Préparation

1. Aplatir les escalopes de veau aussi finement que possible et y étaler une fine couche de moutarde. Garnir chaque escalope d'une tranche de jambon.
2. Laver les feuilles d'épinards préalablement nettoyées et les faire blanchir dans très peu d'eau salée bouillante. Les répartir, bien égouttées, sur les tranches de jambon. Poser les œufs écalés sur le tout et former une roulade avec les escalopes de veau. Lier l'ensemble avec du fil de cuisine ou le fixer avec des cure-dents. Assaisonner de sel et de poivre.
3. Faire chauffer le beurre clarifié dans une cocotte et y faire revenir vivement les roulades pendant 10 mn. Verser le bouillon et faire étuver 1 h dans la cocotte bien fermée.
4. Retirer les paupiettes de leur récipient de cuisson. Enlever les fils ou les cure-dents. Porter le fond de cuisson à ébullition et ajouter le concentré de tomates. À la fin, incorporer la crème fraîche. Napper les paupiettes d'un peu de sauce, servir le reste séparément. Accompagner de Spätzle.

Paupiettes de veau à la manière souabe

Ingrédients

(pour 4 personnes)

200 g de viande de veau hachée

1 petit oignon

1 œuf

1 petit pain trempé

sel, poivre

2 cuil. à soupe de persil haché

noix de muscade

4 fines escalopes de veau de
125 g chacune

40 g de beurre clarifié

1 bouquet garni

1/4 l de bouillon de viande

1/8 l de vin blanc

le zeste râpé de 1/2 citron non traité

20 g de beurre, 20 g de farine

1 cuil. à soupe de câpres

2 filets d'anchois

4 cuil. à soupe de crème fraîche

1 filet de jus de citron

des petites piques en bois (cure-dents)

Préparation

1. Pour la farce : travailler ensemble le hachis de veau, l'oignon coupé en petits dés, l'œuf, le petit pain essoré, le sel, le poivre, le persil et une prise de noix de muscade râpée.
2. Saler les escalopes de veau, les poivrer et étaler la farce sur le dessus. Former une roulade avec les escalopes et les fermer avec les piques en bois.
3. Faire revenir de tous côtés dans le beurre clarifié. Ajouter le bouquet garni dans le récipient et arroser de bouillon de viande et de vin blanc ; poser le zeste de citron et faire cuire 45 mn à feu moyen dans la cocotte fermée.
4. Retirer les roulades de viande de leur récipient de cuisson et les maintenir au chaud sur un plat de service préchauffé. Passer le jus de cuisson au chinois et porter à ébullition. Pétrir ensemble la farine et le beurre et en lier la sauce. Hacher finement les câpres et les

anchois et les incorporer à la crème fraîche. Assaisonner de sel, de poivre et de jus de citron. Faire réchauffer les paupiettes dans la sauce et servir de suite. Accompagner de Spätzle.

Hannelore Kohl

« Pour éviter de lier la sauce avec de la farine, laissez-la velouter en la faisant réduire. »

Quiche aux oignons

Pfannabrätle

(Petits médaillons de veau à la poêle)

Ingrédients

(pour 8 à 12 parts)

250 de lard maigre

50 g de beurre

1 kg d'oignons

sel

poivre

1 cuil. à café de cumin

450 g de pâte à pain (la commander
à l'avance chez votre boulanger)

de la farine pour étaler la pâte

du beurre pour graisser le moule

4 œufs

2,5 dl de crème liquide

de la noix de muscade

Préparation

1. Découper le lard en dés.
Faire chauffer le beurre dans
une grande poêle et y faire
rissoler les dés de lard à feu
moyen. Couper en anneaux
les oignons préalablement
pelés et les faire doucement
revenir jusqu'à transparence
dans la graisse du lard.
Assaisonner de sel, de
poivre et de cumin.
2. Dérouler la pâte à pain
sur un plan de travail fariné
d'une longueur égale à celle
de la lèchefrite et la poser
sur la tôle graissée. Façonner un bord. Étaler les
oignons sur la pâte.
3. Battre ensemble les œufs
et la crème liquide jusqu'à
obtenir un mélange mous-
seux, assaisonner de sel et
de muscade. Verser le
mélange aux œufs sur les
oignons et faire cuire la
quiche 45 à 50 mn dans le
four préchauffé à 200°.
Découper aussitôt en parts
individuelles et servir encore
chaud. Accompagner de vin
blanc sec ou de Federweißer
(moût en fermentation avan-
cée et encore trouble).

Ingrédients

(pour 10 personnes)

2 kg de selle de veau ou de côtes de

veau désossées avec le filet

sel

poivre blanc

50 g de beurre clarifié

300 g de dés de légumes

(dés d'oignons, de carottes,

de poireau, de céleri)

30 g de lardons

1/2 de vin blanc

3/4 l de crème fraîche liquide

Préparation

1. Faire préparer de préférence par votre boucher la
selle de veau comme sur la
photo en haut à droite, et lui
demander de l'attacher avec
du fil de cuisine pour en faire
un rôti roulé bien régulier.

2. Le découper en tranches
de un doigt d'épaisseur,
saler, poivrer et les faire
dorer sur leurs deux faces à
feu moyen, dans du beurre
clarifié très chaud. Les retirer
de la poêle et les maintenir
au chaud.
3. Faire rôtir les légumes et
les lardons dans le jus de
cuisson de la viande jusqu'à
ce que les légumes soient
ramollis. Déglacer avec le
vin blanc et laisser réduire
de moitié. Ajouter la crème
liquide et faire à nouveau
réduire de moitié. Passer la
sauce au chinois et porter
brièvement à ébullition.
4. Retirer les fils de la
viande. Recouvrir de sauce
le fond des assiettes, y dresser les tranches de viande
et les légumes. Accompa-
gner de Spätzle sautées au
beurre, de dés d'oignons et
éventuellement d'une laitue à
la vinaigrette.

Purée de carottes du pays de Bade _(photo ci-dessous)_

Ingrédients
(pour 4 personnes)

500 g de carottes

2 oignons

2 cuil. à soupe d'huile

1/8 l d'eau

500 g de pommes de terre

1/4 l de lait chaud

2 cuil. à soupe de beurre

sel

poivre blanc

noix de muscade

Préparation

1. Laver les carottes, les éplucher et les couper en rondelles ; peler les oignons et les couper en gros morceaux.
2. Mettre l'huile à chauffer, y faire fondre d'abord les oignons, puis les carottes. Arroser avec l'eau, couvrir et laisser étuver à feu moyen.
3. Pendant ce temps : éplucher les pommes de terre, les couper en tranches et les ajouter aux carottes. Laisser étuver encore 30 mn jusqu'à ce que les pommes de terre et les autres légumes soient cuits.
4. Passer les légumes au presse-purée et ajouter peu à peu le lait bouillant et le beurre. Assaisonner la purée avec le sel, le poivre et la muscade. Accompagner de rôti de bœuf ou de porc.

Concombres aux Spätzle

Ingrédients
(pour 4 personnes)

4 concombres moyens

1 gros oignon

30 g de beurre

1,5 dl de crème liquide

1 cuil. à café de farine

sel, poivre

1 bouquet d'aneth

250 g de Spätzle (recette p. 215)

4 saucisses à griller

du persil plat

Préparation

1. Éplucher les concombres et les couper en tranches pas trop fines. Peler l'oignon, le couper en dés et les faire fondre dans le beurre ; ajouter les tranches de concombres et laisser étuver.
2. Mélanger la farine et la crème fraîche, l'ajouter aux légumes, assaisonner de poivre et de sel et faire cuire environ 8 mn.
3. Laver l'aneth, retirer les tiges et le couper finement, l'ajouter aux concombres.
4. Faire cuire les Spätzle dans de l'eau salée. Piquer les saucisses avec une fourchette et les faire griller jusqu'à ce qu'elles soient bien croustillantes. Disposer sur un plat de service les concombres, les Spätzle égouttées et les saucisses ; décorer des tiges d'aneth et de persil plat.

Foie de veau tiède

Ingrédients
(pour 4 personnes)

1 laitue rouge (Lollo Rosso)
de la trévise
2 cuil. à soupe de vinaigre
2 cuil. à soupe d'huile
1 cuil. à café de moutarde
125 g de crème fraîche
poivre, sel
2 cuil. à soupe de fines herbes
fraîches hachées
400 g de foie de veau
farine, poivre, sel
2 cuil. à soupe d'huile

Pour les croûtons :
des petits dés de pain blanc rôtis dans
du beurre

Préparation

1 Trier les salades, les laver, les essorer soigneusement.
2. Emulsionner le vinaigre avec l'huile, la moutarde et la crème fraîche. Ajouter le sel, le poivre et les herbes hachées. Verser cette préparation sur les salades et bien remuer le tout.
3. Découper le foie en lanières, les saupoudrer de farine et les faire rapidement rissoler dans l'huile bien chaude. Assaisonner de poivre et de sel. Répartir les lanières de foie de veau sur la salade et décorer de croûtons juste rôtis.

Soupe aux raviolis géants

(« Maultaschen » [1]*)*

Ingrédients
(pour 4 personnes)

120 g de farine
1 œuf
100 g de viandes hachées diverses
(bœuf, veau, agneau, par exemple)
de l'eau
sel
1 petit oignon
2 cuil. à soupe de persil haché ou de
cerfeuil
poivre
paprika en poudre
1 jaune d'œuf
du bouillon de volaille

---

1. Voir recette, page ci-contre

Préparation

1. Pétrir la farine avec l'œuf, l'eau et le sel en une pâte ferme ; la laisser reposer 30 mn environ. Etaler cette pâte aussi finement que possible sur un linge de cuisine.
2. Malaxer les viandes hachées avec l'oignon coupé finement, les herbes fraîches et les épices.
3. Découper la pâte en petits carrés, passer les bords au jaune d'œuf. Répartir le hachis au centre de ces carrés, les replier en deux et appuyer sur les bords pour bien les fermer. Plonger dans le bouillon frémissant et laisser cuire doucement jusqu'à ce que les raviolis remontent à la surface.

Croustade au filet de veau

Ingrédients
(pour 4 personnes)

1 concombre de jardin (si possible)
1 botte d'oignons nouveaux
2 carottes
30 g de beurre
2 g de safran en poudre
150 g de crème fraîche
sel
poivre
400 g de filet de veau
1 paquet de croustades de pâte
feuilletée ou de bouchées à la reine
1 cuil. à soupe de beurre clarifié

Préparation

1. Laver le concombre, le couper en deux, et l'épépiner en le grattant avec une cuillère. L'émincer finement, ainsi que les oignons pelés, puis laver les carottes et les couper en petits dés. Faire fondre le beurre dans une casserole et y faire revenir tous les légumes. Saupoudrer de safran, incorporer la crème fraîche et assaisonner de sel et de poivre.
2. Découper le filet de veau en petits dés. Faire chauffer le beurre clarifié dans une poêle, y faire revenir les dés de viande de 3 à 4 mn. Ajouter la viande aux légumes et porter brièvement à ébullition.
3. Remplir les croustades du mélange viande-légumes et servir aussitôt.

Noisettes d'agneau à l'estragon

Ingrédients
(pour 4 personnes)

400 g de filet d'agneau
poivre
30 g de beurre clarifié
sel
1/8 l de vin rouge
1 bouquet d'estragon frais effeuillé
200 g de crème fraîche

Préparation

1. Découper le filet d'agneau en fines tranches, les frotter de poivre et les faire revenir 2 mn, à feu vif, dans le beurre clarifié très chaud, les saler légèrement et les maintenir au chaud.
2. Déglacer le fond de cuisson avec le vin rouge et laisser réduire la préparation du tiers du liquide. Ajouter les feuilles d'estragon, incorporer la crème et laisser réduire encore 5 mn. Assaisonner de poivre et de sel. Napper les noisettes d'agneau d'un peu de sauce et servir aussitôt. Accompagner de haricots verts extra-fins et de pommes de terre sautées.

Maultaschen/Raviolis géants à la manière souabe

Ingrédients

(pour 4 à 6 personnes)

400 g de farine, 6 œufs, sel

250 g de viandes hachées diverses

250 g de chair à saucisse de veau

250 g d'épinards

1 bouquet de persil

poivre, muscade, thym, marjolaine

1 blanc d'œuf battu

1 l de bouillon de viande

4 oignons

2 cuil. à soupe de beurre clarifié

Préparation

1. Pétrir en une pâte ferme la farine, avec 4 œufs, un peu de sel et 6 à 8 cuil. à soupe d'eau. Laisser reposer 1 heure au frais.
2. Mélanger les viandes hachées avec la chair de veau. Laver, trier et faire blanchir rapidement les épinards dans de l'eau salée, les égoutter et les hacher. Laver le persil et le hacher également. Confection-ner une farce avec la viande, les épinards, le persil et les deux œufs restants, assaisonner de sel, de poivre, de muscade, de thym et de marjolaine. Bien malaxer le tout.
3. Étaler la pâte aussi fine-ment que possible et la dé-couper en carrés de 15 cm de côté. Poser sur chacun d'eux le plus de farce pos-sible. Passer les bords au blanc d'œuf battu et plier les carrés en deux en appuyant sur les bords pour bien les refermer. Plonger les raviolis 10 mn dans le bouillon fré-missant jusqu'à ce qu'ils remontent à la surface.
4. Peler les oignons et les couper en fins anneaux ; les faire dorer dans le beurre clarifié bien chaud. Servir les « Maultaschen » dans des assiettes à soupe préchauf-fées, y verser un peu de bouillon et recouvrir avec les anneaux d'oignons égouttés.

Soupe aux oignons

Ingrédients

(pour 4 personnes)

400 g d'oignons

30 g de beurre

du poivre blanc

1 l de bouillon (de viande ou de volaille)

2 petits pains

30 g de beurre clarifié

100 g de gouda râpé à mi-maturation

Préparation

1. Peler les oignons et les couper en fins anneaux. Faire chauffer le beurre dans une cocotte et y faire rissoler les anneaux d'oignons. Assaisonner de poivre et verser le bouillon. Couvrir et laisser frémir à petit feu pendant 20 à 25 mn.

2. Couper les petits pains en tranches et les faire rôtir des deux côtés dans le beurre clarifié fondu.

3. Verser la soupe dans des bols allant au four. Y répartir les tranches de pain et les saupoudrer de fromage râpé. Placer environ 10 mn au four préchauffé à 220° ou faire gratiner sous le gril.

Choux blancs farcis

Ingrédients

(pour 10 personnes)

250 g de gibier cru ou cuit

4 oignons

1 kg de chair à saucisse

750 g de viande de bœuf hachée

sel, poivre blanc et noir en grains

2 baies de genièvre

100 g de persil plat haché

4 cuil. à soupe de panure

2 têtes de choux blancs

150 g de lard de jambon fumé

20 tranches de lard maigre coupées très finement

Préparation

1. Peler les oignons, les couper en gros morceaux : les passer au hachoir avec le gibier et travailler le mélange en une pâte malléable avec la chair à saucisse, la viande de bœuf hachée, le sel, les épices écrasées, le persil et la panure.

2. Blanchir les têtes de choux entières dans de l'eau salée portée à ébullition. En détacher les feuilles une à une et jeter les plus grosses côtes.

3. Reconstituer, avec les feuilles de choux, autant que possible, la forme originelle d'un chou et farcir la cavité intérieure de la préparation à la viande ; refermer avec du fil de cuisine. Poser le chou sur une lèchefrite, l'envelopper des tranches de lard, arroser d'un peu d'eau et faire cuire 40 mn à 180°. Accompagner de nouilles sautées.

Grenouilles en verdure

Ingrédients

(pour 4 personnes)

16 grandes feuilles d'épinard ou de bettes, 1 petit pain

un peu de lait pour le trempage

50 g de reste de viande, 1 œuf

200 g de bifteck haché

1 cuil. à café d'oignon haché

1/2 cuil. à café de persil finement haché

sel, noix de muscade

30 g de beurre clarifié

1/4 l de bouillon de viande

Préparation

1. Faire blanchir les feuilles d'épinard dans de l'eau bouillante et les étaler sur du papier absorbant.

2. Couper le petit pain en tranches et les faire ramollir dans le lait ; bien essorer et les passer au hachoir avec les restes de viande. Mélanger avec l'œuf, la viande hachée, l'oignon, le persil, le sel et la muscade.

3. Poser 3 feuilles d'épinard les unes sur les autres et étaler au centre 1 cuil. à soupe de farce. Replier les feuilles d'épinard en appuyant sur les bords pour fermer « l'enveloppe », la faire pivoter pour qu'elle se retrouve, pliure vers le bas et qu'elle ressemble ainsi à une « grenouille » ; faire fondre le beurre clarifié dans une cocotte et y faire revenir les feuilles d'épinard farcies.

4. Verser le bouillon et laisser mijoter environ 20 mn. Pour que les « grenouilles en verdure » restent vertes, il ne faut pas les retourner. Accompagner de purée de pommes de terre.

Potée de lentilles

Ingrédients

(pour 4 personnes)

250 g de lentilles blondes

1 oignon

2 à 3 gousses d'ail

1 feuille de laurier

20 g de beurre

2 cuil. à soupe de farine

1/8 l de vin rouge

vinaigre de vin

sel, poivre

4 petites saucisses de Francfort

4 tranches de viande fumée de 100 g chacune

Préparation

1. Laisser tremper les lentilles pendant quelques heures.

2. Peler l'oignon et les gousses d'ail, les ajouter aux lentilles préalablement égouttées avec la feuille de laurier. Porter lentement à ébullition et laisser mijoter 35 à 45 mn. (Pendant ce temps, préparer les Spätzle.)

3. Faire fondre le beurre dans une autre cocotte et ajouter la farine d'un coup sec, bien mélanger pour former un roux. Retirer la feuille de laurier, l'oignon et l'ail du plat de lentilles, verser les lentilles et leur eau de cuisson dans le roux. Relever avec le vin, le vinaigre, le sel et le poivre.

4. Faire cuire les saucisses dans ce mélange et y faire chauffer rapidement la viande. Servir les Spätzle séparément.

Spätzle *(Petites pâtes souabes)*

Ingrédients

(pour 4 personnes)

375 g de farine

2 œufs, sel

1 cuil. à soupe d'huile ou de beurre

Préparation

1. Travailler la farine, les œufs et un peu de sel en une pâte malléable en y ajoutant éventuellement, selon la taille des œufs, 1/4 l d'eau ; battre la pâte jusqu'à ce qu'elle forme des bulles ; incorporer alors le corps gras.

2. Porter à ébullition dans un faitout une grande quantité d'eau salée. Passer une petite planche de cuisine en bois sous l'eau froide ; y poser une petite quantité de pâte. Passer un couteau sous l'eau froide et le faire rouler sur lui-même jusqu'à former de minces lanières de pâte ; les plonger au fur et à mesure dans l'eau du faitout. Repasser de temps en temps le couteau sous l'eau pour que la pâte ne colle pas. Dès que les Spätzle remontent à la surface, les retirer immédiatement de l'eau avec une écumoire. Les Spätzle sont d'autant plus fermes que les opérations successives se font rapidement.

3. Passer les Spätzle lorsqu'ils sont tous terminés sous l'eau bouillante ou les plonger un court instant dans un récipient rempli d'eau très chaude mais non bouillante. Bien les égoutter, et les servir avec les lentilles.

Dos de chevreuil rôti

Ingrédients

(pour 6 personnes)

1 dos de chevreuil de 1,2 kg avec
les os
1 bouquet garni
1 oignon
250 g d'os de chevreuil
100 g de beurre
sel, poivre
5 à 6 grains de poivre
1/2 l de vin rouge corsé
2 dl de crème fraîche liquide
500 g de céleri-rave
5 cuil. à soupe de crème fouettée
600 g de Spätzle
80 g d'airelles fraîches ou en
compote

Préparation

1. Parer le dos de chevreuil.
Peler l'oignon et le couper
grossièrement. Faire revenir,
à feu vif, les os de chevreuil,
le bouquet garni et les morceaux d'oignon dans 20 g
de beurre. Ajouter le sel et
les grains de poivre et verser
le vin. Faire réduire de moitié pendant environ 30 mn à
feu moyen. Passer le jus de
cuisson au chinois, le porter
à ébullition avec la crème
fraîche et faire réduire à
nouveau de moitié.
2. Faire chauffer 50 g de
beurre dans une cocotte et
y faire revenir le dos de
chevreuil sur tous ses côtés.
Faire rôtir au moins 30 mn
au four à 220°.
3. Éplucher le céleri-rave, le
couper en petits dés, les
faire ramollir dans un peu
d'eau salée jusqu'à complète
évaporation. Ajouter la
crème fouettée et passer le
tout au mixer pour obtenir
une purée très fine. Incorporer les 30 g de beurre
restant.
4. Faire cuire les Spätzle
dans de l'eau salée et laisser
égoutter dans une passoire.
Désosser la viande, la
découper en biais et la servir
avec la purée de céleri, les
Spätzle et les airelles.

Spätzle en robe d'œufs

Ingrédients

(pour 4 personnes)

Pour les Spätzle :
500 g de farine
4 œufs
2 cuil. à café de sel
2 cuil. à soupe de beurre
2 cuil. à soupe de persil haché

Pour « la robe » d'œufs :
8 œufs
sel, noix de muscade
4 cuil. à soupe de ciboulette hachée
2 cuil. à soupe de beurre pour la
cuisson

Préparation

1. Verser dans un plat la
farine et les œufs, ajouter
1 cuil. à café de sel, mélanger et battre la pâte jusqu'à
ce qu'elle forme des bulles.
Ajouter 1 à 2 cuil. à soupe
d'eau si elle devient trop
ferme.
2. Porter à ébullition une
grande quantité d'eau salée.
Répartir la pâte par petits tas
sur une planchette à Spätzle,
bien les aplatir vers les bords
et les découper en fines
lanières à plonger immédiatement dans l'eau bouillante.
Faire cuire à feu doux,
jusqu'à ce que les Spätzle
remontent à la surface. Les
retirer avec une écumoire et
les tremper dans de l'eau
froide. Les verser dans une
passoire et passer celle-ci,
rapidement, sous l'eau
froide. Les faire sauter dans
du beurre chaud avec le
persil.
3. Pour la « robe d'œufs » :
battre les œufs, assaisonner
avec le sel et la muscade,
ajouter la ciboulette. Faire
revenir l'une après l'autre
4 omelettes dans le beurre
bien chaud. Répartir les
Spätzle en surface et replier
l'omelette en deux.

Maultaschen/ Ravioles sucrées au fromage blanc

Ingrédients
(pour 8 personnes)

Pour la pâte :
200 g de farine
3 œufs
4 cuil. à soupe d'eau, sel

Pour le fourrage sucré :
100 g de beurre, 40 g de sucre
le zeste râpé et le jus de 1/2 citron
2 jaunes d'œufs, 10 ml de rhum
400 g de fromage blanc
20 g de pâte d'amande
50 g de chapelure ou de miettes de
biscuits secs

Pour faire fondre et saupoudrer :
30 g de beurre
50 g de miettes de pains ou de
biscottes écrasées, du sucre en poudre

Préparation

1. Préparer une pâte avec la farine, 2 œufs, l'eau et le sel. Laisser reposer.
2. Pour le fourrage, former un mélange crémeux avec le beurre, le sucre, le zeste et le jus du citron. Incorporer peu à peu les jaunes d'œufs, le rhum, le fromage blanc, la pâte d'amande et la chapelure ou les miettes de biscuits. Laisser reposer 30 mn.
3. Etaler la pâte aussi finement que possible. Avec un moule à découper rond (d'environ 5 cm de diamètre) découper un nombre pair de cercles dans la pâte. Déposer un peu de fourrage sur la moitié des cercles de pâte en laissant un bord vide et passer ce bord à l'œuf battu. Recouvrir avec les morceaux de pâte restants et bien appuyer sur les bords pour les souder hermétiquement. Placer les ravioles ainsi obtenues dans une grande quantité d'eau bouillante et laisser cuire environ 4 mn.
4. Faire fondre le beurre, ajouter les miettes de pain ou de biscottes écrasées et les faire bien dorer en remuant continuellement. Verser ce mélange de beurre et de miettes sur les ravioles cuites et bien égouttées. Saupoudrer de sucre en poudre. Servir avec de la compote de quetsches.

Träublestorte

(Tarte aux groseilles)

Ingrédients

(pour 12 parts)

175 g de beurre

150 g de sucre

1 œuf, 300 g de farine

1/2 cuil. à café de levure

5 blancs d'œufs

200 g de sucre en poudre

100 g d'amandes émondées et hachées

50 g de fécule

500 g de groseilles égrappées

Préparation

1. Former un mélange crémeux avec le beurre et le sucre, et y ajouter l'œuf. Incorporer la farine mélangée à la levure et pétrir le tout rapidement. Laisser reposer la pâte 30 mn au froid.

2. Garnir un moule démontable de 26 cm de diamètre avec cette pâte bien étalée et façonner un bord d'environ 3 cm de hauteur. Piquer la pâte en divers endroits avec une fourchette.

3. Monter en neige bien ferme les blancs d'œufs et le sucre en poudre. Incorporer délicatement les amandes et réserver le tiers de cette préparation. Mélanger aux deux tiers restants la fécule et les groseilles égrappées à l'aide d'une fourchette et répartir ce mélange sur la pâte. Y ajouter le reste des blancs d'œufs en neige et laisser cuire au moins 1 h au four préchauffé à 170°.

Hannelore Kohl

« On appréciera ce savoureux gâteau d'été avec des groseilles fraîchement récoltées et on le consommera le jour même. »

Sabayon aux cerises

Ingrédients

(pour 4 à 6 personnes)

600 g de griottes

2 dl de vin rouge

130 g de sucre

25 g de fécule

2 cuil. à soupe de kirsch

3 dl de lait

1 gousse de vanille

4 feuilles de gélatine

3 œufs

1 jaune d'œuf

1 cuil. à café de fécule

500 g de crème fouettée

30 g de chocolat râpé en copeaux

Préparation

1. Dénoyauter les griottes, les porter à ébullition dans le vin, ajouter 30 g de sucre et la fécule diluée dans 4 cuil. à soupe d'eau. Laisser cuire 1 mn. Ajouter le kirsch et laisser refroidir.

2. Pour le « sabayon » : porter le lait à ébullition avec le sucre restant, la gousse de vanille coupée en deux et bien grattée avec une petite cuillère, le suc recueilli, laisser infuser, puis retirer la gousse de vanille. Laisser ramollir la gélatine dans de l'eau. Battre au fouet les œufs et le jaune d'œuf avec la fécule et verser le mélange dans le lait chaud en remuant continuellement. Faire réchauffer juste avant l'ébullition, puis retirer la préparation du feu et y incorporer la gélatine bien essorée. Placer la crème dans un endroit frais. Dès qu'elle commence à prendre, incorporer la crème fouettée bien ferme.

3. Répartir les griottes dans des coupes individuelles, verser un peu de crème sur les fruits et décorer avec les copeaux de chocolat. Mettre à refroidir 2 à 3 h au réfrigérateur avant de servir.

« *Tout ça c'est du fromage* » [1]

Hannelore Kohl :

Un bon morceau de fromage avec une tranche de pain de campagne ou un petit pain croustillant, voilà pour moi un repas délicieux sans grande préparation...

Alfons Schuhbeck :

....dont on se lasse jamais. Nos nombreuses variétés de fromage en sont les garants, et beaucoup de pays nous les envient.

Hannelore Kohl :

Comment bien conserver le fromage ?

Alfons Schuhbeck :

Au mieux, sous la bonne vieille cloche à fromage et dans une resserre fraîche et sombre. Comme cette possibilité n'existe pratiquement plus aujourd'hui en appartement, le réfrigérateur reste la solution la mieux adaptée. L'important, c'est que le fromage puisse respirer. Il est donc préférable de l'envelopper dans une feuille de conservation et de le sortir du réfrigérateur environ une heure avant sa consommation pour qu'il retrouve toute sa saveur.

Quand il faut parer au plus pressé, rien ne vaut un bon morceau de fromage pour remplacer un repas.

Hannelore Kohl :

Fromage en tranches ou fromage en un seul morceau ? Les opinions divergent aussi sur ce point. De plus, les bords ont souvent l'air un peu abîmés lorsque plusieurs invités se sont servis.

Alfons Schuhbeck :

Je conseille quand même le fromage en un seul morceau qui reste plus longtemps frais. Je rectifie soigneuse-

ment les bords abîmés et j'utilise ces restes de fromage pour le gratin ou pour une sauce. Les manières d'accommoder le fromage sont pratiquement inépuisables.

Hannelore Kohl :

Vin et fromage, quelle combinaison proposez-vous ?

Alfons Schuhbeck :

En principe, la règle est de boire du vin blanc avec les variétés de fromage doux ou les fromages frais. Les variétés plus corsées et les bleus se marient bien avec un rouge. Je plaide toujours pour que chacun fasse ses essais, plutôt en dehors de la présence des invités ! Bien sûr, on peut

parfois se tromper, mais celui qui prend un risque est souvent gratifié par une expérience gustative réussie.

1. En allemand « Alles ist Käse » est une locution qui peut se traduire par « Tout ça, c'est pas sérieux ».

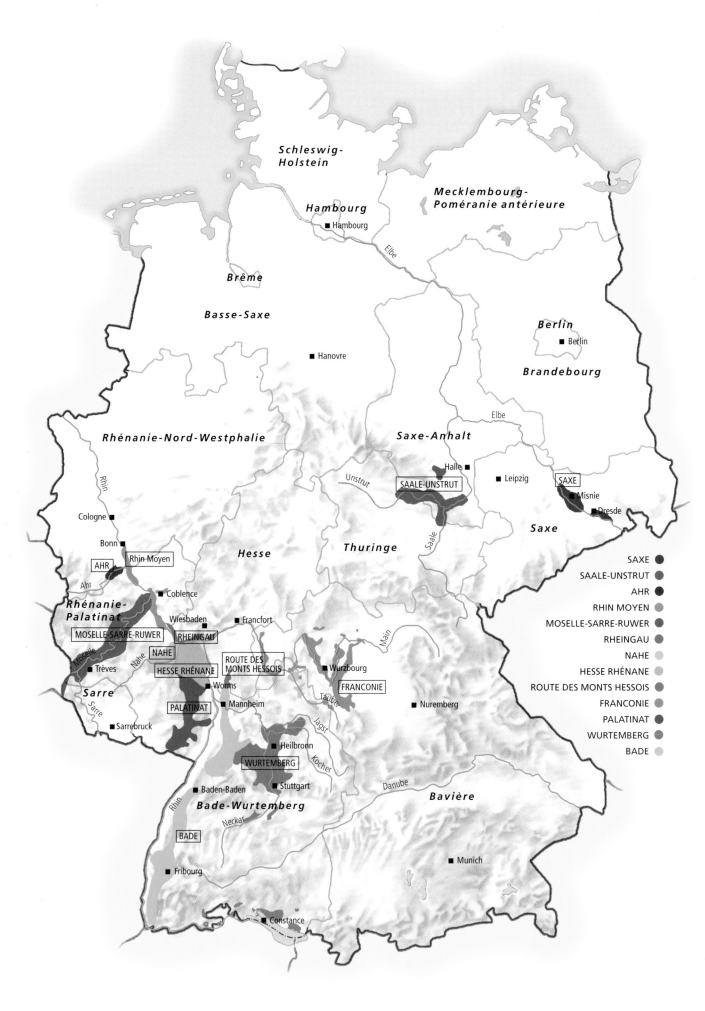

Schleswig-
Holstein

Hambourg

■ Hambourg

Mecklembourg-
Poméranie antérieure

Elbe

Brême

Basse-Saxe

Berlin

■ Berlin

Brandebourg

■ Hanovre

Rhénanie-Nord-Westphalie

Saxe-Anhalt

Rhin

Halle ■

■ Leipzig

SAXE

Unstrut

SAALE-UNSTRUT

■ Misnie

Saxe

Cologne ■

■ Dresde

Bonn ■

Hesse

Thuringe

AHR

Rhin Moyen

Ahr

■ Coblence

Saale

SAXE

SAALE-UNSTRUT

Rhénanie-
Palatinat

Wiesbaden ■

■ Francfort

MOSELLE-SARRE-RUWER

RHEINGAU

Moselle

Nahe

NAHE

ROUTE DES
MONTS HESSOIS

Main

AHR

RHIN MOYEN

MOSELLE-SARRE-RUWER

RHEINGAU

NAHE

■ Trèves

HESSE RHÉNANE

■ Wurzbourg

HESSE RHÉNANE

Sarre

■ Worms

Tauber

FRANCONIE

ROUTE DES MONTS HESSOIS

Sarre

PALATINAT

■ Mannheim

■ Nuremberg

FRANCONIE

■ Sarrebruck

Jagst

PALATINAT

■ Heilbronn

Kocher

WURTEMBERG

BADE

WURTEMBERG

Danube

Bavière

■ Baden-Baden

■ Stuttgart

Rhin

Bade-Wurtemberg

Neckar

BADE

■ Fribourg

■ Munich

■ Constance

La Route des Vins allemands

*Une visite guidée
avec Helmut Kohl*

Introduction

Le culte du vin est attesté en Occident depuis trois millénaires. Les héros d'Homère s'en servaient pour offrir des sacrifices aux dieux. Des poètes comme Pindare l'ont chanté : « L'âme grandit quand la flèche de la vigne triomphe de nous. » Des vignes firent également partie des trésors que les envoyés secrets des Israélites ramenèrent de la Terre promise. Aujourd'hui, tous les pays de l'Europe du Sud et beaucoup de régions de l'Europe occidentale et centrale produisent des quantités très importantes de vin. Quelles sont donc les particularités du vin allemand ?

Dans un de ses romans, Ernst Bertram, écrivain et professeur de littérature à l'Université de Bonn, fait dire à un légionnaire romain, à propos des vins de l'Ahr et de la Moselle : « Dans ce pays le vin doit lutter pour son existence. C'est pourquoi il est si sublime. Il porte la marque de la fidélité, avec laquelle on soigne ici la grappe sacrée : plus le soleil est rare, plus le goût est délicieux. » Et cela reste vrai pour beaucoup de régions d'Allemagne, même si certaines contrées comme le Palatinat, des parties du pays de Bade et du Wurtemberg sont plus favorisées. La culture de la vigne est un dur labeur, c'est toujours et avant tout un travail physique. Rares sont les régions allemandes où l'on peut utiliser des machines comme on le fait dans d'autres pays.

Il est caractéristique que la langue allemande, pour désigner le vignoble, emploie le mot « Weinberg », qui signifie « montagne à vin ». Si vous avez parcouru en voiture, ou mieux encore à pied, les vallées de l'Ahr, de la Moselle et du Rhin, vous aurez vite compris qu'en beaucoup d'endroits la culture de la vigne ressemble à une escalade. Il n'est pas sûr que tous les amateurs de vin apprécient un si dur labeur à son juste prix.

En Allemagne le progrès social et l'amélioration du niveau de vie font qu'à notre époque, il y a beaucoup plus souvent du vin sur la table pour accompagner un repas. Il faut espérer que cette évolution fasse encore progresser la qualité. Les vignerons sont en Allemagne – comme partout dans le monde – fort attachés à leurs traditions, mais en même temps très portés sur les innovations, aussi bien pour essayer de nouveaux cépages que pour des méthodes de culture et de vinification plus écologiques. Comme homme politique et comme ami du vin, je pense avoir le droit de le dire ici : les viticulteurs et tous ceux qui aiment en boire, méritent que le législateur fasse ce qui est en son pouvoir, pour protéger la qualité du vin.

Le vin n'est pas une boisson quelconque. Il est la boisson de la rencontre, avec soi-même et avec les autres, et plus qu'aucune autre il conserve sa spécificité locale et régionale. Il est aussi, ne l'oublions pas, la boisson européenne « par excellence » ! Si l'on dessinait une carte où pour une fois ne figureraient point des frontières, étatiques ou autres, mais qui serait une carte des plaisirs humains, quelle aimable vision n'obtiendrait-on pas !

Le vin – je le répète – n'est pas une boisson quelconque. Un bon connaisseur de l'histoire de la viticulture a écrit récemment : « Quoi qu'on sache du vin, son véritable mystère, sa capacité de changer les hommes et leurs vies ordinaires, de les élever au-dessus d'elles-mêmes, de rapprocher entre eux les hommes et les dieux, ce mystère-là, on ne finira jamais de l'approfondir. »

Rien n'est plus facile que de faire connaissance avec le vin allemand. D'abord en entreprenant un voyage le long du Rhin. En dépit de tous les stéréotypes, le Rhin est « le » fleuve allemand tout court, tout au moins pour ce qui concerne la partie centrale de son parcours. C'est là qu'est né le romantisme. Le Rhin moyen a façonné l'image de notre pays à l'étranger pendant longtemps.

Les lois régissant la viticulture distinguent en Allemagne treize régions de production clairement définies. La plupart d'entre elles se trouvent soit directement en bordure du Rhin, soit sur les pentes de la vallée rhénane, soit encore le long des affluents du fleuve. Particulièrement proches les unes des autres, se situent les régions viticoles qui portent les noms de Hesse rhénane, Rheingau (région du Rhin) et Rhin moyen.

Néanmoins, l'une des caractéristiques de l'Allemagne est précisément qu'elle offre sur des espaces très étroits des différences pleines de charme. Cela est vrai pour l'évolution historique, pour les créations culturelles et, plus que tout, pour les vins.

Les vins les plus appréciés de la région sont le Sylvaner sec délicat et le Riesling de grande classe.

Hesse rhénane

Avec ses 25 000 hectares, la Hesse rhénane est la plus grande province de l'Allemagne viticole. Le territoire planté s'étend le long du Rhin, de Bingen à Worms en passant par Mayence tout en s'enfonçant profondément dans l'arrière-pays. On a essayé dans cette région, plus que partout ailleurs, des cépages nouveaux. Mais beaucoup n'ont pas tenu, et la sélection s'est imposée d'elle-même. Parmi les cépages traditionnels, les plus importants sont le Müller-Thurgau, le Sylvaner, le Riesling ainsi que les croisements à base de Riesling qui s'appellent Scheurebe et Kerner. Quelques nouveautés donnent cependant de bons résultats, comme le Bacchus, la Perle ou la Huxelrebe.

On ne s'étonnera pas que dans un domaine aussi vaste les vins présentent des différences considérables, fondées sur les données de la géographie locale. Le long de ce qu'on appelle le « front du Rhin » où l'eau du fleuve diffuse sa cha-

leur sur les terres voisines tout en reflétant la lumière, on cultive de préférence un Riesling qui produit des vins d'une plénitude « symphonique » comme disent les connaisseurs. La fameuse « Liebfrauenmilch » (le lait de Notre-Dame) par contre, un cru souvent peu dense, fortement chaptalisé qui provient du Wonnegau (le « pays des Délices ») près de Worms, ne joue plus aucun rôle, grâce à Dieu, car il donnait à l'étranger une assez mauvaise image du vin allemand.

Une observation en passant : le nom de « Hesse rhénane » risque d'égarer le lecteur, car le terroir viticole dont il est question ici appartient entièrement au Land de Rhénanie-Palatinat. Cette région avait appartenu jusqu'à l'époque napoléonienne au Palatinat « électoral », mais elle fut attribuée par le Congrès de Vienne au Grand-Duc de Hesse, Louis Ier, qui la baptisa en toute simplicité « Hesse rhénane ».

Rheingau

C ette région viticole plutôt petite, qui s'étire sur la rive septentrionale du Rhin entre Wiesbaden et Lorch, a contribué à établir la bonne réputation du vin allemand. Rüdesheim, Hattenheim, Eltville, Walluf ou Hochheim se sont trouvées, au sens littéral de l'expression, « sur toutes les lèvres ». En Angleterre surtout, le vin de Hochheim était devenu sous le nom de « Hock » le symbole même du vin du Rhin. Aujourd'hui encore les Riesling du Rheingau font partie des vins blancs les plus prisés dans le monde entier. Ils sont plus gras que les Riesling de la Moselle ; le plus souvent ils sont développés comme vins secs ou demi-secs. Ils se caractérisent par l'harmonie de leur odeur, de leur saveur fruitée, par leur acidité et par leur corps élégant. Le buveur de vin appréciera leur faible teneur en alcool.

Bien que 90 % environ du terroir soient plantés en Riesling, il faut mentionner aussi le Bourgogne tardif qui « profite » dans quelques « niches » isolées bien chaudes, par exemple à Assmannshausen. Depuis quelques années les vignerons essaient de lui donner davantage de corps par une plus longue fermentation des grains. Le succès paraît leur donner raison.

Rhin moyen

C ette région viticole est mieux connue des touristes que des amateurs de vins. Elle s'étend sur environ 100 kilomètres le long du Rhin, à droite et à gauche, de Lorch au sud jusqu'à Königswinter au nord, aux portes de Bonn. C'est spécialement sur cette partie de son parcours que le Rhin constitue un but d'excursion qu'aucun visiteur ne doit négliger. Des châteaux forts et des ruines de châteaux, des villages ornés de maisons à colombages, et des rochers entourés de légendes, comme celle de la Lorelei, détournent le regard des vignobles qui s'étagent sur des pentes raides et qu'on ne peut cultiver qu'au prix d'un dur labeur.

Le Rhin moyen offre des vins dont certains sont de grande qualité, des Riesling frais et de forte acidité dont la vinification se fait encore dans de grands tonneaux de bois. La fraîcheur des caves empêche les vins de terminer leur fermentation : ils conservent ainsi un restant de sucre naturel. À côté du Riesling on trouve aussi dans la région des Müller-Thurgau et du Kerner. Encore une observation : alors que les vins du Rhin sont généralement présentés dans des bouteilles très minces de couleur brune, ceux du Rhin moyen sont souvent offerts dans de hautes bouteilles vertes.

Dans ces trois régions, la culture du vin se présente d'une manière très riche et très diverse comme s'y entrecroisent les activités de notre passé et celles d'aujourd'hui. Avant que le centre de gravité de ses destinées historiques se déplace vers l'est, c'est ici, dans les pays rhénans, que se trouvait le cœur de l'Allemagne, en même temps que ses liens avec l'Occident. Plus d'une fois les Allemands ont dû payer cher d'avoir méprisé ces relations. Les lieux de culture les plus anciens de notre pays se trouvent ici, les villes romaines qui devinrent par la suite le berceau de Cologne, de Bonn et de Mayence, ou encore la cathédrale de Worms, qui est l'un des monuments les plus considérables du roman tardif en Allemagne. Quatre des sept princesélecteurs allemands avaient leurs possessions sur le Rhin ou dans sa proximité immédiate. Pour avoir été le lieu d'élection des rois destinés à devenir empereurs pendant de nombreuses générations, Francfort, aujourd'hui ville des banques et des relations économiques globales, fut une capitale secrète du Saint-Empire romain. Et ces contrastes, vous les retrouverez encore à l'heure actuelle : la vallée du Rhin est un des axes de communication les plus importants d'Europe – et en même temps l'un de nos paysages les plus romantiques. Nous avons encore beaucoup à faire pour protéger cette vallée contre les périls qui la menacent. Le travail humain a un grand mérite : il nous rapproche de la nature et nous en fait découvrir la beauté.

Caractéristique de cette région, le Riesling pétillant au goût légèrement métallique et qui garde un reste de sucre naturel.

Ahr

C ette expérience est particulièrement impressionnante dans la vallée de l'Ahr. Cette rivière naît dans l'Eifel pour creuser ensuite de nombreux méandres à travers le massif schisteux rhénan et se jeter finalement dans le Rhin à environ 20 kilomètres au sud de Bonn. Avec ses 450 hectares, l'Ahr est l'une des régions vinicoles les plus petites d'Allemagne. Elle est fameuse avant tout pour ses vins rouges, le noble « Bourgogne tardif » et le « Portugais bleu » plus modeste. Ces vins mûrissent sur les pentes raides, façonnées en terrasses le long de la rivière. Les parcelles souvent très petites ont des sols composés de schistes, de grès gris et de basalte, pour que les raisins puissent venir à maturité en dépit des latitudes septentrionales.

Les vins de l'Ahr sont fort prisés avant tout dans la région de production elle-même, qui attire un grand nombre de touristes avec ses villages pittoresques, riches en maisons à colombages. Les viticulteurs de la jeune génération, formés au goût des vins rouges français et italiens, sont cependant persuadés que le Bourgogne tardif peut donner davantage. Ils tendent à produire des vins d'une couleur plus sombre, plus riches en substance, qui ont subi une fermentation plus complète et qui sont aussi plus riches en tannin. Certains vins « édifiés » en barriques atteignent une qualité qui rappelle le Xérès. Quant au Portugais bleu il est surtout apprécié comme un vin léger qu'on sert en chopines dans les auberges du pays.

Les Romains avaient déjà découvert la valeur des sources thermales de cette vallée. Aujourd'hui encore celui qui veut fréquenter les bains ou simplement chercher le repos peut visiter près de Bad Neuenahr et d'Ahrweiler des villas et des murailles romaines. Malgré la grande activité qui se déploie ici, on ne sent guère le voisinage de Bonn. Par bien des côtés, cette vallée de l'Ahr ressemble à celle de la Moselle, à ceci près que là-bas tout est plus grand, plus large, et plus fréquenté par le public.

Les vins de la région sont célèbres : le noble Bourgogne tardif et le Portugais bleu qu'on apprécie en chopine.

225

Moselle-Sarre-Ruwer

Les Riesling provenant des terres de la Moselle, de la Sarre et de la Ruwer sont certainement les vins allemands les plus connus. Leur nom évoque l'idée d'un vin blanc riche en arômes, léger et transparent, tendre et fruité. Dans ses variétés les plus réussies, il peut soutenir la comparaison avec les meilleurs vins blancs du monde entier. Les vignobles s'étendent de la frontière luxembourgeoise jusqu'au confluent de la Moselle et du Rhin. C'est la région viticole de Riesling la plus étendue d'Allemagne. D'autres sortes, comme le Müller-Thurgau, l'Elbling ou le Kerner, ne jouent qu'un rôle secondaire. C'est sur les pentes raides qui descendent vers le fleuve, près de Bernkastel, Wehlen, Brauneberg, Graach, Erden et Trittenheim, qu'on trouve les qualités les meilleures. Cependant la Moselle est un fleuve fort long et des endroits moins connus du public, comme par exemple Hatzenport, offrent des vins remarquables.

Il faut y ajouter les calmes vallées des deux affluents, la Sarre et la Ruwer. On y trouve d'excellents Riesling qui, cependant, hors de leur terroir d'origine, ne figurent pas souvent sur les cartes des vins, à tort à mon avis. Les Riesling de la Sarre, par exemple, sont réputés pour leur haut degré d'acidité et ceux de la Ruwer pour leur transparence, mais c'est seulement dans les endroits les plus exposés au soleil que les raisins tardifs de Riesling atteignent leur pleine maturité.

Depuis les années 1970 et 1980 le goût s'est orienté davantage en faveur des vins « secs », réduisant sans cesse davantage la préférence pour les vins « moelleux ». Cette observation a permis de vaincre des préjugés défavorables au vin allemand. Les vignerons de la Moselle, de la Sarre et de la Ruwer ont ainsi pu rencontrer de nouveaux amateurs pour leurs vins secs, en premier lieu les Riesling. Dans les toutes dernières années les connaisseurs sont revenus cependant à l'idée que ce sont les vins possédant un léger restant de sucre non fermenté qui représentent le mieux ce qui caractérise les Riesling. Cela vaut tout particulièrement pour les vins de la Saxe et de la Ruwer dont l'acidité est particulièrement forte.

Une spécialité fort appréciée – et fort chère – sont les vins « edelsüß », ce qui peut se traduire par « moelleux noble ». Ils tirent cette qualité du fait que les raisins sont souvent à la fin de l'automne atteints par la pourriture noble (Botrytis Cinerea) qui fait que les grains se rident et se ratatinent. Le moût au très haut degré de sucre se transforme ensuite en des « Auslese » (sélections) de haute qualité (des vins faits avec les grappes les plus mûres cueillies au fur et à mesure de leur maturation, et qui vont du demi-doux au liquoreux), en des « Beerenauslese » (vins venant des baies les plus mûres, cueillies une à une), et en des « Trockenbeerenauslese » (vins faits avec des raisins ratatinés soit par maturation excessive, soit par « pourriture noble »). Si le vigneron accepte en plus de courir le risque d'attendre les premiers gels nocturnes, il pourra préserver un « Eiswein » (vin de glace) extra-doux. Ces vins-là n'ont pas leurs égaux dans le monde entier.

Sans la viticulture, la Moselle aurait-elle l'importance qu'elle possède aujourd'hui ? Au moins pour la période du peuplement romain et pour le Moyen Âge, la réponse est « non ». Il est compréhensible que les Romains aient choisi pour s'établir de préférence des lieux qui leur étaient familiers, auxquels ils pouvaient transférer leur culture typique : le forum, les bains, le théâtre – et bien entendu le vin. Sur ces points, et en dépit de tous les bouleversements, les Francs et les premiers Allemands leur ont emboîté le pas.

Une ville comme Trèves, siège du prince-archevêque et électeur, avec sa Porta Nigra romaine et avec ses églises, atteste une continuité culturelle, de l'époque romaine jusqu'au temps présent, en passant par le premier Moyen Âge, avec laquelle peu d'autres villes allemandes peuvent rivaliser. Et la Moselle était une route de liaison avec la France, ou tout au moins aurait pu l'être. Il est vrai qu'avant sa canalisation il n'était pas facile de naviguer sur cette rivière. Un écrit émanant de la cour de l'électeur de Trèves parle encore au XVIIIe siècle des grandes difficultés que l'on rencontre quand on veut utiliser la Moselle pour commercer avec la France. Mais en dépit de ces difficultés le pays de la rive gauche du Rhin et spécialement les vallées latérales ont toujours servi de pont entre l'Allemagne et la France. Aujourd'hui on peut qualifier la Moselle de rivière surindustrialisée. Et la même chose peut se dire, également, de la Sarre. Son exemple nous fait comprendre à quel point les images d'une vallée heureuse, une fois qu'elles se sont fixées dans les esprits, peuvent y demeurer longtemps.

De la plus vaste région viticole d'Allemagne viennent les classiques sélections tardives et les vins de glace.

Nahe

Les Müller-Thurgau et les Riesling sont ici les cépages préférés, avec une note fruitée et minérale.

B eaucoup moins connue par contre est la vallée de la Nahe. Depuis plus de mille ans on cultive la vigne sur les rives de cette rivière, affluent du Rhin sur la rive gauche. La Nahe a en effet sa source dans le Hunsrück où les températures sont trop fraîches pour permettre la culture de la vigne. Mais au confluent de la Nahe et du Rhin, les raisins peuvent au contraire atteindre leur pleine maturité. Bien que ces vins aient récemment gagné en réputation, ils restent toujours légèrement dépréciés. Les sols du pays, schistes bleus du Devon, loess et déblais de quartzites, sont fort divers et divers aussi sont les raisins et les vins. Les Riesling et les Mül-ler-Thurgau prédominent nettement, mais les Sylvaner, le Kerner et la Scheurebe donnent des vins délicieux. Depuis quelques années certains vignerons font des essais avec le Bourgogne blanc et le Bourgogne gris, en obtenant de bons résultats. Les Riesling accusent une forte acidité ; selon les crus ils sont plutôt fruités ou au contraire d'une saveur plus minérale.

Palatinat

Le Müller-Thurgau sec, le Bourgogne blanc juteux et le Riesling vigoureux conviennent parfaitement aux plats de la cuisine palatine.

S i nous quittons le point de départ de notre voyage le long du Rhin pour nous avancer vers le sud, nous allons bientôt atteindre ma petite patrie, le Palatinat. Le Palatinat est un autre trait d'union entre l'Allemagne et notre voisine la France. Ici les frontières étaient particulièrement ouvertes – et malheureusement aussi souvent disputées. Cependant ces mouvements de l'histoire n'ont jamais pu entamer la force vitale et la joie de vivre des gens du Palatinat, et nous pouvons à présent nous réjouir des nouveaux liens très forts que l'entente franco-allemande et l'intégration européenne ont tissés en faveur d'une vie en commun le long du Rhin.

Le Palatinat est en étendue la deuxième des régions viticoles allemandes (22 500 ha). Voisine de l'Alsace elle possède par ailleurs maintes autres ressemblances et maints parallélismes œnologiques avec cette région française. Presque tous les plants cultivés en Alsace le sont aussi au Palatinat : Riesling, Bourgogne blanc, Bourgogne gris et Bourgogne tardif. Cependant le cépage qu'on y rencontre le plus souvent est encore le Müller-Thurgau, dont la part cependant est en train de baisser. Mais les vins, eux, sont dans le Palatinat fondamentalement différents de ceux de l'Alsace. Ce sont pour la plupart des vins de consommation de masse, vigoureux, qui s'ajustent fort bien à la cuisine solide du pays.

Pour cette région aussi il est vrai qu'en raison des différences climatiques, des différences considérables peuvent exister entre les parties du domaine cultivé. Au nord du Palatinat se cultive le Riesling que les collines de la Haardt protègent contre les vents d'ouest froids. Ce vin compte parmi les plus grands d'Allemagne, il est à la fois élégant et puissant. La « Route des vins » méridionale, entre Neustadt et Landau possède, elle, un climat si doux qu'on y voit pousser des figuiers et des citronniers. Les vins qui proviennent de ce pays sont de ce fait plus riches en alcool, plus gras, plus juteux que les Riesling du nord du Palatinat, ils ressemblent davantage aux vins d'Alsace. Ici prédominent les Bourgogne gris et blancs. Mais le Bourgogne tardif connaît lui aussi une renaissance – à côté d'autres sortes comme le Dornfelder. La région est très dynamique, et on s'y livre à de nombreuses expériences.

La vallée du Rhin présente ici un caractère tout différent de celui du Rhin moyen. Les bras morts du fleuve forment une réserve naturelle sans pareille, dans laquelle des mondes nous séparent de la culture du vin autant que de l'industrie moderne.

Mais tout à côté bat le pouls d'une société ultramoderne. L'espace qui s'étend au sud de Francfort est une des régions les plus peuplées et un des centres de croissance les plus importants d'Allemagne. Mais quand on possède une pareille métropole il faut en payer le prix. C'est ce qu'on va voir par l'exemple de la Bergstrasse hessoise.

Bergstrasse hessoise

Sur les pentes de l'Odenwald qui descendent vers le Rhin, on cultive la vigne depuis les temps des Romains. Les traces de leur civilisation ont le même âge : les bains romains et le mur du « Limes » qui dans une certaine mesure a tracé une frontière culturelle à travers l'Allemagne d'aujourd'hui. La région est favorisée par le climat, la floraison précoce des arbres fruitiers attire depuis longtemps les visiteurs quand vient le printemps. Hélas, au cours des récentes décennies, beaucoup de vignes ont été sacrifiées au développement d'autres activités. La Bergstrasse hessoise est devenue l'une des régions de viticulture les plus petites en Allemagne (avec 400 ha seulement), mais elle continue cependant à produire des vins remarquables. Plus de la moitié des vignobles sont plantés de Riesling qui donne des vins vigoureux à forte acidité, mais peut aussi produire des sélections tardives très moelleuses. Le Müller-Thurgau donne ici de bons résultats.

Les tracés des frontières à l'intérieur de l'Allemagne, là où ils ont été conservés, permettent de deviner ce qu'il y avait d'insaisissable pour le regard dans ces entrelacs historiques. On peut en une certaine mesure les retrouver dans les délimitations de certains domaines de la viticulture, tout spécialement si nous nous rendons dans le pays de Bade.

Non pas dans l'ancien grand-duché qui fut réuni après 1945, non sans une grande réticence de la part de ses habitants, au nouveau Land de Bade-Wurtemberg, mais dans l'ancien Land de Bade, celui qu'on peut appeler la Bade des vins. Cette région reflète l'histoire de la multiplicité des petits États allemands. Mais là aussi il convient d'être juste. De telles régions, souvent, présentent des héritages culturels considé-rables et un sens civique développé, particulièrement vif dans les petits territoires princiers ou dans les villes libres d'Empire sous la lointaine autorité impériale. Le libéralisme s'y est imposé, très tôt. On y était tolérant et prêt à accueillir des influences nouvelles face aux voisins alémaniques et français. Les frontières n'avaient pas beaucoup d'importance.

Le climat doux fait venir des Riesling vigoureux à forte acidité.

Bade

Le pays de Bade est la région viticole d'Allemagne qui s'étend le plus loin au sud et présente certaines particularités. Il est fortement imprégné de traditions vinicoles alsaciennes, ce qui signifie que la fermentation des vins est généralement plus poussée, que la production de vins rouges occupe une place importante, et que les coopératives jouent un rôle considérable dans l'économie du vin. Mais avant tout il faut retenir la grande diversité historique de la région : le pays autour de l'embouchure du Tauber, un affluent du Main, est au fond une partie de la Franconie, mais le pays de Bade comprend aussi une partie du Rhin supérieur (face au Haut-Rhin français) et certaines régions autour du lac de Constance. Le climat, les sols, les cépages ainsi que les traditions viticoles locales se distinguent de ce fait très fortement d'une sous-région à l'autre. La plus grande partie des cépages allemands se rencontrent ici, souvent appelés de noms indigènes comme par exemple le Bourgogne gris qu'on désigne ici comme « Ruländer », le « Gutedel » (bon et noble) qui est en réalité un Chasselas, les Riesling de l'Ortenau près de Baden-Baden, qu'on connaît sous le nom de « Klingelberger » ou encore le « Clevner » qui est un Traminer...

Les vignobles les mieux ensoleillés de toute l'Allemagne se trouvent dans le pays de Bade, et plus précisément au Kaiserstuhl. C'est là une région fort intéressante aussi du point de vue de l'histoire géologique. Entre les rudes hauteurs de la Forêt Noire marquées par leurs rochers de granit, leurs profondes forêts et leurs tourbières d'une part, et la plaine rhénane d'autre part, ce groupe de collines d'origine volcanique dresse ses pentes raides : on y produit surtout des vins rouges à partir du raisin de Bourgogne bleu. Naguère on en

faisait du vin rosé sous le nom de « Weißherbst » (Automne blanc), mais aujourd'hui on préfère des vins rouges bien gras, tanniques, qui ressemblent davantage aux Bourgognes français qu'aux vins rouges de l'Ahr.

Le Kaiserstuhl est le terroir de culture classique du Weißherbst, aimable et fruité qui vient de terres plantées en Bourgogne tardif.

Wurtemberg

Tout aussi diverse se révèle, entourée de trois côtés par la Bade du vin, la région vinicole de Wurtemberg. Entre les vignobles wurtembergeois les plus septentrionaux près de Bad Mergentheim et ceux qui se situent le plus au sud dans le voisinage de Lindau la différence est de deux degrés de latitude, ce qui est beaucoup dans le climat allemand. Le centre de la viticulture du pays se trouve entre Heilbronn et Stuttgart dans les vallées du Neckar et de ses affluents. À partir des raisins Trollinger, parents du Vernatsch sud-tyrolien (et de la Vernaccia italienne) on y produit un vin rouge léger qu'on boit surtout « après le travail ». D'autres cépages posent davantage de problèmes : il en est ainsi du Riesling noir, du Bourgogne précoce ou du Lemberger qui produit les raisins noirs les plus appréciés de la région. Plus de la moitié de l'espace cultivé en vignes porte des cépages qui produisent des vins rouges. C'est encore le Riesling qui s'y trouve le plus fréquemment ; grâce à sa robustesse, il se distingue ici très nettement des Riesling de la Moselle. Comme spécialité il convient de mentionner le « Vin de Schiller » (qui porte le nom du grand poète souabe), obtenu en mélangeant dans les tonneaux des vins rouges et des vins blancs.

L'histoire de Wurtemberg a été marquée depuis le Moyen Âge par les affrontements entre ses souverains et les États qui leur tenaient tête. Une autre marque fondamentale provient de la division confessionnelle (les Ducs de Wurtemberg ont très tôt choisi la Réforme luthérienne). Ce pays présente beaucoup d'aspects qui incitent à jeter un regard romantique sur le passé, comme le fit le romancier Wilhelm Hauff dans son fameux récit « Lichtenstein » qui se passe au Moyen Âge. De nos jours c'est avant tout la région de Stuttgart qui est devenue un centre de croissance économique ultramoderne, au sein duquel la tradition et la haute techno-logie peuvent coexister. Une culture artisanale hautement développée dans les innombrables petites villes a ouvert la voie à une industrialisation précoce et couronnée de nombreux succès

Les meilleurs vins de la région sont des rouges comme le Trollinger, le Bourgogne précoce (le « Clevner ») et le Leu-berger de très grande valeur.

231

Franconie

Le Sylvaner est le vin blanc typique de la Franconie, avec son odeur de terroir et son arôme fruité.

P our cette raison et pour beaucoup d'autres, le Wurtemberg présente beaucoup de ressemblances avec la Franconie. Avec 6 000 hectares à peine la Franconie figure parmi les régions les moins étendues de la viticulture allemande. Les vignes se concentrent autour du Main ; la région produit essentiellement des vins blancs, parmi lesquels prédominent les Sylvaner. Leur « nez » de terroir et leur arôme fruité en ont fait le vin franconien typique, mais à ses côtés l'on ne doit oublier ni le Müller-Thurgau qui est au fond le vin qu'on rencontre le plus souvent en Franconie, ni le Riesling, mais ce dernier exige beaucoup de soin. Là où il vient bien en Franconie, il est excellent. Un croisement avec le Sylvaner, le Rieslaner, moins délicat, donne également de bons résultats. On trouve en outre en Franconie le Bacchus, la Scheurebe, le Kerner et différentes sortes de Bourgogne.

Une grande partie de la viticulture franconienne se fait dans des niches favorisées par le climat. De ce fait, la région ne forme pas un tout continu et les sols et les conditions générales diffèrent profondément. Les vignes s'étendent d'Aschaffenburg, à l'est de Francfort, jusqu'au-delà de Wurzbourg ; dans le nord ils atteignent même les derniers contreforts de la Rhön au climat rude près de Hammelburg. Les sols secs formés de calcaire conchylien dans le voisinage de la vieille cité épiscopale de Wurzbourg donnent des vins blancs élégants ; plus en aval du Main, le grès rose permet d'obtenir pour un vin rouge de grand caractère, à la fois épicé et doux, qui provient des grappes du Bourgogne tardif. On observera que la plupart des vins franconiens ont subi une fermentation presque complète. Une spécialité de la viticulture franconienne est la bouteille au ventre arrondi, le Bocksbeutel, dans laquelle sont présentés une grande partie des vins franconiens et qui de toute façon est réservée en

Allemagne par la loi aux vins de Franconie, y compris ceux qui viennent de la Franconie badoise.

La Franconie est un véritable microcosme de l'Allemagne. Les plus belles églises de l'art roman, du gothique, du baroque et du rococo, s'y trouvent aux côtés de grandes forteresses et de châteaux fameux, de petites villes pleines de maisons à colombages. Des hauteurs rudes avec leurs marais, leurs forêts et leurs landes s'élèvent au-dessus des vallées gracieuses et bien abritées. On a dit beaucoup de mal de la division de l'Allemagne en une multitude d'États souvent très petits, mais ici ce passé a laissé derrière lui, comme dans les terres badoises et wurtembergeoises, de véritables trésors. Si l'on peut ajouter foi à une tradition postérieure, le vin aurait préservé pendant la guerre de Trente Ans du pillage, voire de l'anéantissement, la ville de Rothenburg ob der Tauber, l'une des cités allemandes les mieux connues même à l'étranger. Son maire, du nom de Nusch, aurait adouci le courroux du capitaine impérial, Tilly, en vidant devant lui un hanap contenant environ 4 litres, et cela d'une seule traite. L'authenticité de ce fait est discutée, mais sous le nom de « coup du bourgmestre » il appartient aujourd'hui aux festivités du folklore citadin. De toute façon l'on pourrait se livrer à de farouches disputes, pour savoir si en matière de vin Rothenburg appartient vraiment à la Franconie puisque la vallée du Tauber se trouve dans la Franconie badoise...

Saale-Unstrut

Tous les vins de la région, tels que les Müller-Thurgau, les Sylvaner et les Bourgognes blancs sont légers, quelque peu acidulés, avec une petite saveur âpre de terroir.

À présent c'est un long voyage en direction du nord et de l'est qu'il nous faut entreprendre pour faire finalement connaissance avec les vins de la Saale et de l'Unstrut. Cette région se trouve dans les « Nouveaux Länder fédéraux », c'est-à-dire sur le territoire de l'ancienne République démocratique allemande. Les vignobles se concentrent autour de l'embouchure de l'Unstrut dans la Saale, près de la ville de Naumburg, fameuse par sa cathédrale. Les célèbres statues des fondateurs, avec leurs traits rudes, forment un contraste impressionnant avec la culture du vin qui – du moins chez nous autres Allemands – est plutôt associée à la joie de vivre et un sentiment méridional de la vie. Il est vrai que les vignes, avec seulement 400 hectares, sont les plus septentrionales de notre pays. En dépit de cette situation défavorable, du moins en apparence, la culture du vin y est attestée depuis le XIe siècle. Le Müller-Thurgau et le Sylvaner qui viennent à maturité en une période de végétation relativement courte grâce à des étés spécialement secs et chauds. On ne rencontre que rarement du Traminer et du Riesling ; plus fréquemment le Bourgogne blanc qui produit des vins très raffinés, plutôt légers et de forte acidité. Ils sont presque tous produits secs et présentent un petit goût terreux et âpre. La plus grande partie de la récolte est consommée sur place dans le Land fédéré de Saxe-Anhalt.

Saxe

P lus petite encore – avec ses 200 hectares, c'est la plus petite région viticole d'Allemagne – est la Saxe. Tous les vignobles de la Saxe sont situés dans la vallée de l'Elbe, bien protégée par le climat, entre Meissen, la vieille cité de la porcelaine, et Pillnitz, un faubourg de Dresde. Les gels tardifs qui peuvent détruire le cep tout entier y représentent un danger permanent. Le sol formé de grains et de gneiss permet de cultiver des Müller-Thurgau, des Riesling, des Traminer, ainsi que les Bourgognes gris et blancs. Le terroir produit des vins expressifs mais qui manquent un peu de corps. On les boit surtout dans le pays même ; ailleurs ils sont considérés comme des curiosités. La culture de la vigne a une longue tradition en Saxe ; elle connaît aujourd'hui une expansion certaine.

On peut se demander pour quelles raisons le vin est cultivé si loin au nord-est de l'Allemagne. Nous ne devons cependant pas oublier qu'il y a eu de fortes variations climatiques même dans les temps historiques. Sans cesse il a fallu abandonner des vignobles anciens pour les reprendre quelques siècles plus tard. On rapporte que même sur les monts de Tempelhof, une chaîne de collines englobées aujourd'hui dans la partie méridionale de la ville de Berlin, des vignes avaient été cultivées à la fin du XVIe siècle.

Le vin se marie bien, par ailleurs, avec la ville de Dresde, qu'au XVIIIe siècle on appelait la Florence de l'Elbe. Les façades des maisons et des palais qui regardent le fleuve rappellent effectivement par ses couleurs, ses formes et le calme des eaux les façades de Florence ou de Pise. Mais ce ne fut pas là l'unique raison pour attribuer un tel surnom à la ville. Sous ses Électeurs ambitieux, dont deux furent même Rois en Pologne, la Saxe avait conquis une place de tête dans le mécénat artistique et scientifique. Les défaites militaires et

politiques elles-mêmes, spécialement face à la Prusse, le grand adversaire de la Saxe, n'y changèrent rien.

Depuis la réunification de l'Allemagne, les vins de la Saale, de l'Unstrut et de l'Elbe ne sont plus une boisson inconnue ou inabordable par ses prix. Mais on aura sans doute pendant longtemps du mal à en trouver : les vignobles sont en effet très petits, et les habitants de la région sont très attachés à ces vins.

Les Müller-Thurgau, les Riesling et Bourgogne gris, les Traminer et Bourgogne blancs qu'on produit ici sont des vins délicats, riches en nuances mais ils n'ont pas beaucoup de corps.

Index des recettes par régions

Index alphabétique des recettes

CRÉDITS PHOTOGRAPHIQUES